D0548053

Wat een mooite!

Bregje Boonstra

Wat een mooite!

Hoogtij in het kinderboek in acht portretten

AMSTERDAM · ANTWERPEN
EM. QUERIDO'S UITGEVERIJ BV
2009

www.querido.nl
www.queridokind.nl

Omslagillustratie Eliane Duvekot
Omslagontwerp Barbara van Dongen Torman

ISBN 978 90 214 3541 1 / NUR 283

INHOUD

Ode aan de onaangepastheid

In *Nachtverhaal* van Paul Biegel spelen, zoals in zijn werk gebruikelijk, een fee, een kabouter en ander niet menselijk volk de hoofdrol. Wanneer een ondergronds levende kobold voor het eerst van zijn leven bovengronds gaat, is hij overdonderd door de kleurenpracht van de natuur en vooral door de blauwe lucht: 'Wat een mooie deksel zit er op de wereld. En alles past er precies onder.' Ademloos vat hij even later zijn opwinding samen: 'Wat een mooite!' Die drie woorden raken de kern van het gevoel dat bij mij is achtergebleven na twintig jaar schrijven over kinderboeken, van 1983 tot 1993 voor NRC *Handelsblad* en van 1993 tot 2004 voor *De Groene Amsterdammer*.

Oordelen betekent vergelijken en schiften, en zo heb ik als volwassen lezer van een niet te tellen hoeveelheid voor kinderen bestemde boeken in de eerste plaats veel moeten zuchten onder leukdoenerij, hurkerigheid, gekneuter, gemakzucht, uitleggerigheid en volwassen moreel gelijk, onder voorspelbaarheid, clichés, morsdode personages, breedvoerigheid en taalarmoede. Gelukkig is er in het geheugen voor middelmatigheid weinig ruimte en overheersen de herinneringen aan verhaalfiguren die altijd in mijn buurt zullen blijven rondscharrelen, aan onvergetelijke situaties en uitspraken, aan een dikke keel of niet te stuiten tranenvloed, aan glimlach, gegrinnik en lachsalvo's, en bovenal aan taal. Van taal immers zijn verhalen gemaakt en wat dat betreft heeft de vaderlandse jeugdliteratuur de laatste decennia van de twintigste eeuw verrassend veel gebracht. Zoals de kobold de bovengrondse wereld voor het eerst aanschouwt, zo is de jeugdliteratuur vol van eerste keren, van al het ongekende dat lezen en leven voor kinderen in petto heeft. En soms zijn er schrijvers die daar ondanks hun leeftijd met verse ogen naar kunnen kijken en die voor wat ze zien nog niet versleten of nog nooit gebruikte woorden weten te vinden. Mooite is een buitengewone vorm van mooi en over alle mooite die ik zag, gaat dit boek.

Binnen de vaderlandse jeugdliteratuur was de periode waar het hier over gaat uitzonderlijk van karakter, creativiteit en productiviteit. Er waren schrijvers aan het woord die zich niet primair bekommerden om de vorming en het toekomstige heil van hun jeugdige lezers of hen tot elke prijs wilden vermaken, maar die door hun toon en hun manier van denken en kijken verbinding hadden met het kinderlijke, dat wil zeggen het opene, nog niet in volwassen conventies vastgeraakte. In verhouding tot het primaat van de inhoud en de spannende vertelling dat traditioneel in kinderboekenland heerst, hielden zij zich opvallend met de vorm bezig. Dat leidde tot oorspronkelijke, zorgvuldig in taal en beeld vervatte gedachten, met ruimte voor verbeeldingskracht, humor, nuance en tussen de regels door lezen: lees maar, er staat meer dan er staat! Zo hebben zich auteurs kunnen ontwikkelen die het aanzien van de Nederlandse jeugdliteratuur in binnen- en buitenland aanzienlijk hebben vergroot, auteurs met een oeuvre dat een oude stelling van Jan Blokker in gedachten brengt: 'Alle boeken maken, als ze goed zijn, gelijkelijk deel uit van wat we literatuur noemen.'

Gedurende mijn tijd als criticus maakte ik een concentratie van literaire hoogtepunten mee: Els Pelgroms *Kleine Sofie en Lange Wapper* (1984), de eerste dierenverhalen van Toon Tellegen in 1985, Harriët van Reek met *De avonturen van Lena lena* (1986) en *Annetje Lie in het holst van de nacht* (1987) van Imme Dros, de Kikkerverhalen van Max Velthuijs vanaf 1989, in 1991 *De prinses van de moestuin* van de gezusters Heymans en Paul Biegel met *Nachtverhaal* in 1992, Wim Hofmans *Zwart als inkt* (1997), Joke van Leeuwens *Bezoekjaren* (1998), de geboorte van Kuijers Polleke in 1999 en in 2001 Peter van Gestels *Winterijs*. En dit zijn alleen de echte toppers, die moeiteloos verveelvoudigd zouden kunnen worden met de titels van andere aangrijpende, interessante, grappige en meeslepende kinderboeken.

Deze samengebalde uitbarsting van talent doet soms denken aan de 'golden age of children's literature' in Engeland. Die duurde aanzienlijk langer – van ongeveer 1860 tot 1930 – en werd bepaald door grote en nog steeds niet vergeten namen: Lewis Carroll, J.M. Barrie, Beatrix Potter, Kenneth Grahame en A.A. Milne. Wat deze auteurs met elkaar verbond was het verlangen naar het verloren paradijs van hun kindertijd en het daarmee samenhangende verzet tegen het volwassen worden. Hun succes was groot en hun belangrijkste boeken zijn voor veel volwassen lezers in Engeland en daarbuiten nog altijd een maatstaf voor wat een goed kinderboek heet te zijn.

De schrijvers Paul Biegel, Imme Dros, Wim Hofman, Peter van Gestel, Els Pelgrom, Guus Kuijer, Toon Tellegen en Joke van Leeuwen, die hier bijeengebracht zijn om samen hun piepkleine gouden eeuw te vormen, zijn minder makkelijk onder één noemer te brengen dan hun Engelse collega's. De belangrijkste overweging voor deze keuze is dat hun werk mij als criticus het meest geraakt en geïnspireerd heeft, terwijl ze allemaal minimaal één boek schreven dat het in zich heeft om de tijd te trotseren en toegevoegd te worden aan het nog altijd niet zo omvangrijke stapeltje klassieken dat onze jeugdliteratuur heeft voortgebracht. Mijns inziens is het uitlichten (én in druk houden!) van wat een klassieke status verdient van niet te onderschatten belang. Het al dan niet opbloeien van de liefde voor het lezen is immers voor een belangrijk deel afhankelijk van uitwisseling tussen generaties, van het doorgeven wat ooit dierbaar was.

Mogelijk vallen er op grond van het werk van de betreffende auteurs en de gesprekken die ik met hen voerde een paar voorzichtige lijntjes te trekken die hen bij elkaar en zelfs een klein beetje bij hun illustere voorgangers doen horen. Wat hen in elk geval bindt, is dat ze hun nog niet volwassen lezerspubliek en zichzelf als kinderboekenschrijver serieus nemen. Verder ontvingen ze alle acht de Theo Thijssenprijs, de driejaarlijkse oeuvreprijs voor jeugdliteratuur. Het is geenszins mijn bedoeling om een jeugdliteraire geschiedenis te schrijven, maar door het vastleggen van opvattingen over hun schrijverschap en het in kaart brengen van hun oeuvres zullen de geportretteerde auteurs vanzelf ook getuigen van een tijd worden.

Toen ik in 1983 begon met mijn wekelijkse berichten in het Cultureel Supplement van NRC *Handelsblad* waren er een paar belangrijke reputaties gevestigd. Annie Schmidt zat nog niet op haar koninginnentroon, maar de blijvende kracht van haar versjes was erkend en wat misschien minstens zo belangrijk was: haar licht opruiende toon had niet alleen de vooroorlogse braafheid als levensdoel op losse schroeven gezet, maar ook het schrijverschap voor kinderen in een ander licht geplaatst. Guus Kuijer verwoordt dat heel precies: 'Het is haar mentaliteit die me gestimuleerd heeft, de anti-mevrouwen en -menerenmentaliteit. Die heeft me ervan overtuigd dat een schrijver niet altijd maar hoeft te tobben of het wel goed en verantwoord is voor de jeugd, en mij het idee gegeven dat het kinderboek toch wel een genre is waar je je met goed fatsoen mee bezig kunt houden.'

We hadden het drietal van de 'grand old ladies' – An Rutgers van der Loeff, Miep Diekmann en Tonke Dragt – ernstige schrijfsters van grote verhalen, die hun lezers de boodschap van eigen verantwoordelijkheid en keuzemogelijkheden meegaven. En de roerige jaren zeventig waren ongeveer achter de rug. Dat was de tijd waarin het kinderboek werd herontdekt als middel in de strijd voor een betere wereld. Er ontstond een actieve beweging die het traditionele en wereldbeeldbestendigende karakter van de bestaande jeugdliteratuur aan de kaak stelde. Die kritische geluiden kwamen voort uit de feministische- en de anti-autoritaire opvoedingsbeweging. Bevlogen maatschappijhervormers stelden vast hoe burgerlijk het kinderboek was. Hoe het werd bevolkt door zorgende moeders, brave meisjes en ondernemende jongetjes, hoe alwetend de meesters en de juffen waren en hoe weinig de donkere kanten van de grote mensenwereld getoond werden. Boeken werden volgens schema's gescreend en gecategoriseerd, bekroningen werden met de grond gelijk gemaakt en er verschenen beargumenteerde brochures met door alternatieve ogen goedgekeurde titels.

Het gevolg van alle gekrakeel was wakker schuddend. Meer mensen raakten geïnteresseerd in en betrokken bij het kinderboek. Die ontwikkeling paste ook in een tijd waarin kinderen niet langer in de eerste plaats gehoorzaam hoefden te zijn. Ze mochten echte mensendingen gaan doen. *Sesamstraat* begon aan zijn successtory op de televisie, de kinderrechtswinkel opende zijn deuren en in 1975 kreeg Amsterdam Nederlands eerste kinderboekwinkel. Ook uitgevers en schrijvers bleken niet ongevoelig voor de luidkeels verkondigde kritiek en na een aantal jaren waren ze een feit: de pannenkoeken bakkende dan wel alcoholistische vaders, de alleenstaande moeders en hun ondernemende dan wel ongewild zwangere dochters. Er verschenen boeken over vrijheidsstrijders in Latijns-Amerika of fabrieksarbeiders die de directeur de laan uitstuurden, boeken over lesbische hamsters, het gevaar van de atoombom en over de dood. En ze werden door de kritiek positief gewaardeerd.

Voortkomend uit deze beweging en haar zelf ook weer stimulerend was het Schrijverscollectief, bestaande uit Willem Wilmink, Hans Dorrestijn, Karel Eykman, Ries Moonen en Jan Riem. In 1972 begon de groep met *De Stratemakeropzeeshow*, later gevolgd door de *J.J. de Bomshow, voorheen de kindervriend*, spraakmakende televisieprogramma's, waarover Aart Staartjes opmerkte: 'We voelden ons de Beatles, de provo's van de Nederlandse kindertelevisie.' De makers wilden met hun liedjes en sketches maatschappelijke problemen bespreekbaar maken en kozen partij voor het kind. Hun teksten waren geestig, afwisselend baldadig en gevoelig, en met name de heldere kinderpoëzie van Willem Wilmink vormt een belangrijke erfenis van een collectief dat inmiddels lang ter ziele is.

Het is in deze tijd dat de onderwijzer Guus Kuijer voor kinderen begint te schrijven. Aan de ene kant past hij met zijn kritische opvattingen over de maatschappij en vooral over de opvoeding precies in de toen actuele beweging, aan de andere kant heeft hij haar te vuur en te zwaard bestreden, vanwege haar in wezen pedagogische en ook dwingend voorschrijvende karakter. Vooral met zijn boekenkinderen Madelief (1975) en Polleke (1999) heeft hij de vinger aan de pols van de tijd gehouden en op kinderhoogte de niet altijd vrolijk stemmende ontwikkelingen in de samenleving gesignaleerd. Dankzij zijn onovertroffen vermogen grote zaken klein te beschrijven houdt zijn werk bijna altijd iets lichtvoetigs. Zelden gaat het in de eerste plaats over problemen, maar het laat vooral springlevende mensen zien met al hun hebbelijkheden, charmes en zwaktes.

Het kinderboek als wereldverbeterend breekijzer en als middel in de strijd tegen de bestaande orde leidde na een aantal jaren opnieuw tot protest, maar nu tegen de overdosis goede bedoelingen, de bedachtheid en het gebrek aan verbeeldingskracht. Veel zogenaamde probleemboeken wekten de indruk volgens vaste receptuur vervaardigd te zijn, met een aan de orde te stellen misstand, braaf voortkabbelende zinnen, verhaalfiguren zonder eigen gezicht en een voorspelbare afloop. In de kritiek ging het daarop steeds vaker over oorspronkelijkheid, stijl, structuur, karaktertekening, impliciteheid en gelaagdheid, termen die bij de literatuur thuishoren. Gelukkig waren er schrijvers die ondanks de maatschappijveranderende stormen hun eigenwijze gang waren blijven gaan en boeken schreven waarop deze criteria met succes konden worden losgelaten.

De eerste en belangrijkste is Paul Biegel, die zich ruim veertig jaar – vanaf *Het sleutelkruid* (1964) tot kort voor zijn dood in 2006 – van geen enkele mode iets heeft aangetrokken. Zijn literaire wereld is altijd die van het sprookje geweest, een ongewoon verschijnsel in een land waar het kinderboek voornamelijk met twee voeten in de klei van de alledaagse realiteit heeft gestaan. Biegels protagonisten zijn dwergen, heksen, reuzen en feeën, rovers en draken, mieren, hommels, padden en muizen. Gedeeltelijk bestaat zijn oeuvre uit pretentieloze, kleurrijke avonturen, zoals in *De kleine kapitein*, maar in zijn beste boeken als *De tuinen van Dorr* of *Nachtverhaal* draait het om de grote thema's van vriendschap en liefde, eenzaamheid, angst, afgunst, dood en oorlog, maar dan wel een beetje verstopt. De lezers krijgen altijd in de eerste plaats een vertelling, vol raadsels, onverwachte gebeurtenissen en wonderlijke figuren. En zonder uitzondering zijn die vertellingen opgetekend in fonkelende taal en met dichterlijke precisie. De positie van Annie Schmidt als absolute heerseres over het naoorlogse vaderlandse kinderboekenrijk is min of meer onaantastbaar, maar als verhalenverteller steekt Biegel haar naar de kroon. Dankzij de aansluiting bij het volkse en bij de codes en de symboliek van het sprookje is zijn werk nauwelijks tijdgebonden, en hij is dan ook al decennialang geliefd bij jeugdige lezers én volwassen voorlezers, terwijl de zeggingskracht en de uiterst zorgvuldige vormgeving van zijn verhalen hem als schrijver ver uittillen boven het niveau van de gemiddelde publiekslieveling.

Net als Paul Biegel houdt Wim Hofman zich sinds hij in 1969 debuteerde met *Welwel, de zeer grote tovenaar* afzijdig van de jeugdliteraire waan van de dag. Hofman is zowel schrijver als beeldend kunstenaar en illustreert al zijn boeken zelf, in weerbarstige zwarte lijnen. Zijn absurdisme en het soms nauwelijks in de hand te houden spel met de taal kunnen zijn pessimistische levensvisie niet altijd verhullen. Onbarmhartig precies en zonder vals sentiment registreert de schrijver wat kinderen wordt aangedaan, met als indrukwekkend hoogtepunt *Zwart als inkt* (1997), zijn heel eigen interpretatie van Sneeuwwitje. Hofman is schatplichtig aan verschillende sprookjes, omdat ze verwijzen naar de voor hem belangrijke thematiek van machteloosheid en afhankelijkheid in een kinderleven. Die donkerte in zijn werk is het ene been, dat moeiteloos in evenwicht wordt gehouden door het andere, dat bestaat uit rare gedachtekronkels, wonderlijke fantasieën, woordgrapjes en een krachtige beeldentaal, met oog voor alles – mens of ding – wat schots, scheef en veronachtzaamd is. Hofman beziet het met deernis en humor en weet ook in het onooglijke het vitale zichtbaar te maken.

Schrijvers als Biegel en Hofman hebben het materiaal aangereikt, waarmee de literaire kwaliteiten van het kinderboek in de schijnwerpers gezet konden worden. Zij hebben een weg gebaand die van de eentonige, platte vlakte van het realisme leidt naar het veel geaccidenteerder en verrassender terrein van de verbeeldingskracht en de fantasie. Een terrein waar ruimte is voor de taal zelf, die dan ook niet meer uitsluitend wordt gezien als dienstbaar aan een hoger doel. Van groot belang was het natuurlijk ook dat er uitgevers waren die oog hadden voor dit soort jeugdliteratuur, en het is vooral uitgeverij Querido geweest die met veel lef en een fijne neus voor kwaliteit jarenlang een podium heeft geboden aan wat het 'literaire' kinderboek is gaan heten. Dit is het terrein waar Els Pelgrom zich thuis kon voelen, die toen ze ooit Paul Biegel las dacht dat ze misschien ook wel zo zou kunnen schrijven. Drie Gouden Griffels bevestigden haar gelijk. Haar eigen herinneringen aan het laatste oorlogsjaar en die van haar Spaanse echtgenoot aan de onvoorstelbare armoede waarin hij kort na de Burgeroorlog opgroeide, vormde ze om tot fijngevoelige verhalen, waaruit haar sociale bewogenheid en verbondenheid met 'gewone' mensen spreken. Haar stijl is onopgesmukt en zintuiglijk, met gedetailleerde aandacht voor het dagelijks leven en waardering voor de beschermende warmte van het gezinsleven. Met *Kleine Sofie en Lange Wapper* (1984) grijpt ze terug naar de oude waarheden van het sprookje en laat ze poppen en beesten de onrechtvaardige verdeling in het leven voorspelen. Met de rijkdom aan beelden en emoties en met de gelaagdheid waarin het zich laat lezen, kreeg het tijdloze verhaal ongeveer vanaf de dag van verschijnen een klassieke status.

Met het kinderboek bloeide ook de jeugdliteraire kritiek op. Eind jaren tachtig nam een aantal critici het initiatief voor een prijs die dient te gaan naar een boek met uitzonderlijke kwaliteiten, zowel op het gebied van taal en inhoud als op dat van beeld en uitvoering. De gesponsorde Woutertje Pieterseprijs, die geen ander doel dient dan het promoten van belangwekkende kinderboeken en het loven van hun makers, heeft inmiddels zijn bestaansrecht naast de Griffels en Penselen bewezen. In 1988 was de eerste winnaar Imme Dros met *Annetje Lie in het holst van de nacht.* Na haar debuut in het begin van de jaren zeventig had zij zich ontwikkeld tot een belangrijk auteur van jongerenromans, die zich onderscheiden door sterke dialogen en door een wat afstandelijke, maar scherpe en vaak humoristische observatie van het menselijk gedrag. Met Annetje Lie keerde de schrijfster het realisme de rug toe en koos ze voor aan de volkscultuur verwante beelden en figuren, om vorm te geven aan de verlatingsangst van een klein meisje. De nachtmerrieachtige gebeurtenissen worden enigszins onderkoeld en met voorzichtige woorden opgetekend, maar uit alles spreekt betrokkenheid bij de mysterieuze en rijke realiteit van kinderangsten en -fantasieën, een bron waaruit ook de kleine verhalen opborrelen die Harrie Geelen tot een prentenboek omtovert. De vreugde die Dros aan het precies en zorgvuldig hanteren van de taal beleeft, zette haar op het spoor van het vertalen en hervertellen van de grote verhalen uit de klassieke oudheid. Haar toewijding, inventiviteit en vrijmoedige omgang met de oorspronkelijke teksten betekenen voor sommige lezers een hernieuwde kennismaking, voor anderen de eerste toegang tot een intrigerende verhalenwereld.

Peter van Gestel verdiende al lang zijn brood met schrijven voor radio en televisie, toen hij op verzoek van 'De Blauw Geruite Kiel', de kinderrubriek die van 1977 tot 1990 in *Vrij Nederland* stond, ook eens een verhaal voor kinderen probeerde. Dat leidde tot een breed en gevarieerd oeuvre met als voorlopige hoogtepunten *Mariken* (1997) en *Winterijs* (2001). Humor en melancholie bepalen de toon in zijn werk. Zijn hoofdpersonen zijn kinderen van het nadenkende soort, eenlingen vaak, die het menselijk bedrijf met verbazing en het nodige wantrouwen bezien. De haperende relatie tussen ouders en kinderen en het zoeken naar geborgenheid vormen een terugkerend thema, terwijl Van Gestels schrijvershand het meest herkenbaar is in zijn levensechte en onnavolgbare dialogen, waarin de woorden eerder iets verbergen dan onthullen.

Geheel eigen en onmogelijk met iemand anders te verwarren is de stem van de dichter Toon Tellegen. In 1984 verscheen hij op het kinderboekentoneel met een verzameling ultrakorte, absurdistische en wijsgerig getinte dierenverhalen. Biologische afspraken tellen daarin niet, maar het dierenvolk profileert zich ook niet met menselijke eigenschappen, zoals we dat bijvoorbeeld gewend zijn uit *Winnie de Poeh*. In Tellegens grappige en poëtische taalspinsels bestaan de dieren vooral om hardop na te denken over het merkwaardig bedrijf dat leven heet. Het duurde even voor lezers zich gewonnen gaven, maar inmiddels is het succes in binnen- en buitenland groot. Een bos vol dieren wordt algauw aan kinderen toebedacht, maar er blijken heel wat lezers te bestaan die nog niet zó door volwassen literaire conventies zijn ingepakt dat ze geen oog en hart meer zouden hebben voor taal en verbeeldingskracht die geen leeftijdsgrenzen (er)kennen.

De jongste in het gezelschap is Joke van Leeuwen. Haar zelden omvangrijke boeken hebben bondige titels als *Iep!* of *Kukel* en bruisen van ondernemingslust, vrijheidsdrang en onbekommerd anarchisme. Van Leeuwen is een vrouw van weinig, maar precies gekozen woorden en van een zekere kortaangebondenheid, die een komisch effect heeft. Haar teken- en schrijftalenten zijn gelijkwaardig en kunnen gemobiliseerd worden op het moment waarop dat in een verhaal van pas komt. Zo spreekt het beeld waar de taal ophoudt, en verklaart de taal waar het beeld geen zin heeft. Typerend is de manier waarop haar jeugdige verhaalfiguren met open en oningevulde blik van onderaf naar de wereld van de volwassenen kijken, zodat zware ingewikkeldheden een onverwachte lichtheid krijgen, draaglijk worden en redelijk overzichtelijk.

Wie acht auteurs portretteert, laat een veel groter aantal onbelicht. Schrijven is kiezen en dus is er heel wat waarover het in dit boek *niet* gaat. Er komen uitsluitend Nederlandse auteurs aan bod, terwijl onze jeugdliteratuur altijd voor een belangrijk deel bestaan heeft uit vertalingen en terwijl wij sinds de jaren negentig ook kunnen profiteren van het opbloeiende Vlaamse kinderboek. Meester van het minimalisme Bart Moeyaert zette de toon voor hoe het óók zou kunnen in het kinderboek, dat in Vlaanderen langer dan in Nederland gevangen bleef in moralisme en belerendheid enerzijds en trivialiteit anderzijds. Moeyaert beweegt zich op verschillende literaire terreinen en excelleert in verhaalopbouw, suggestieve verteltrant en onderhuidse spanning, zoals blijkt uit het onovertroffen *Blote handen* (1995). Opvallend zijn ook de doorwrochte en bevlogen jongerenromans van Anne Provoost, belangwekkend qua thematiek, ingenieus van compositie en verhaallijn en kritisch in de kijk op de samenleving. Vooral met haar visie op het zondvloedverhaal *De arkvaarders* (2001) schreef ze een indrukwekkende mix van historisch verhaal en moralistische verhandeling. Hier en daar gaan haar boeken gebukt onder zware ernst, een gemoedstoestand waar Vlaamse auteurs eerder gevoelig voor lijken dan hun Nederlandse collega's.

Vrolijk stemmend is daarentegen het grote aantal eigenzinnige en vernieuwende illustratoren dat het gezicht van de jeugdliteratuur bij onze zuiderburen bepaalt. Sabien Clement, Carll Cneut, Gerda Dendooven, Ingrid Godon, André Sollie, Isabelle Vandenabeele, Klaas Verplancke en vele anderen worden als leden van de 'Vlaamse school' geroemd om hun artistieke niveau, hun durf en inventiviteit, en brengen met name voor het prentenboek een soort leven in de brouwerij waar wij in ons land alleen maar met jaloerse ogen naar kunnen kijken.

Ook over de Nederlandse illustratoren en prentenboekenmakers gaat het hier niet. Niet over nog altijd actieve ouwe rotten als Mance Post en Thé Tjong-Khing, van wie heel wat beelden in Nederlandse geheugens moeten zijn opgeslagen, niet over de in woord en beeld glasheldere Kikkerverhalen, waarin Max Velthuijs met meesterhand kleine vormen wist te vinden voor grote thema's als vrijheid, liefde, kunst, dood en vreemdelingenhaat, niet over het unieke en uitzonderlijk mooi gemaakte werk van Harriët van Reek, die een onaantastbare kinderwereld met een volstrekt eigen logica weet op te roepen, en zelfs niet over Margriet Heymans, gepassioneerd en volks verteller bij wie woord en beeld uit één hart, één hoofd en één hand komen.

Aan de zweefmolen van *Wat een mooite!* hadden ook wel tien of twaalf stoeltjes kunnen rondzwieren in plaats van acht. Er zijn auteurs die er zeker op hun plaats waren geweest, maar die voor mij niet helemaal in dit gezelschap passen, omdat hun oeuvre (nog) te klein of te beperkt is of omdat hun werk in mijn ogen toch net van een ander kaliber is dan dat van de 'club van acht'.

Buiten beschouwing blijft Sjoerd Kuyper, van oorsprong dichter en vooral bekend als scenarist van de bejubelde kinderfilm *Het zakmes*. Binnen zijn grote en veelzijdige oeuvre schitteren met name zijn Robinverhalen. De gave kleine vertellingen bevatten liefdevolle observaties van een jeugd die veel overeenkomsten vertoont met die van de schrijver. Daarbij laat Kuyper zich niet alleen maar wiegen op de aangename golven van de nostalgie, maar probeert hij consequent en met succes een verbinding te maken met het hedendaagse kleuterleven.

Geen plekje is er voor Ted van Lieshout, wiens pen zowel schrijft als tekent. Daarnaast is hij onvermoeibaar pleitbezorger voor de serieuze behandeling van de Nederlandse jeugdliteratuur. Poëzie neemt in zijn werk een belangrijke plaats in. In zijn openhartige gedichten voor wat oudere kinderen zijn vaak existentiële vragen aan de orde, betreffende dood, verlies en de eigen (seksuele) identiteit. Soms ontkomen ze niet aan een zekere larmoyantheid, maar veelal zijn ze precies raak in de combinatie van kwetsbaarheid en humorvolle zelfspot. De illustraties bij het eigen werk, die oorspronkelijk vooral bestonden uit spichtige en nogal harde pentekeningen, breidde Van Lieshout in latere bundels uit met prenten in een groot aantal verschillende technieken, waarbij hij uitleg gaf over de tot standkoming ervan. Die aandacht voor het visuele resulteerde vervolgens in zogeheten 'papieren musea', mooie platenboeken waarmee kinderen via Van Lieshouts zeer persoonlijke en eigenzinnige blik naar beeldende kunst leren kijken.

Ook voor de voorzichtige schetsen waarmee Rita Verschuur haar jeugdherinneringen in kaart heeft gebracht is geen plaats ingeruimd. Toen de schrijfster onder haar meisjesnaam aan haar zevendelige autobiografische reeks begon, had ze als Rita Törnqvist al bijna twintig jaar kinderboeken geschreven en het werk van Astrid Lindgren vertaald. Binnen de Nederlandse jeugdliteratuur ken ik geen auteur die de grillige werking van het kinderlijk brein met zulke precisie fileert. De lezer mag meekijken in Verschuurs jeugdige hersenpan, zelfs wanneer haar gedachten verre van nobel of opbouwend zijn. De ultrakorte, zorgvuldig geformuleerde zinnen en de aaneenrijging van laconieke, enigszins wijsneuzige observaties geven deze boeken een heel eigen karakter en plaats binnen het oeuvre, en hebben een weinig zichtbaar schrijverschap alsnog verrrassend tot bloei gebracht.

Een andere schrijfster van naar binnen gerichte verhalen is Martha Heesen. Haar boeken zijn duidelijk familie van elkaar, en worden bevolkt door interessante, levensechte personages. Haar hoofdpersonen zijn gevoelige, in zichzelf gekeerde kinderen die nogal eens worstelen met iets ingewikkelds in de gezinssfeer. Op een onnadrukkelijke manier laat Heesen zien dat bestaanshindernissen er zijn om te nemen en dat ook een kind dat voor elkaar kan krijgen. Ze is zuinig met haar woorden en wars van sentiment, en vaak heeft ze een geheim in de aanbieding om het verhaal en de lezer gaande te houden.

Wie ook ontbreekt is Harm de Jonge. Lange tijd schreef hij degelijke jongerenromans die zich zowel door de thematiek als de vorm richten op een lezerspubliek dat de schrijver door zijn baan als leraar Nederlands goed kende. Door de zichtbare aandacht voor verschillende verhaaltechnieken lijken de boeken soms een soort voorbereiding op het 'echte' romanwerk. Sinds hij van het schrijven zijn werk heeft gemaakt lapt de auteur de bewust literaire vorming van de lezer aan zijn laars. Hij richt zich op jongere kinderen en is zijn eigen, autobiografisch getinte verhaal dichter genaderd. In verstilde vertellingen weet hij met weinig, maar precies gekozen woorden jongenswerelden van zo'n vijftig jaar geleden op te roepen, die dankzij de raadselachtige figuren en wonderlijke gebeurtenissen ook aantrekkelijk zijn voor kinderen van nu.

Een belangrijke figuur onder een jongere generatie schrijvers is Edward van de Vendel, van oorsprong onderwijzer en in 1996 gedebuteerd als dichter, waarna hij zich ontwikkelde tot een veelzijdig auteur, met een groot vorm- en taalbewustzijn en een voelbare verbondenheid met jonge mensen. Hij maakte een fraaie bewerking van Vondels *Gijsbrecht*, schreef teksten voor prentenboeken en ernstige, zoekende jeugdromans waarin homoseksualiteit een thema is. Buitengewoon succesvol zijn zijn springerige en geestige kleuterverzen die worden gebundeld onder de noemer 'Superguppie'. Bovendien is hij als Imme Dros en Ted van Lieshout zeer betrokken op het vak, coacht hij beginnende dichters, en nam het initiatief voor de *Slash*-serie, geëngageerde jeugdromans, waarvoor de schrijvers zich baseren op het levensverhaal van een hun bekende jongere.

Niet eenvoudig ten slotte is het duiden van de huidige stand van zaken in de kinderboekenwereld, omdat ik daar inmiddels met enige distantie naar kijk. Niet langer neem ik kennis van de totale jaarproductie. Ik lees alleen de boeken die ik wil of denk te moeten lezen, wat het recht van spreken en de mogelijkheid tot oordelen minder vanzelfsprekend maakt. Het wegen van het kinderboek met literaire maatstaven is niet altijd en overal met open armen ontvangen. Uiteraard niet bij de Kinderjury, die naar eigen inzicht en gevoel jaar in jaar uit Paul van Loon, Carry Slee of Francine Oomen op de hoogste sport van de ladder plaatst, maar ook niet bij bezorgde volwassen leesbevorderaars. Al in 1990 hield Anne de Vries, toen nog werkzaam bij het Nederlands Bibliotheek- en Lectuurcentrum, een waarschuwende lezing met de titel *Het verdwijnende kinderboek*. Daarin betoogde hij dat bekroonde boeken als Els Pelgroms *Kleine Sofie en Lange Wapper* of *Annetje Lie in het holst van de nacht* van Imme Dros eigenlijk kinderboeken voor volwassenen zijn. Kinderen zouden er niets van begrijpen en ze dus niet lezen. Tijdens de Kinderboekenweek 1998 ging Paul Steenhuis nog een stapje verder met een rellerig, zij het amusant stuk in NRC *Handelsblad*: 'Bescherm ons kroost tegen het goede boek.' Kinderen zouden voor het lezende leven gefrustreerd raken doordat ze het verantwoorde boek door de strot geduwd krijgen, terwijl hun triviale lievelingen hun systematisch onthouden worden. Als bijdrage aan de discussie was het betoog te verwaarlozen, vanwege de belegen koeien die Steenhuis als bewijsvoering uit de jeugdliteraire sloot haalde. Tegen de eigen leesvoorkeuren van kinderen trekt tegenwoordig niemand meer ten strijde, maar genoemde voorkeuren dan in één adem door ook maar tot literatuur te willen verheffen, is het andere uiterste.

Toch is Steenhuis in zekere zin op zijn wenken bediend. Sinds Harry Potter eind jaren negentig op het toneel verscheen en een mondiale hype werd, is het duidelijk dat ook een kinderboek voor verbazingwekkende verkoopcijfers kan zorgen. Samen met de algemene nivellering in de wereld van boek, theater en televisie heeft de Pottergekte geleid tot kopieergedrag en een versnelde vercommercialisering van het kinderboek, die zich uit in top tienen, fanclubs, merchandising, websites en hysterie. De vraag of een boek het kindervolk wel zal bevallen lijkt op dit moment alle partijen te beheersen en de vraag naar literaire kwaliteit wordt over het algemeen minder expliciet meer gesteld. De kinderboekenrecensent van *de Volkskrant* constateerde enkele jaren geleden zelfs opgelucht dat 'literair geneuzel uit is en lekker lezen met een uitdaging terug'.

En ook dat andere criterium dat sinds het bestaan van het kinderboek altijd een rol is blijven spelen – wordt de kleine lezer door dit boek een beter geïnformeerd, beter levend mens? – lijkt weer meer op de voorgrond te treden. De winnaar van de Woutertje Pieterseprijs 2008 Hans Hagen beschreef met *Verkocht* de schrijnende misstand van kleine Pakistaanse jongens, die voor steenrijke sjeiks de kamelenraces moeten winnen. Zijn inzet, betrokkenheid en terechte verontwaardiging zijn onmiskenbaar, maar aandacht voor taal, karaktertekening en nuancering is voor de schrijver ondergeschikt aan het belang van zijn thematiek.

De jury van de Gouden Uil somberde over de slechte oogst van het jaar 2007, terwijl De Griffeljury in hetzelfde jaar juist een 'gevarieerd en hoogstaand aanbod' ontdekte en Goud toekende aan *Kinderen van Amsterdam* van Jan Paul Schutten. Dat is een toegankelijk en goed gedocumenteerd boek, vol belangwekkende en op kinderen toegesneden informatie, en het is goed dat de non fictie eindelijk eens de volle Griffel-aandacht krijgt, maar de korte, neutraal getoonzette zinnetjes blijven een boek lang keurig in de pas achter elkaar aan lopen en doen verlangen naar een persoonlijker geluid, zoals dat bijvoorbeeld te vinden is bij Midas Dekkers of Bibi Dumon Tak.

Binnen de kinderboekbekroningen is dit een momentopname, en hoe de positie van het kinderboek zich zal ontwikkelen is niet precies te zeggen, maar één ding is duidelijk: het jeugdliteraire gouden eeuwtje is voorbij. Uitgevers zoeken hun heil weer meer in vertalingen, auteurs die zich buiten het eigen territorium waagden – Willem van Toorn, Nicolaas Matsier, Wiel Kusters, Cyrille Offermans – zijn weer terug op hun 'volwassen' basis, en werkelijk nieuwe stemmen van eigen bodem, die zich qua kernachtigheid en karakteristiek geluid kunnen meten met wat de afgelopen decennia zo krachtig rondzong, zijn nauwelijks hoorbaar. Veelbelovend klinken wel Benny Lindelauf en Marjolein Hof. Lindelauf eert met *Negen Open Armen* (2004) zijn Limburgse wortels via een mysterieuze geschiedenis, waarin hij de armoede, saamhorigheid en levenslust van een kleurrijke familie zo beeldend weet op te roepen, dat je je als lezer in een film van Fellini waant. En Hof verraste met haar debuut *Een kleine kans* (2006) door haar talent om binnen in een kinderhoofd te kijken en de daar aangetroffen ongewone gedachtekronkels volstrekt geloofwaardig weer te geven.

Dat het kinderboek even uit zijn hok tevoorschijn is gekomen en korte tijd onderwerp van belangstelling en discussie was in ruimere kring dan gebruikelijk, is nog wel hier en daar zichtbaar. Het Letterkundig Museum kreeg een aantrekkelijke kinderafdeling, die de bezoekersaantallen daar aanzienlijk heeft doen stijgen. Het Fonds voor de Letteren is aan een groeiend aantal kinderboekenschrijvers werkbeurzen gaan verstrekken en het Literair Productiefonds stimuleert met succes het vertalen van wat ons land aan belangwekkends te bieden heeft. Er worden twee vaktijdschriften op de been gehouden, de Theo Thijssenprijs is qua prijzengeld gelijkwaardig aan de P. C. Hooftprijs geworden, en sinds eind jaren negentig hebben we een heuse hoogleraar (in deeltijd) die gaat over de jeugdliteratuur. Maar echt debat is er nauwelijks en de zorg van veel beschouwers betreft te vaak de toegankelijkheid en de aantrekkingskracht voor de jonge lezer, in plaats van de literaire kwaliteiten van een boek. Daarmee loopt dat boek het risico weer te verdwijnen in het knusse hoekje waar het met inspanning van zoveel mensen uit tevoorschijn is gekomen. Het hoekje waarin de lezer zó braaf en stil is dat volwassenen geen kind aan hem hebben en zich niet meer hoeven in te spannen om hem ook eens iets anders dan zoete koek aan te bieden.

Wie over jeugdliteratuur schrijft, kan niet om de steeds weer opduikende en uiteindelijk onbeantwoordbare twee vragen heen: wat maakt een boek tot een kinderboek en wat maakt een schrijver tot een kinderboekenschrijver? De grootste handicap van de volwassene die moet oordelen over niet voor hem bestemde boeken is dat hij/zij geen kind meer is. Naast een gefundeerd oordeel over de kwaliteiten en het belang van een boek wordt van de kinderboekencritus ook een uitspraak gevraagd over de geschiktheid voor de beoogde jeugdige lezers. Eigenlijk kan hij die nooit geven, omdat hij die lezers niet kent. Soms kent hij er één of een paar of een groep, maar tussen kinderen bestaan evenveel verschillen in achtergrond, belangstelling en leesvaardigheid als bij volwassenen. Het enige wat de kinderboekencriticus kent is het boek en daar doet hij zo precies mogelijk verslag van. Hij bespreekt het soort verhaal, de levendheid van de personages en de mogelijkheid tot identificatie, de oorspronkelijkheid en moeilijkheidsgraad van gedachten, taal en stijl en de al of niet zichtbare bedoelingen van de auteur. De criticus kent nog een heleboel andere boeken en kan vergelijken, maar de mogelijke lezers kent hij niet. Wie een boek uitkiest of koopt, is degene die de lezer kent en die kan zich bij zijn beslissing laten leiden door de criticus.

Precies zo weet ook de kinderboekenschrijver nooit helemaal wat kinderen zal behagen en wat ze aankunnen. Het hier bijeengebrachte schrijversgezelschap heeft in elk geval niet primair het heil van de lezer voor ogen, maar eerder het belang van het te schrijven boek. Peter van Gestel verdiept zich niet in wat zijn lezers willen en ziet de graad van moeilijkheid niet zozeer in wat je schrijft, maar juist in wat je weglaat. Toon Tellegen zegt geen verstand te hebben van wat kinderen leuk vinden en zich niet bezig te houden met de scheidslijn tussen kinderen en volwassenen. Joke van Leeuwen vindt het heel belangrijk dat kinderen en volwassenen een boek *samen* leuk kunnen vinden, Guus Kuijer denkt dat kinderen heel wat kunnen hebben en dat je niet voorzichtig met ze hoeft te zijn, en Paul Biegel meent dat ze zullen laten liggen wat ze niet begrijpen of het zullen opnemen en 'in de voorraadkamer voor later' opbergen. En hij vindt dat we een beetje vertrouwen moeten hebben in de lezer, want 'de aard van het kind is niet het klein zijn, maar het groot worden'.

En tóch is het niet helemaal hetzelfde, schrijven voor kinderen of voor volwassenen. Voor Joke van Leeuwen vraagt een kinderboek om een ander register en dat hanteren schrijvers niet bewust maar intuïtief, en volgens Peter van Gestel kan wat zich bij hem aandient eigenlijk niet anders dan op zijn manier en dus voor kinderen geschreven worden. Els Pelgrom veronderstelt dat ze voor kinderen schrijft omdat ze vanbinnen altijd elf is gebleven en volgens haar zou het goed kunnen dat kinderboekenschrijvers allemaal een kinderleeftijd hebben, de goede dan, want anderen gaan op hun hurken zitten. Imme Dros meent dat er sprake is van een verschillend perspectief: 'Op de woelige zee van taal en literatuur zit de kinderboekenschrijver met de rug naar de voorsteven en de volwassenenboekenschrijver met de rug naar de achtersteven.' Voor Guus Kuijer is schrijven altijd een manier om voor zichzelf iets duidelijk te krijgen. Door zich voor te stellen hoe het als kind zou zijn, kan hij soms dingen verhelderen zonder ze te simplificeren.

Voor mij als beschouwer van zoveel rijke en knap geschreven kinderboeken, valt de vraag naar het hoe uiteindelijk in het niet bij het raadsel van het waarom. Wat maakt dat een volwassen mens met een groot schrijftalent dat talent aanwendt voor kinderen? Daarmee kiest hij automatisch voor minder status, voor gebrek aan belangstelling of op zijn best een welwillende houding onder leeftijdgenoten en ook voor dedain, veronachtzaming of totale onzichtbaarheid in de 'grote' literaire wereld. In de recensies van Gerbrand Bakkers bejubelde roman *Boven is het stil* bijvoorbeeld was consequent sprake van een debuut, terwijl de schrijver al twee bijzondere etymologische woordenboeken voor beginners en een mooie jeugdroman op zijn naam had. En Paul Biegels *Anderland*, dat hij bedoeld had voor een volwassen publiek, werd door de kritiek genegeerd en pas zichtbaar toen het de Woutertje Pieterseprijs ontving. De schrijver had er uiteindelijk wel vrede mee: 'Wat ik kan, kan ik goed en daar beleef ik veel plezier aan. Het is een bepaalde aanleg die iemand heeft en als je je vak zo uitoefent, dan ben je een schrijver voor kinderen. Je leven, je broodwinning, je reden van bestaan is gericht op kinderen. En dus niet op de grote wereld, is de conclusie van anderen, terwijl kinderen toch de grote wereld van straks vormen.'

Wim Hofman is eraan gewend om op poëziefestivals in een achterafzaaltje op te treden, omdat het toch 'maar voor kinderen' is en die kunnen dan zo leuk op de grond zitten, maar hij was wel gekwetst toen hij bij het Fonds voor de Letteren een beurs aanvroeg voor zijn poëzie en te horen kreeg dat hij dan wel bekend was als kinderboekenschrijver, maar zich nog maar moest bewijzen als dichter. Peter van Gestel ziet dat het schrijverschap voor volwassenen serieuzer genomen wordt dan het kinderboekenschrijverschap – 'net zoals een olieverf een trapje hoger wordt geplaatst dan een ets' – en het meest uitgesproken is Els Pelgrom, die veronderstelt dat wie een kinderboek maakt een bescheiden mens is en zich 'niet direct aan iets belangrijks waagt'. Zelf is ze zich er altijd van bewust geweest kinderboekenschrijfster te zijn en daarmee een 'gemankeerde schrijfster voor volwassenen.' Daar tegenover staat Guus Kuijer, die het maken van een kinderboek het allermooiste, maar ook het moeilijkste van het vak vindt. Je moet namelijk net als bij het zingen van een lied 'op toon blijven' en dat vraagt een bijzondere concentratie, die hij niet altijd kan opbrengen.

De vraag naar het waarom van het kinderboeken schrijven wordt vaak iets te globaal afgedaan met een antwoord in de richting van 'altijd kind gebleven', dan wel ten behoeve van 'het kind in mezelf'. Het kan ook iets preciezer, zoals bij Imme Dros, die de periode tussen haar derde en haar achtste als het meest bepalend voor haar leven ziet, of Joke Van Leeuwen, die elke mensenleeftijd van hetzelfde belang acht en de weg naar de kindertijd daarom open wil houden. Zelf heb ik gezocht naar een instelling of eigenschap die alle acht auteurs met elkaar gemeen hebben en die hen stuurt in hun schrijverschap voor nog niet volwassenen. Onaangepastheid is dan een begrip dat zich opdringt, verzet tegen de 'mevrouwen- en menerenmentaliteit', afkeer van gewichtigdoenerij, moeilijke woorden en grote gebaren, de behoefte om langs een eigen en niet voor de hand liggend schrijverspad te wandelen. In de weigering zich te voegen naar in de grote mensenwereld gangbaar gedrag en taalgebruik ligt ook de overeenkomst met de auteurs uit de Engelse gouden kinderboekeneeuw. Wie groot is geworden wil ook 'groot' gaan schrijven om bij de grote mensenwereld te horen, maar wie zich tot kleine lezers richt, mag nog op zoek zijn en het oog richten op wat aan de doorsnee volwassen blik ontsnapt.

Onaangepastheid bestaat in soorten en maten. Zo is Biegel uiteindelijk geen jurist of concertpianist geworden, maar sprookjesschrijver, in de vaste overtuiging dat alles wat wij fantasie noemen in een veel diepere realiteit wortelt dan datgene wat we fysiek waarnemen. Het lijkt me geen inzicht dat onder volwassenen op algemene bijval zal kunnen rekenen. Pelgrom besloot op tienjarige leeftijd dat ze niet bij het milieu van haar ouders, maar bij dat van de minderbedeelden wilde horen. Dat besluit was bepalend voor al haar latere keuzes en maakte haar tot de sociaal bewogen auteur die ze is geworden. Dros onttrok zich aan de sociale controle en aan de verwachtingspatronen die haar op Texel benauwden, hoezeer ze zich ook met haar geboortegrond verbonden voelt, en kreeg zo de gelegenheid om de vreugde van de taal om de taal zelf te ontdekken. En Van Leeuwen heeft haar hele leven dwarse keuzes gemaakt en geweigerd een echte mevrouw te worden, wat de toonzetting in al haar werk bepaalt. Hofman prijst zich gelukkig dat hij zijn eigen wereld kan scheppen, door absurde belevenissen voor wonderlijke figuren met rare namen te verzinnen en door een gezicht te geven aan wie of wat nietig dan wel ongezien is. Absurdisme geniet onder volwassenen een matig aanzien, omdat het ongrijpbaar is en ontsnapt aan de meer gangbare manier van kijken naar het leven. Zo is het groteske verhalenrijk van Tellegen er ook een waarin de afspraken, restricties en ambities van de volwassenen nauwelijks geldigheid hebben. Het kinderlijke perspectief is de auteur lief omdat hij zich niet zo goed in een groot mens kan verplaatsen en omdat het hem meer vrijheid bij het schrijven geeft. Van Gestel bevolkt zijn verhalen met eenpitters en buitenstaanders die het menselijk bedrijf met verbazing bezien en vaak net iets anders doen dan je als lezer zou verwachten. Zelfs in wat ze zeggen zijn ze ongrijpbaar, omdat ze uit zelfbescherming verhullen wat hen werkelijk bezighoudt. Kuijer ten slotte werd als kind niet echt gezien en in zijn belangrijkste boeken maakt hij het steeds weer hartstochtelijk duidelijk: kinderen zijn slim en inventief, dapper en volhardend. Ze zijn onvoorstelbaar loyaal aan de volwassenen in hun naaste omgeving en ze hebben recht op hun eigen en goed zichtbare plaats op het schouwtoneel van het leven.

Vele manieren zijn er om je te onttrekken aan bestaande verwachtingspatronen, maar er is één soort onaangepastheid die alle acht auteurs gemeen hebben. Zij schrijven over wat hun hoofd en hart beroert en trekken zich niets aan van het in kinderboekenland algemeen geldende pakket van eisen, waarvan het treurige is dat kinderen vaak niet eens de kans krijgen om iets anders te willen. Onuitroeibaar is het misverstand dat alle lezers hetzelfde zouden willen, uitsluitend en alleen omdat ze kind zijn. Volwassenen hebben al voor hen bedacht wat ze collectief mooi gaan vinden, want voor een meer individuele graad van mooite is meestal inspanning en investering nodig. Mooi vinden is immers iets wat een klein mens moet leren en dat doet hij doordat een groot mens hem iets laat zien of horen of voordoet.

Bij veel schrijvers, uitgevers, beschouwers en jonge lezers zelf overheerst sinds mensenheugenis het idee dat boeken voor kinderen ‘leuk’ dan wel ‘spannend’ moeten zijn. Die wens is begrijpelijk, maar zulke begrippen zijn veel te ongedefinieerd en leiden vaak tot eenvormigheid, conformisme, voorzichtigheid en zelden tot een geval van 'mooite'. Voor mooite zijn lef en oorspronkelijkheid in taal en denken nodig. Die bepalen de toonzetting van de met hartstocht gezongen ode aan de onaangepastheid die mij zo lang heeft weten te binden aan het kinderboek, als plaats waar volwassen reflectie en kinderlijke verrukking hand in hand kunnen gaan.

Paul Biegel

Kijken wat de pen doet

Fantasie is niet de grootste gave waar de Nederlander over beschikt. Onze jeugdliteratuur staat met beide benen stevig op de tastbare kleigrond, waaraan nooit verdichtsels als *Alice in Wonderland*, *Winnie de Poeh*, *Babar*, *Peter Pan* of *De kleine zeemeermin* zijn ontsproten. Onze klassieken *Dik Trom* en *Afke's tiental* spelen zich af in dorpen met boze veldwachters, in boomgaarden waar de appels uitsluitend rijpen om door kwajongens gepikt te worden en in weilanden met vaarten en slootjes, waarop 's winters geschaatst wordt. Bekende illustratoren als Cornelis Jetses en Rie Cramer portretteren mollige kindjes die op laarzen door de plassen stampen en moeder met haar verstelgoed achter het eeuwig brandend theelichtje. En onze grote naoorlogse vernieuwster Annie Schmidt mag dan schrijven over zaken die in de werkelijkheid niet kunnen gebeuren, de helden uit haar versjes wonen in Roodeschool of Koog aan de Zaan, Pluk bindt de strijd aan tegen de spuitbussen en het beton en het schaap Veronica kijkt televisie bij de dominee op schoot. Schmidt verdraait de werkelijkheid een slagje, maar die blijft Hollands en herkenbaar.

Tegen deze achtergrond is Paul Biegel een opvallende verschijning. Aan stromingen en ontwikkelingen binnen de jeugdliteratuur heeft hij zich nooit iets gelegen laten liggen. Zijn literaire wereld is die van het sprookje en zijn protagonisten zijn dwergen, heksen, reuzen en feeën, koningen en prinsessen, rovers en draken, mieren, hommels, mussen en padden. Onverstoorbaar bericht hij over de strijd tussen Goed en Kwaad, die zich afspeelt in woeste wouden, vervallen kastelen en rokerige herbergen. Als jongetje van een jaar of acht raakte de schrijver verslingerd aan de sprookjes van Grimm: 'In de kamer van mijn vader brandde een haard en in de stoel daarnaast zat ik met Grimm op schoot. Nu ga ik weer fijn die van *De gouden vogel* doen, dacht ik dan en *De twee broeders* heb ik wel honderd keer gelezen. Die fascinatie is als een geur: daar zijn eigenlijk geen woorden voor. Er loeren gevaren waar je op mysterieuze wijze tegen beschermd wordt en er is altijd sprake van een opdracht. Vaak gaat het om de jongste van drie broers – die niks kan, maar alles redt – en dat was ik ook. Iemand die de taal van de dieren verstaat, is te paard op reis en komt langs een mierenberg. "Ho, ho, loop alsjeblieft om ons heen" – wat hij doet. Iets vergelijkbaars gebeurt drie keer. Dan komt hij in een stad met een huwbare koningsdochter, maar vóór de bruiloft moet hij nog drie opdrachten vervullen, waarin hij slaagt met behulp van die mieren. Dat vind ik verrukkelijk.

Het heeft te maken met avontuur, met de magie van de herhaling en met iets wat ik diepere wijsheid noem. Je doet er verstandig aan om eerbied te hebben voor zoiets kleins als de mier, om oog te hebben voor het onvoorzienbare. De essentie is dat je verstand voldoende ontwikkeld moet zijn om te beseffen dat er van alles bestaat waar het niet bij kan. Ik ben ervan overtuigd dat alles wat wij fantasie noemen uit een veel diepere realiteit komt dan datgene wat wij fysiek waarnemen. Misschien speelt mijn Duitse afkomst ook een rol: de sfeer van een boerenhoeve ergens in de bergen, met een haardvuur en alle luiken dicht en dan lekker binnen, terwijl buiten de wolven huilen. Ik ben dol op veilig te midden van gevaar.'

DE WORTELS

Dat Duitse bloed loopt via grootvader Biegel. In de negentiende eeuw kwam hij naar Nederland, waar hij in Amsterdam een handelskantoor in bouwmaterialen begon. Gewoond werd er te Bussum, in de deftige buitenwijk Het Spieghel. Hij bezat er veel grond, liet op eigen kosten lanen bestraten en bouwde er een villa. Daar werd vader Hermann Biegel geboren.

Moeder Madeleine Povel was van Franse afkomst, de jongste uit een streng katholiek gezin. Twee van haar zusters werden dominicanes, een broer was pater in Costa Rica. Haar moeder stierf in het kraambed. Een Franse gouvernante nam de opvoeding ter hand en Madeleines oudste zuster moest thuis komen om het huishouden te doen. In 1902 trouwden Hermann en Madeleine: 'Mijn vader zag dat mooie ranke meisje en werd verliefd op haar. Moeder had eigenlijk ook willen intreden. Wij kinderen zeiden later lachend tegen elkaar: moeder heeft vader getrouwd om hem te bewaren voor het geloof.'

Uit de echtverbintenis kwamen negen kinderen voort. Toen Paulus Johannes Biegel op 25 maart 1925 de rij sloot, was zijn moeder zesenveertig en zijn oudste zuster tweeëntwintig. Op een stralende foto, gemaakt ter gelegenheid van de zilveren bruiloft in 1927, zit het hele gezin knus gegroepeerd op de tuinbank. Vader glimt naast zijn kleine vrouw in feestjapon, zijn arm rond de nonchalant tegen hem aangeleunde Heleentje (Kernkamp-Biegel). Hij wordt omcirkeld door vijf grote dochters, volwassen aandoende vrouwen met prachtig haar. Enigszins buiten de cirkel staat broer Herman, in het gras aan moeders voeten zit kwajongensachtig Rein en naast haar op de bank hangt, een beetje uit het lood, Paultje. Het gezichtje staat zorgelijk, want netjes voor de fotograaf zitten is een hele klus. Zuster Anne geeft hem een steuntje: 'De gloriejaren van het gezin vielen vóór mijn tijd. De hele familie die boven me zat, was al met andere dingen bezig. Ik herinner me dat ik op de schommel zat – misschien was ik drie. Ik kon het nog niet zelf en moest worden geduwd, maar er kwam niemand. Ik zat in die zonovergoten tuin en ik was alleen.

Ik had oude ouders. Vóór ik naar bed ging deed mijn vader de "vossenklem" – hij legde iets lekkers tussen zijn voeten, ik kwam er als een vos aan om het te pakken en dan zette hij mijn hoofd klem. Vaders gedachten waren helemaal in beslag genomen door de crisis, maar om het kind deed hij toch even dat spelletje, een verplicht nummer. Daarna moest ik in dat grote donkere huis naar boven en in bed lag ik te rillen en te beven, doodsbang voor kidnappers. Er was een woonwagenkamp op de hei. Daar woonden de "zigeunders", zoals ze dat zeiden in Bussum, en die zouden me meenemen.'

> En ik durfde niet uit mijn bed, want de krokodil zou in mijn benen bijten, de kraker zou me knijpen en de boze man zou me pakken. Maar ik kwam er toch uit, met een sprong en holde naar de trap met de grote vlerkvogel achter me aan. Bij de trap was het een beetje licht van beneden. De schaduwen konden er niet bij. Daar bleef ik staan op de bovenste tree, en ik hoorde de grotemensenwereld diep beneden. Maar ik mocht er niet komen.
> En achter me waren de schaduwen.
> Uit: *De tuinen van Dorr*

'Vader was een man die 's morgens vertrok naar zijn kantoor in Amsterdam en pas 's avonds weer thuiskwam. Hij was een echte familievader. Zondag speelden we kaart met z'n allen en dan mocht je vals doen, met veel gekkigheid en keet. Een gedeelte van het grasveld was een soort molshopige tennisbaan, waar hij balletjes sloeg met zijn dochters, en we gingen roeien in Ankeveen, in zo'n pieremachocheltje. In het weekend zat er altijd een hele kring rond de borrel, met vrienden en buren.

Ik herinner me wel dat ik fijn bij mijn vader op schoot zat, maar niet bij mijn moeder. Ze was niet knuffelig. Ze zat met bril of vergrootglas en las. Veel heiligenboeken. Moeder had gevoel voor humor, een leuke hand van tekenen en was geïnteresseerd in insecten. Onderweg met een poetslap ergens naartoe viel haar oog op een boek over mieren en dan liet ze die lap vallen en las. Afgezien van mijn oudste broer heeft niemand van ons erg goed met haar overweg gekund. Het feit dat ze zelf geen moeder heeft gekend is daar ongetwijfeld een grote factor in geweest. Je kunt niet zeggen dat je een moeder zus of zo had gewild. Je moeder is je moeder en zo is dat. Pas als je volwassen bent besef je dat er ook andere soorten moeder-zoonrelaties bestaan.'

DE TUIN

Het huis waar Paul werd geboren had vader Biegel in 1916 laten bouwen. 'Oldeheuvel' was een indrukwekkende villa met een rieten dak, aan twee kanten een oprijlaan, terrassen, overkapte balkons, ruime gangen en vestibules, twee zolders, meidenkamers enzovoort. En een grote tuin: 'Ik ging de tuin in en dan was er eerst geur. Ik ruik nog het

rulle paadje schuins naar beneden, langs de rozen. De geur in juni, van die kroonbladen die er al bijna afvallen, de zoelte van de zon, het geluid van een hommel, de iriserende kleur van de vleugels, het aftasten van de meeldraden. Een onhandig vliegende vlinder en een opschrikkende vogel. Dat heeft zich in mijn ziel geëtst. Eindeloos heb ik geobserveerd. Het woord bestuderen gaat daar niet voor op, wat je als kind doet, is indrinken. Ik ben een kijker – daarom ben ik ook schrijver – maar ik keek liever naar beesten dan naar mensen. Ik ben nog steeds geen mensenkijker.

De tuin werd doorsneden door een soort dijk. Daarachter was het helemaal wild. Daar voelde ik me safe, want dan konden ze me vanuit het huis niet zien. Maar het zou een ramp geweest zijn als het huis er niet meer was. Zie het als een kasteel, waar ik één torenkamer had. Ik kon me bij de rest van het kasteel voegen wanneer ik wilde en me ook weer terugtrekken. Op de boerderij in de buurt waren ook negen kinderen, maar meer van mijn leeftijd. Daar heb ik eindeloos gespeeld: slootjespringen in de weilanden, verstoppertje en woelen in de hooiberg. Zo'n boerenbedrijf met mest en hooi, met koeien en kippen, die keuken, waar de geur van petroleum hing, alleen maar een pomp, zo'n plakkerig vliegending en een boterham met dik bruine suiker. Dat alles bij elkaar gaf een zeer aards gevoel.'

> Het gras was vochtig. Hun knieën voelden het door hun broek heen. Er lagen gele bladeren op, het rook naar gele bladeren op gras, de jongen kroop over de rand van zomer en herfst, het kietelde in zijn gezicht van de spinnendraden en hij bleef doodstil zitten omdat zijn ogen het alleen niet konden afwerken. Hij zat nu recht overeind op zijn hielen, met zijn natte knieën in het gras en raakte langzaam vol herfst, tot in het diepst van zijn lijf drong het door, een vage verrukking zonder grond, zonder houvast, zonder woord.
> Uit: *Haas. Derde boek: Najaar*

DE SCHOOL

Op zijn zesde wordt Paul verdreven uit de paradijstuin. Naar de kleuterschool is hij niet geweest en de overgang van spelen naar leren is abrupt: 'Van geen enkele school herinner ik me echt plezier in de dingen die ik leerde. Kinderen gingen nu eenmaal naar school. Dat was net zo vervelend als meer dingen in het leven, je wassen met koud water bijvoorbeeld. De vanzelfsprekendheid van het moeten was zo groot dat het niet in me opkwam om opstandig te zijn. In zo'n bank zitten in plaats van in de tuin was een ramp. Ik zie de eerste klas nog precies voor me. Er hingen grote platen, *Jezus met zijn leerlingen in het korenland* of zoiets heiligs. Het leren ging wel denk ik, vergeleken bij al die andere jongetjes die in mijn kinderogen toch een lagere mensensoort waren. Jongens van de groente- en de visboer, een schipperskind. Op school had ik geen vriendjes die bij mij thuis kwamen.

Als ik 's middags terugkwam, was mijn moeder soms aan het strijken of lakens vouwen en hing er zo'n vreselijke schone waslucht. Op advies van de dokter moest ik een uitgeperste sinaasappel drinken. Dat vond ik smerig en dus was ik nors en dwars. Of er was lauwige thee, al een half uur eerder gezet, met zo'n saai mariakoekje erbij. Dan ging ik op mijn slaapkamer zitten, catechismus leren of de landkaart. Wat heb ik het gehaat, die school en de boeken.'

'Luister tweepoot,' zei ze. 'Het verstand is een groot net met vierkante mazen. Wij werpen het uit om het leven te vangen, maar het leven is het water en glipt er doorheen, en al wat we ophalen zijn cijfers. Met die cijfers gaan we meten, en we meten alles. En we zeggen: meten is weten, en we weten alles. Maar op deze school leer je: meten is vergeten. Onthoud dat!'
Uit: *Ik wou dat ik anders was*

Biegel had de hersens om naar het gymnasium te gaan en zijn moeder wilde per se een katholieke school. Ze hoopte dat ook haar jongste zoon zou intreden, net als twee van zijn zusters. Het Amsterdamse Sint-Ignatiuscollege was de enige mogelijkheid en in 1938 begon het op en neer reizen. Het leven werd er niet vrolijker op: 'Als je in een andere plaats woont dan waar je op school bent, heb je op geen van beide plekken makkers. Dat is dan ook direct veranderd toen ik in 1942 in Bussum op school mocht. Binnen twee maanden had ik daar allemaal vrienden. Op het Ignatiuscollege creëerden die mannen in hun zwarte rokken vol gemorste sigarenas vooral een sfeer van "mag niet". Het enige fijne was hemelse blijheid. Het had allemaal iets verbiedends, iets inkapselends. Het belangrijkste dat je op die leeftijd overkomt, de ontwakende seksdrift, je levensdrift, werd voortdurend beknot. Als klein kind was ik al geïnteresseerd in lijfelijke zaken en dat mocht van het begin af aan niet. Dat heette de zonde van onkuisheid en ik hoor mijn moeder nog zeggen: we hebben onze gebreken gekregen om ze te bestrijden.

Niets boeide me in mijn ziel, zelfs de Griekse mythologie niet. Ik was als het ware altijd maar bezig iets te beschermen tegen aanvallen. Dat wat er nu uitkomt in wat ik schrijf, die plek heb ik, denk ik, achter drie dichte stalen deuren gehouden. Daar wilde ik nooit iets toelaten van wat ik leerde op school omdat die plek dan aangetast zou kunnen worden. Ik deed de dingen als plicht en verder was ik er niet.'

Grote beklemmingen tijdens de puberteit waren ook de beroerte van vader in 1938 en de oorlog. In Biegels herinnering zat vader na zijn hersenbloeding voornamelijk in een stoel en zweeg. In 1947 overleed hij. En de oorlog die uitbrak toen Biegel vijftien was, gaf hem het gevoel van de keel die steeds verder wordt dichtgeknepen, met de dreiging dat je zult stikken: 'De alomtegenwoordigheid van Duitse soldaten, op straat, in de tram en de trein en in winkels. De continue angst voor wat er zou kunnen gebeuren, razzia's, luchtaanvallen. De eeuwige honger en het verstoken zijn van betrouwbaar nieuws. In de laatste winter hadden we geen stroom meer, dus ook geen radio, telefoon of krant. Verder dan je kon lopen wist je niet. Het weten bestond uit geruchten, de ene dag dit en de andere dat. We grapten: ik geloof alleen nog maar wat ik zelf verzin. Toen de Canadezen eindelijk echt de IJssel over kwamen wilde ik het absoluut niet meer geloven.'

> De luitenant had ons paard weer in bedwang, maar ik voelde een tinnen greep om mijn enkels, rukkend om me van het paard af te sleuren. 'Help' riep ik en de luitenant gaf een houw met zijn zwaard, en nog een, en nog een, tot het hielp. De greep liet los en een tinnen gejank schalde verschrikkelijk en akelig in de duisternis. Gruwelijke oorlog; ik wilde er tussenuit, maar ik zat erin als in een gevangenis.
> Uit: *De soldatenmaker*

'Ik kan me helemaal geen voorstelling maken van een leven waarin je naar een middelbare school gaat en er geen oorlog is, met een vader die je nu eens op je donder geeft en dan weer prijst. Misschien zou ik dan maatschappelijk meer gelukt zijn met een mooie juridische carrière en een gezin met vijf kinderen die ook allemaal weer hun plaats hadden gevonden – dat soort glad gepolijste idee – in plaats van een schrijver van kinderboeken met een huwelijk dat mislukt en een zoon die zich van het leven berooft. Aan de andere kant weet ik ook wel dat ik een aardige man ben. Ik zit niet met treurnis terneer, maar geniet van het bestaan.'

Pas ongeveer een jaar voor zijn dood in 2006 vertelde de schrijver in een mooi interview in *Trouw* waarover hij een leven lang gezwegen had: hij hield eigenlijk meer van mannen dan van vrouwen.

DE PEN

Paul Biegel debuteerde op vijftienjarige leeftijd in het hoekje 'Voor de Jeugd' van *De Tijd*, de krant waar zijn zuster Anne werkte. Het verhaaltje verscheen op 8 juni 1940 en als opmaat voor een sprookjesoeuvre is er nauwelijks een toepasselijker titel denkbaar: *De ontevreden kabouter*. Het honorarium bedroeg twee gulden. Het schrijverschap was niet Biegels eerste ambitie. Hij wilde dolgraag pianist worden, bereidde zich daar ook grondig op voor, maar bleek voor het conservatorium toch niet voldoende talent te hebben. Wel bleef hij de piano zijn leven lang trouw als oprechte amateur.

De jaren na de oorlog waren richtingloos: vijf maanden in Amerika, dan een baan bij de *Radiobode* van de Avro, waarvoor hij de strip *Eddy de televisie-aap* schrijft, en een net niet voltooide rechtenstudie. Van 1957 tot 1959 is Biegel tekstschrijver voor Marten Toonder, de plek waar hem met straffe hand het schrijversambacht wordt bijgebracht en waarover hij altijd nog met een mengeling van ontzag en dankbaarheid vertelt. Hier en daar publiceert hij een verhaal en in de *Haagsche Post* verschijnt tussen 1956 en '58 'light verse' van zijn hand.

Een hooggeboren leeuwerik
die dol was op bedriegen
ontdeed zich van zijn tweede ik
om hoger nog te vliegen.

'Nu ben ik leeuwer dan een leeuw',
dacht hij, 'dat is al ver,
maar als ik ook dat ding verdring
gunst ja, dan ben ik ER.'

'Alles heb ik geprobeerd: romans, toneelstukken, essays en eindeloos veel ontboezemingen. En bij de Avro deed ik journalistiek werk. Langzaam ontstond het idee dat ik misschien wel schrijver kon worden. Ik legde me toe op stukken die niet over mezelf gingen: over de Koreaanse oorlog of over het wezen van het communisme versus christendom. Dat hield me bezig, maar het werden loodzware, oneetbare krentenbroden. De paar keer dat ik aan een roman begon was het na pagina vier al op. Het bleef zo dood als een pier. De drang om me te uiten was mateloos, maar het werd allemaal niks en de wanhoop daarover was zo groot dat ik een eind aan mijn leven wilde maken. Toen dacht ik, laat ik nou eens één keer mijn kop vergeten en kijken wat die pen doet. En die pen schreef over een meisje en een pop, een wolf en een donker bos. Ik liet het lezen aan een vriend en zei trots dat ik nu eindelijk iets geschreven had dat niet over mezelf ging. Die lachte en zei: als er nu iets is wat over jezelf gaat, is het dit. Hij was dan ook psycholoog.

Voor het eerst was er iets wezenlijks op papier gekomen. Ik was zaterdagmiddag aan dat verhaal begonnen, uit geweest, en op weg naar huis dacht ik: de enige op de hele wereld die dit af kan maken ben ik. Niet omdat het zo goed was, maar omdat het van mij was. En maandag dacht ik, ik maak er tien. Dat heb ik ook gedaan. Het gebeurde onder en door het schrijven. En zo gaat het altijd nog. Ik had geen prestatie ten opzichte van de wereld geleverd, ik vroeg me niet af of het de moeite waard was voor anderen om te lezen, maar ik had iets voortgebracht wat "des mijs" was. Ik voelde bevrediging en dat gevoel had ik eigenlijk nog met niets gehad. Eindelijk zat ik op een spoor.'

Kon ik maar lopen, dacht de Eenzame Beuk. Op mijn wortels lopen zoals de koeien op hun poten. Maar hij voelde dat zijn wortels veel te stevig in de grond staken, en veel te diep. En hij wist best dat een boom die één stap verzet, meteen omvalt. Zoals zijn kameraad. 'En omvallen, dat wil ik niet,' fluisterde de Beuk. Hij zette zich voortaan schrap tegen de wind en hield zijn bladeren zo, dat ze heel andere dingen zeiden dan vroeger. Niet meer

wat de wind liet zeggen, maar eigen dingen. 'Hoor eens hoe deze boom ruist,' zei een vader tegen zijn kinderen. 'Hij vertelt oude verhalen, zoals je van geen andere boom hoort.'
Uit: *De toverhoed*

Het zou nog geruime tijd duren tot het spoor naar succes leidde. Uitgevers weigerden de hun toegezonden verhalen beleefd, tot Rolf van Ulzen van uitgeverij Holland er twee publiceerde in *Een heel bont boek* (1958). Hij was de eerste die ze identificeerde als kinderverhalen en sprak zuinigjes: 'Misschien schuilt er een schrijver in u.' Na wat kleinere probeersels kwam er een verzoek voor een bundel in de mooie serie *Kinderverhalen*, waarin midden jaren zestig ook auteurs als Mies Bouhuys, Hans Andreus en Clare Lennart verschenen: 'Ik ging aan de slag met wat ik nog had liggen. Werkte het verhaal van het meisje en haar pop om tot het eerste verhaal in *Het sleutelkruid*. Onder invloed van mijn werk bij Toonder wilde ik proberen er een geheel van te maken. En hoep, daar zag ik die oude koning zitten, met zijn hart dat niet goed klopt en dan moet er een verhaal komen om het gaande te houden. Ik bracht het naar Van Ulzen en die belde er een beetje nijdig over op. Dat was toch niet de afspraak, hij had losse verhalen gevraagd. Na twee dagen lag er een brief: hij had het nog maar voor de helft gelezen, maar het was een meesterwerk! En in 1964 hield ik *Het sleutelkruid* in handen.

Tot mijn stomme verbazing werd het door de CPNB uitgeroepen tot Kinderboek van het Jaar en toen was de wereld te klein. Ineens verschenen er in alle kranten grote interviews en kritieken over een boek dat al een jaar op de markt was. Ik had het gevoel een nieuw soort wasmiddel te zijn, dat druk wordt geadverteerd. Ik heb ervan genoten, maar het is ook beangstigend om aan den lijve de invloed van de media te ondervinden. Na de roes van de prijs kwam toch weer het nuchtere gevoel dat ik door moest met mijn gewone baan, geld verdienen voor het gezin. Daarnaast bleef ik schrijven tot ik in 1969 de kans kreeg het om te draaien: naast het schrijven een parttimebaan bij uitgeverij Van Holkema & Warendorf. Op dat moment kon ik fulltime schrijver worden.'

DE SCHRIJVER

Het schrijverschap werd productief en succesvol. Biegels oeuvre omvat zo'n vijftig titels en is veelvuldig vertaald en bekroond. Gedeeltelijk bestaat het uit pretentieloze, kleurrijke avonturen die vaak eerst in afleveringen verschenen in de *Margriet* of de *Donald Duck*. Voorbeelden zijn *De rover Hoepsika*, *Juttertje Tim* of *De kleine kapitein*. 'Wijdbeens en met de ogen op de kim' staat daar de onwankelbare titelheld aan het roer. Dikke Druif stookt de vuren, Bange Toontje zwabbert bibberend het dek en Marinka roert eeuwig in de beslagpot. De auteur bakt zijn dolle verzinsels in hetzelfde tempo als Marinka haar pannenkoeken en kinderen hebben er zelfs na drie delen nog niet genoeg van: 'Zoiets als *De rover Hoepsika* schrijf ik als entertainment. Dan ben ik de clown die de opdracht krijgt een kindermatinee te vullen, en dat doe ik naar mijn idee over wat leuk is voor zo'n middag. *De tuinen van Dorr* bijvoorbeeld is juist volstrekt ondoelgericht en in vrijheid geschreven.'

Het 'in vrijheid' geschreven werk heeft belangrijke thema's als vriendschap en liefde, eenzaamheid, angst, afgunst, dood en oorlog, maar wel een beetje verstopt. De lezer krijgt in de eerste plaats een vertelling, vol raadsels, onverwachte gebeurtenissen en wonderlijke figuren. Bijna altijd draait het om een zoektocht. In *Het sleutelkruid* moet de wonderdokter dit magische kruid zien te vinden, zodat het hart van de stokoude koning Mansolein weer een tijdje voort kan. De onverschrokken kleine prinses uit *De tuinen van Dorr* is zeven jaar lang op zoek naar de grond waarin haar in een bloem betoverde lief zijn menselijke gedaante weer terug zal krijgen. Het verfomfaaide feetje uit *Nachtverhaal* zoekt sterfelijkheid, de twaalf rovers zitten achter de mysterieuze schat van de koning aan en in *Anderland* zijn de heilige Brandaan en zijn makkers jaar in jaar uit onderweg naar lokkende, onbekende verten.

Het is niet zo moeilijk om tussen de prinsessen en heksen, de slakken en kikkers, de feeën, kobolden en zuipende rovers de echo's uit Biegels kindertijd op te vangen. De school wordt met verve bespot en de tuin is de plek van het ongeschonden geluk. Met al zijn bewoners is hij tot op de grasspriet nauwkeurig beschreven in de trilogie over Haas, maar vooral in *De tuinen van Dorr* speelt hij een glansrol. Met de tuinen verdwijnen alle jonge mannen, verleppen de vrouwen en versteent het leven. Wanneer de lente zal beginnen loopt de tijd weer terug naar de herfst, niets zal meer bloeien tot een dapper en volhardend meisje de betovering weet te verbreken en een leger jongelingen de tuinen uit marcheert om de zilveren heks Sirdis te verslaan.

Sirdis is het prototype van het beangstigende vrouwmens dat regelmatig opduikt: listig en jaloers, heks en vrouw tegelijk. Sirdis 'bedirpst' de koning, verleidt hem op haar zilveren kussens tot overspel en dringt zich tussen hem en zijn dochtertje. In hun meisjesachtige staat kunnen Biegels vrouwen nog onbevangen, verstandig en dapper zijn, zoals Mijnewel en de rode prinses, maar volwassen geworden zijn ze de baas en vreselijk. In *De soldatenmaker* hakken de Loden en de Tinnen elkaar in de pan ter wille van de vete tussen het kwijnende, drenzende Lappen Dametje en de koele blote Bronzen Dame. Met hun droeve blikken, verleidelijke stemmen en zeer aanwezige lijven pakken ze het jongetje in in hun oorlogszuchtige plannen en brengen hem in een staat van opperste verwarring en besluiteloosheid.

Wanneer de rode prinses door woeste rovers ontvoerd wordt en het hele hof in katzwijm ligt, houdt alleen de koningin-grootmoeder het hoofd koel en regelt sluw en nietsontziend de terugkeer van haar kleindochter. Niet mis te verstaan is ook de zwarte weduwe uit het gelijknamige boek, die nu eens verschijnt als onweerstaanbare vrouw, dan weer als knokige reuzenspin, druk met het in haar web lokken van appetijtelijke heren.

In de strijd tegen dit spinnenwezen speelt het scharminkelig Jungske de hoofdrol. Ook hij is een vaste, bijna archetypische figuur in Biegels werk. Denk aan Bange Toontje, het maatje van de Kleine Kapitein en aan de wankelmoedige, uitsluitend in pyjama gehulde hoofdpersoon uit *De soldatenmaker*. Hij is herkenbaar in de sukkel die de tafel van zeven maar niet in zijn hoofd krijgt, in *De tuinen van Dorr* duikt hij op als Mug, die niet durft te gaan slapen en in *Anderland* verschijnt hij als Malle, de roerende kleine man die niet goed bij zijn hoofd is en dus door de echte kerels wordt getreiterd en in het rond gecommandeerd. Maar de allermooiste (oude) kleine jongen is de huiskabouter uit *Nachtverhaal*. Hij is een kruising tussen Walt Disneys Grumpy en Bashful, een bedremmeld mannetje dat geen nee durft te zeggen en zijn vrijgezelle burgermansbestaan met de dag verder ontregeld ziet raken door een verwaaide fee, met lieve blote voetjes en betoverende verhalen. In zijn verwarring en tweeslachtigheid, in zijn aarzeling tussen weerzin en verrukking ontstijgt hij zijn archetypische omtrekken en wordt hij in al zijn kabouterigheid een van Biegels meest menselijke personages.

Tegenover of juist naast de bedeesde jongetjes staat het stoere roversvolk, dat regelmatig met veel kabaal bezit neemt van Biegels vertelsels. Hoepsika, Holz, Boltz en Schwanzenstolz(!), ze zinderen van de energie en van de lol in het leven. Ze galopperen rond op woeste paarden, wonen in holen waarvan de wanden zijn bespijkerd met goudstukken, ze schudden weldoorvoede reizigers uit, ze vloeken en zuipen en ze hebben kleine hartjes.

'Te vreten, te vreten, te vreten!' Ze bonkten het ritme met hun laarzenbenen op de houten vloer, net zo lang tot een heel varken, dampend en druipend aan een stok door kop en kont, naar binnen werd gedragen en op tafel gekwakt. Ze vielen er met hun eigen messen op aan, nieuwe borden waren niet nodig. Ze smakten en slurpten en kauwden en knaagden en de botten mikten ze tegen de koperen sierpannen langs de muur, zodat het pongde als de boemketel van een heks.
Uit: *De twaalf rovers*

Zo'n passage is karakteristiek voor misschien wel het belangrijkste kenmerk van Biegels schrijverschap: het onmiskenbaar plezier in het vormgeven, in glanzende woorden, in ritme en klank. In elk interview benadrukt de auteur dat hij eenvoudigweg het vak beoefent van 'woorden kiezen en achter elkaar zetten'. Dat doet hij dan wel met grote zorg en creativiteit. Met een enkele zin zie je iemand voor je: de schriele hotelier uit Dorr die zich elke dag stipt aan de eigen regels houdt, ook al komt er nooit meer een gast – 'hij droeg een glim-brilletje en zijn laatste veertien haren zaten keurig recht over zijn kale schedel gekamd, als de lijntjes in een schrift' – of de verlepte vrouw die eeuwig wacht op haar vertrokken minnaar – 'ze liep op sloffen, haar hoofd zat vol krulspelden alsof ze een stekelbeest was en ze droeg een vale ochtendjas die met een hondenriem was dichtgeknoopt.'

De taal bruist en vonkt, zit vol grapjes, versjes en nog niet bestaande woorden. De griezelige zwelpad heeft een 'wobbelbuik' en produceert 'zacht kwabbelend gesnork', de dwerg heeft een 'narrelige' stem en als hij vloekt, ketst het eruit: 'git spitte'. Feeën zijn niet te vertrouwen, want ze zitten vol 'listen en zwebbelarijen' en wie jong is en trouwt, 'verschoffelt zichzelf en verknoerpt tot een prikdistel'. Vindingrijk, klank- en dus betekenisvol zijn ook de namen. De pafferige zwelpad heet Glop, de dwangmatig preciese hotelhouder mijnheer Dil en de twaalf rovers Geip en Sisal, Lelebrun en Prig, Kraayemag en Ooyemag, Loome en Sloome, Breedveld, Klissedimmer, Borjan en Geeltje. En al na enkele bladzijden is het ondenkbaar dat ze anders zouden heten.

Biegel komt uit een familie waar iedereen altijd bijnamen kreeg: 'Ik was Kippenei – vanwege een eivormig hoofd bij mijn geboorte – kortweg Kip of Wipper of Pennewip. Namen vormen een wezenlijk onderdeel van de intermenselijke verhoudingen. In de wereld van de misdaad heet iedereen Kromme Arie of Lepe Leen. Een naam, dat is het wezen. Je zegt ook niet ik héét Paul Biegel, maar ik bén Paul Biegel. Een figuur komt mét zijn naam. Er komt nooit zomaar iemand. De naam is er eerst en dan leer ik hem kennen door over hem te schrijven. Misschien is er wel ergens een planeet, waar ideeën bestaan die net als televisie- en radiostralen door ons heen gaan. Als je er een snaar voor hebt, dan gaat die trillen en komt er bijvoorbeeld een schilderij, een concert of een roman uit. Zo zou ik een verhalensnaar kunnen hebben. Het is toch onmogelijk dat ik alles zelf verzin! Het is al ergens en ik moet zorgen dat het fatsoenlijk op papier komt.'

DE KINDERBOEKENSCHRIJVER

Echt rekening houden met zijn jeugdig publiek vindt Biegel niet nodig, want, zo luidt zijn vaak geciteerde uitspraak: 'De aard van het kind is niet het klein zijn, maar het groot worden.' Het enige waarmee hij kinderen tegemoetkomt, is niet te ingewikkelde zinnen maken en niet te moeilijke woorden kiezen: 'Verder schrijf ik voor mijn eigen plezier. Dat hele getheoretiseer hangt me soms geweldig de keel uit. Ik heb er te weinig verstand van en ook te weinig zin in om er verstand van te hebben. Kinderen verrassen je voortdurend met een veel groter inzicht dan je dacht. En wat ze niet begrijpen dat laten ze wel liggen of ze nemen het op en bergen het op in de voorraadkamer voor later.

We moeten niet te hoogdravend doen over lezen en kinderen. De gemeente Ede deed eens een uitgebreid project rondom kinderboeken, waar we met zes schrijvers drie weken lang de scholen af gingen. Later kwam er een dik verslag en wat stond daar over mij? "Het leukste aan Paul Biegel vonden wij zijn brilletje!" Je komt met een boek en ze kijken naar je bril. Je moet alles met kinderen doen wat in je hoofd opkomt en vooral wat je zelf leuk vindt. En wacht dan maar af wat eruit komt. Dat is nooit wat je denkt.'

Een beetje last heeft Biegel wel van zijn positie als kinderboekenschrijver, soms en heel even maar: 'Als ik lees over een arts die ook schildert, betrap ik mezelf erop dat ik denk, dat kan nooit wat zijn. We kunnen niet zonder hokjes in dit land en zit je eenmaal ergens in dan kom je daar nooit meer uit. Als ik een boek voor volwassenen schrijf, bestaat het min of meer niet. Dat is de consequentie van de hokjes en dat moet je dan maar nemen. Wat ik kan, kan ik goed en daar beleef ik veel plezier aan. Het is zo'n specifiek vak. Jaap ter Haar bijvoorbeeld had in zijn tijd precies de juiste toon, net zoals Van de Hulst of Kieviet. Het is een bepaalde aanleg die iemand heeft, en als je je vak zo uitoefent dan ben je een schrijver voor kinderen. Je leven, je broodwinning, je reden van bestaan is gericht op kinderen. En dus niet op de grote wereld, is de conclusie van anderen, terwijl kinderen toch de grote wereld van straks vormen.

Er is ook een heel andere kant. Een tijd geleden kwam ik in de studio om een stukje voor te lezen. Daar zat een technicus van ongeveer dertig jaar en die vroeg met diep ontzag of ik de schrijver van *De tuinen van Dorr* was. Dat had hij als kind zo geweldig gevonden. Dan voel ik me stokoud, maar het is ook prachtig, omdat dat boek zoveel betekend heeft dat iemand het met zich meedraagt. In wezen denk ik dat wij meer invloed hebben dan schrijvers voor volwassenen. Als kind ben je nog natte verf: één kras en het gaat er nooit meer uit.'

Literatuur schrijven is omheinen. Want het gaat om iets dat geen pak krijgt op de woorden, maar wel eens ertussen blijft vastzitten, als vee binnen een hek. Een lezer kan dat vee dan waarnemen. De ontroering bij het waarnemen is niet aan leeftijd gebonden. Voor kinderen moet de omheining wat lager dan voor volwassenen, of even hoog met kijkgaten. Maar niet zo laag of met zulke wijde kijkgaten dat het vee ontsnapt. Waardoor een kinderomheining lukt is niet te zeggen; de schrijver zelf weet het waarschijnlijk het allerminst.
Uit: *Raster* nr. 56, 1991

Guus Kuijer

© JACO KLAMER

Schrijven is een sociale daad

Over geen enkele hedendaagse kinderboekenschrijver is met zoveel vuur geschreven als over Guus Kuijer, soms negatief door wie zich aangevallen voelde in zijn hoedanigheid als pedagoog of gelovige, maar veelal juichend. Beschouwers struikelen over hun superlatieven en zijn als in de sportverslaggeving op zoek naar beelden en vergelijkingen om het belang van deze auteur in het nationaal geheugen te griffen. Zo heet Kuijer 'de meester van het eigentijdse kinderboek' of 'de bovenmeester van de vaderlandse jeugdliteratuur' en mooier nog 'de grootmeester van de menselijke maat', maar even gemakkelijk is hij 'de provo in de literatuur' als 'de W. F. Hermans van de jeugdliteratuur'. Daarnaast blijkt hij ook nog eens 'kampioen kortebaanschrijven' en werd hij verheven tot 'monument in de moderne Nederlandstalige jeugdliteratuur'.

Sinds Kuijer in 1975 de kinderboekenwereld binnenstormde, is zijn naam zelden uit beeld geweest. Zijn debuut *Met de poppen gooien* werd direct als iets nieuws herkend en met een Gouden Griffel bekroond. Vervolgens verschenen er binnen vijf jaar negen titels, waar een aanhoudende prijzenregen op neerdaalde, eindigend in de toekenning van de Staatsprijs voor Kinder- en Jeugdliteratuur in 1979. Waar zijn voorgangers en opvolgers tien tot vijfentwintig jaar nodig hadden om deze erkenning voor hun werk te krijgen, kun je bij Kuijer dus wel spreken van een bliksemcarrière. Enigszins vermoeid van zijn schrijfexplosie en doodgeknuffeld door kritiek en publiek maakte hij pas op de plaats en schreef zijn bevlogen en van woede knetterende essays over opvoeding, onderwijs, en het kinderboekenwereldje waar hij liever niet mee geïdentificeerd wilde worden. Gebundeld in *Het geminachte kind* (1980) bieden de beschouwingen nog altijd lezenswaardige inzichten in de jaren zeventig en de achtergronden van Kuijers schrijverschap. Hij begon voor kinderen te schrijven op het moment dat gedreven maatschappijhervormers het kinderboek hadden herontdekt als middel in de strijd voor een betere wereld. Enerzijds paste hij met zijn kritische opvattingen over de maatschappij en vooral over de opvoeding prima in de dan actuele beweging, anderzijds heeft hij die te vuur en te zwaard bestreden vanwege het pedagogische en dwingend voorschrijvende karakter ervan.

> In de verschrikkelijke wereld van het kinderboek kan het je overkomen dat pedagogen je boek onder het kopje 'gebroken gezin', 'doorbroken rolpatronen' of andere hocuspocus huisvesten, want voor hen is een boek een 'onderwerp' dat wordt 'behandeld'. Pedagogen willen niet weten wat een boek is, want zij hebben er een hekel aan. Het boek immers ontsnapt, als het goed is, altijd aan dat soort rubriceringen, zoals een mens ontsnapt aan de omheiningen der psychologen.
> Uit: *Het geminachte kind*

De stormachtige ontwikkeling van zijn carrière doet vermoeden dat Kuijer het schrijverschap van jongs af als levensdoel zag, maar dat zit anders: 'Dat ik schrijver ging worden hebben anderen voor mij bedacht. Toen ik een jaar of vijftien was, hoorde ik bij een vriendengroep van vier jongens. We noemden onszelf "artiesten". Van twee was het wel duidelijk wat ze waren, die schilderden en tegen mij zeiden ze op een gegeven moment: jij bent schrijver. Waarom niet, dacht ik. Ik schreef korte verhalen, echt nog pathetische puberverhalen – sfeer Franse zwart-witfilm – over somber en onbegrepen in de regen over het asfalt sjokken. Wij vonden toen dat literatuur over treurnis moest gaan, waardoor er een soort kunstmatigheid ontstond tussen wat je schreef en wie je was. Wat ik schreef las ik voor in onze groep en daar vonden ze het geweldig. We waren een soort hangjongeren, maar met de luxe dat een van ons een kamer had waar zijn ouders niet kwamen. Dat was heilig terrein. Daar lagen wij op bedden en divans te praten, voor te lezen, melig te zijn en te wachten op *Radio JazzClub* van Michiel de Ruyter. En we hielden lezingen over poëzie en abstracte kunst. Tegelijkertijd dreven we de spot met waar we mee bezig waren en konden we blauw van het lachen achteroverliggen. We waren in alles geïnteresseerd, zagen Cobra in het Stedelijk Museum en alle films van Ingmar Bergman en Jacques Tati. En daarna moest er gediscussieerd worden. Het is ontzettend belangrijk geweest voor me, ook als ontsnapping aan de eisen die elders gesteld werden.'

Guus Kuijer (1942) groeide op in Amsterdam als één na jongste in een gezin met zes kinderen. Vader was belastingconsulent. De jaren vijftig ziet de auteur als een nare, onvrije tijd om kind te zijn: 'Alles draaide om gewoon doen, je best doen, geen avonturen en geen risico's. In mijn milieu moest iedereen hetzelfde zijn en hetzelfde denken, en wie weet lag het niet eens in de eerste plaats daaraan. Misschien kennen alle ietwat artistiek aangelegde kinderen dat gevoel van vervreemding en opgesloten zitten. In de jaren vijftig was je algauw afwijkend. Jongens die zich aangetrokken voelden tot meisjesdingen, daar moest een stokje voor worden gestoken. Ik kan me niet herinneren dat ik ooit de afwas deed of mijn bed opmaakte. Dat werd niet aangemoedigd, terwijl mijn zussen dat wel deden. Ook dat hoorde bij de hoop dat ik een flinke jongen zou worden, naar kantoor zou gaan en een mooie carrière maken. Dromen moest je niet hebben, want die konden heel goed niet uitkomen en dan werd je ongelukkig. Volwassen zijn leek me iets verschrikkelijks.'

'Zijn grote mensen eigenlijk wel gelukkig?' vraagt Madelief 's avonds.
'Waarom vraag je dat?' antwoordt haar moeder. Ja, waarom?
'Ze spelen nooit op straat,' zegt ze maar. Ze vindt het echt iets voor een kind om dat te zeggen. Ze wacht geduldig of haar moeder gaat lachen. En jawel hoor. Ze lacht. Heel even. Maar tóch.
'Als je groot bent, wil je niet meer op straat spelen,' zegt ze.
'En ben je dan tóch gelukkig?' vraagt Madelief voorzichtig. Ze wil haar moeder niet aan het schrikken maken met moeilijke vragen.
'Wat is dan gelukkig?' vraagt haar moeder.
Madelief wordt rood. Moet ze dan alles uitleggen? 'Geef nou eens gewoon antwoord,' zegt ze.
Daar heb je 't al. Nou is haar moeder toch geschrokken. Je ziet het aan haar gezicht. 'Gelukkig...' begint ze. 'Vaak wel, soms ook niet.' Ze kijkt naar Madelief of die tevreden is.
'Net zo vaak als ik of minder?' vraagt Madelief.
'Eh, ja eh...' aarzelt haar moeder.
'Weet je 't niet of wil je 't niet zeggen?' roept Madelief luid.
'Jawel. Even vaak denk ik.' Ze knikt heftig met haar hoofd als-

of ze het opeens érg zeker weet. Madelief bekijkt haar gezicht goed. Het is een erg aardig gezicht. Ze hoopt dat ze er later zó uit zal zien.
Uit: *Grote mensen, daar kan je beter soep van koken*

Kuijer kwam uit een strenggelovig gezin, met bijbehorende kerkgang en een christelijke school. Daar werd elke ochtend een verhaal uit de Bijbel verteld. Tussen die verhalen en de preek in de kerk lag een wereld van verschil: 'Een preek was saai, want dan gingen ze uitleggen wat je moest begrijpen, maar die verhalen hadden een duidelijke opbouw en ze bleven spannend, ook al hoorde je ze voor de tiende keer, omdat je er in je hoofd van alles bij kon beleven. Vooral het Oude Testament fascineerde me, maar zodra ze over Jezus begonnen werd het nogal vervelend. Ik vond hem een saaie man, hij wist altijd alles beter en had ook geen vrienden, maar leerlingen.

Op school lazen we vooral W. G. van de Hulst, die de truc had om kinderen eerst bang te maken en dan kwam Jezus op de proppen. Ik herinner me *Voetstapjes in de sneeuw*, waar een meisje verdwaalt in een donker bos. Ze ziet geen uitkomst en gaat op de knietjes en ja hoor, daar brandt in de verte een lichtje. Dat verhaalprincipe is gebaseerd op het idee van Calvijn dat je kinderen door angst vroom kunt maken. De katholieke kerk heeft altijd de troost van de absolutie geboden en van het doen van goede werken, maar calvinisten kunnen niks. Hoe braaf je ook bent, de toorn van God kan je altijd nog treffen, want het gaat erom of je uitverkoren bent. Die leer is keihard. Vreemd genoeg ben ik nooit bang geweest voor God. Ik had altijd het gevoel dat hij mij een heel aardig jongetje vond. En dat was ik ook!'

'De zondag is de enige dag die je als een handkar voor je uit moet duwen,' schreef Thomas in Het boek van alle dingen. 'De andere dagen rollen vanzelf van de brug af.'
Op zondag gingen ze naar de kerk. Niet naar een gewone kerk in de buurt, maar naar een bijzondere kerk ver weg. Het was een kerk in een gewoon huis, zonder toren. Tijdens de kerkdienst kon je de bovenburen horen stofzuigen. Bijna niemand

> ging ernaartoe, maar zij wel: vader, moeder, Margot en Thomas. Moeder met een hoed op en Margot met een hoofddoekje, want dat moest van de kerk. Je mocht het kapsel van de vrouwen niet zien. Bij mannen was het niet erg, want die hadden geen kapsel. Ze gingen lopend, want God wilde niet dat er trams reden op zondag. Ze reden toch en dat was niet leuk voor God.
> Uit: *Het boek van alle dingen*

In de eerste klas kreeg Guus een juf en was direct dodelijk verliefd: 'Ze gaf me een goed gevoel, aaide me over mijn bol en dat was precies wat ik nodig had. Ik voelde me veilig en geaccepteerd. Kijk, er is een verschil of ouders houden van *het* kind of van *dit* kind. Mijn ouders wilden niet echt weten wie dit specifieke kind was, en ik heb altijd het gevoel gehad dat ik maar beter onder kon duiken en *het* kind spelen. Dat deed ik dan ook met verve. Kinderen zijn meesters in het manipuleren van hun ouders, in het weten hoe ze liefde kunnen krijgen. De prijs daarvoor is lief zijn. Ik heb niks tegen lief zijn, maar soms is het nodig dat een kind niet lief is. Het moet grenzen kunnen stellen om zichzelf te worden.

En tóch was ik gelukkig, omdat ik er aanleg voor had en omdat ik eigenlijk ben opgevoed door de straat. Het spelen op straat was het echte leven. Daar bepaalde ik mijn plek in de groep en leerde wat mijn betekenis was. De speciale dingen die je hebt of kunt worden er gewaardeerd of je wordt ermee gepest. Ik voelde me aangetrokken tot meisjes. Niet in seksuele zin, maar wat zij deden vond ik leuker dan jongensdingen en ik sloot me gemakkelijk bij hen aan. Ze speelden bijvoorbeeld poppenkast voor de kleintjes en dat vond ik geweldig. Ik mocht meedoen, want ik kon het toen al een beetje: verhalen verzinnen. Dat deed ik om mezelf enig gewicht te geven. Zulke wensdromen komen voort uit de behoefte gezien te worden. Ik deed vaak alsof ik in een film speelde. Dan speelde ik mezelf, gezien door de camera. Misschien was dat wel mijn idee van God: een vriendelijke camera die mij met welgevallen in de weer zag.'

> 'Ik heb een droevig bericht,' fluisterde Jonathan. 'Alle kinderen zijn opgevreten.'
> De juf werd krijtwit. Dat stond haar prachtig. Haar mond leek roder dan bloed. Ze keek de klas rond. 'Door wie dan?' riep ze radeloos.

'Daar!' Jonathan wees naar een hoek achter in het lokaal. Daar lag de slang opgerold te slapen. Hij was zo dik geworden dat hij leek op een stapel autobanden. Zijn staart lag op de grond, maar zijn kop raakte het plafond.
De juf stond het huilen nader dan het lachen. 'Ach!' riep zij. 'Nu heb ik helemaal geen kinderen meer! Gelukkig ben jij d'r nog Jonathan. Ik vond jou altijd al het belangrijkste kind van de klas. Je kunt nu net zo goed op m'n schoot komen zitten.'
Dat deed Jonathan. De juf drukte hem stevig tegen zich aan. Ze rook lekker en ze was heel zacht.
Uit: *De tranen knallen uit mijn kop*

Kuijer ging graag naar de poppenkast op de Dam en haalde inspiratie uit de primitieve gebeurtenissen van Jan Klaassen en Katrijn: 'De Dood van Pierlala was mijn favoriet. Ik wist dat hij zou komen, maar elke keer was het weer huiveren met die engerd. Juist de herhaling heeft iets magisch. Het maakt niet uit dat het al eerder gebeurd is, op dat moment gebeurt het weer en met precies hetzelfde effect. Zo ging het ook met de kruisiging van Christus, die voor mij elk jaar opnieuw plaatsvond en steeds weer even vreselijk en onrechtvaardig was. Eigenlijk is het een griezelverhaal en het ergste was nog Getsemane. Jezus vraagt aan zijn vader of hij niet aan het kruis hoeft en krijgt als antwoord dat het wél moet. Het zijn niet de Joden of de Romeinen, maar het is God de Vader die dat zegt. Een vader laat zijn zoon doodmartelen om een idee. Wat een slecht verhaal! Voor mij als kind was het onvoorstelbaar dat ik stout zou zijn zonder iets stouts gedaan te hebben. In de kerk baden wij "Goedertierenheer, verlos ons ellendige zondaren." Daar zou ik dus ook bijhoren, maar ik voelde er helemaal niets bij.

Een boek als *Knielen op een bed violen* kan ik onmogelijk lezen. Wat ik het vreselijkste vind, is dat Siebelink zegt dat hij nog steeds bang is om door God gestraft te worden. Die mentaliteit heeft de schrijver niet verlaten en dat wurgt mij. Er is geen enkele afstand of spot ingeslopen. Dan blijf je opgesloten. Humor is nodig om afstand te scheppen, om jezelf en anderen een beetje op te vrolijken en dingen te relativeren, en humor leer je door de omgang met anderen en door te lezen.

Als kind las ik enorm veel, leende boeken van iedereen en kreeg ze ook cadeau. Als ik thuis was zat ik het liefst te lezen, dan was je er als het ware niet. Van *Emiel en zijn detectives* van Kästner kreeg ik nooit genoeg. De socialistische boodschap – verenig de arbeiders en dan zijn ze machtig – drong natuurlijk nog niet tot me door, maar dat samenwerken van die kinderen tegen die ene boef vond ik geweldig. Mijn lievelingsboek was *Alleen op de wereld*: prachtig, zo'n jongetje dat zich geheel alleen moest zien te redden, met dieren als gezelschap en op zoek naar zijn eigenlijke familie.'

KAFKA EN FREUD

Nadat hij voor de derde keer was blijven zitten, werd Kuijer op zijn zeventiende naar een supergereformeerd internaat in Zutphen gestuurd, waar ze met twaalf jongens woonden: 'Het was er verschrikkelijk, maar het is wel mijn redding geweest, omdat er niets anders mogelijk was dan je best doen. Daar ben ik begonnen me aan te passen, braaf mijn huiswerk gaan maken en echt literatuur gaan lezen, waaronder Kafka. Naast het internaat was een boekhandel en daar ging mijn zakgeld op aan Salamanderpockets. Ik kreeg ook plezier in leren. Altijd was ik overal de slechtste in geweest en van mij deugde er nooit iets, maar daar bleek ik ver op iedereen voor te liggen en veel dingen leuk te vinden. Later op de kweekschool zette dat gevoel door en ben ik bijvoorbeeld alles van Freud gaan lezen. Het was fijn om goed te zijn, maar ik deed ook mijn best om sfeer in onze klas te krijgen. Mijn functie is altijd geweest om groepen bij elkaar te houden, en in de vijf jaar dat ik in die klas zat hadden we het fantastisch.'

OP JE KOP IN DE PRULLENBAK

Dankzij het onderwijzerstekort eind jaren zestig kon het lesgeven voor een dienstweigeraar als vervangende dienst gelden, mits een school hem onmisbaar verklaarde en hij bereid was om vijf jaar te blijven. Zo kwam Kuijer terecht op een net opgerichte jenaplanschool: 'Kinderen van verschillende leeftijden zaten bij elkaar in een groep en hielpen elkaar. Sommigen hadden daar echt talent voor en deden het beter dan ik. Ik heb het onderwijs heel mooi gevonden, maar het werd in de loop van de tijd steeds ingewikkelder. We vergaderden eindeloos en elke roosterafwijking moest drie weken van tevoren in drievoud aangevraagd worden, terwijl ik gewend was om bij de eerste zonnestraal te roepen: kom jongens, we gaan het bos in. Aan een rooster heb ik me nooit gehouden.

Eigenlijk was het te zwaar voor mij. Je schiet altijd tekort en dat sloopt je. Je ziet veel narigheid en dat kon ik helemaal niet aan, want ik ben een zenuwlijder met weinig relativeringsvermogen. En omdat wij aandacht hadden voor individuele begeleiding kregen we steeds meer kneusjes toegewezen. Je wilde die kinderen allemaal individueel zien, maar in een groep van dertig is dat niet te doen. Er was bijvoorbeeld een jongetje dat dacht dat hij een hond was. Hij beet ook andere kinderen. Ook had ik een kind in de klas waarvan ik drie jaar niet gemerkt heb dat het elke dag onder de valium zat. Ik dacht alleen maar, wat een lief kind. Het is heel beschamend om dat niet gezien te hebben, en ik geloofde ook niet in de kantoorachtige aanpak binnen het onderwijs. Moet je je voorstellen dat je volwassenen met zijn dertigen een hele dag in een klaslokaal zet. Die zouden elkaar te lijf gaan. Ik had soms het gevoel dat ik iets onfatsoenlijks zat te doen door kinderen te wennen aan het opgesloten zijn.'

> Madelief schudt haar hoofd (...) Zo'n malle meester heeft ze nog nooit gezien. En wanneer zou ze nou eindelijk eens mogen gaan zitten?
> 'Wanneer ga je nou eens zitten schat?' vraagt de meester.
> 'O, eh, o,' stamelt Madelief. Ze kijkt snel de klas rond.
> 'Daar bij het raam is het wel leuk.' Meester Cowboy wijst. 'Dan kan je naar buiten kijken. Zie je die ouwe meneer aan de overkant?'
> Madelief kijkt. Ze ziet een oude man zitten, achter een raam.
> 'Die meneer zit daar de hele dag. Je moet maar es naar hem zwaaien als ik 't niet zie. Want als ik 't zie, heb ik er last van, snap je?'
> Uit: *Op je kop in de prullenbak*

MET DE POPPEN GOOIEN

Tot 1973 bleef Kuijer het onderwijs trouw, daarna werd hij fulltime schrijver. Sinds de ontdekking van zijn talent binnen de Amsterdamse vriendenkring was hij verhalen blijven schrijven, waarvan de Arbeiderspers in 1971 een bundel uitbracht: *Rose, met vrome wimpers*, gevolgd door de roman *Het dochtertje van de wasvrouw* (1973) en de verhalenbundel *De man met de hamer* (1975). Critici waren enthousiast: 'Een debuut van allure dat dingt naar alle palmen' (Gerrit Komrij in *Vrij Nederland*), 'Het ingenieuze debuut van een knap stilist' (Ad Zuiderent in *Trouw*). Wie echter de thematiek, de bondigheid en lichtheid van Kuijers kinderboeken in het hoofd heeft, knippert wel even met de ogen bij dit vroege werk voor volwassenen. De bizarre, soms surrealistische verhalen worden bevolkt door maatschappelijk onaangepaste types met een angst voor de dood die in het niet valt bij die voor het leven. Het absurdisme en de cynische grappen houden de personages en de lezer op de been, maar de grillige verhaalwendingen en de overdadig opgediste zwarte levensvisie vragen wel enig uithoudingsvermogen. Zelf zegt de auteur over zijn begintijd: 'Nu vind ik het moeilijk om te begrijpen dat ik dat ben, maar toen was het waar. In de stemming dat het hele bestaan maar niks is, wil je graag dat andere mensen dat ook geloven. Het klopte niet met het basisgevoel waarmee ik in het leven sta, maar de dingen deden zich toen wel zo aan me voor.'

Ook al werden zijn verhalenbundels goed ontvangen, financieel leverden ze weinig op en dat bracht Kuijer op de praktische gedachte dat hij er een genre naast moest gaan schrijven. Het kinderboek was geen vastomlijnd doel en een hoge pet had hij er niet van op, zoals blijkt uit een recensie die hij begin 1976 voor *Hollands Diep* schreef: 'Wie over kinderliteratuur schrijft, is algauw de wanhoop nabij: er bestaat zo weinig goeds op dat gebied dat je je gevoel voor proporties verliest en al juicht als je het te bespreken werkje heelhuids bent doorgekomen.' In zijn tijd voor de klas had hij weinig leuks in de kinderboekenkast aangetroffen, en nadat hij uit het onderwijs was gestapt viel hij af en toe nog in en besloot wat verhaaltjes te schrijven om die kinderen voor te kunnen lezen. Het duurde niet lang of hij had de smaak te pakken: 'Zelf had ik zoiets voor kinderen nog nooit gelezen en Tine van Buul van uitgeverij Querido dacht er net zo over. Ik ben dus kinderboeken gaan schrijven uit economische noodzaak en dankzij de ontdekking dat ik dat kon. Als ik voor volwassenen schrijf kan ik me veel meer permitteren en dat heeft niets met moeilijkheidsgraad te maken. In een roman liggen er stevige kabels van verhaallijnen, waar je een hele hoop aan kunt ophangen, maar een kinderboek zit met veel subtielere draadjes aan elkaar. Elke overbodigheid trekt het verhaal meteen uit elkaar, het wordt onevenwichtig en het is weg.

Neem één verhaaltje uit *Winnie de Poeh*, dan klopt dat regel voor regel. Er kan niets bij en niets uit. Wat Milne doet, is iets heel serieus schrijven op een ongelooflijk lichtvoetige manier, met bijna geen verhaal. Het is breekbaar als spinrag. Dat komt niet omdat hij het voor kinderen schrijft, maar dat is het type verhaal. Milne is geniaal in het mengen van lichtheid en melancholie. Hij is een groot voorbeeld, waar ik niet eens bij in de buurt kom.'

Met de poppen gooien (1975) was de eerste van de vijf zogenaamde *Madelief*-boeken. Het is een bundel wat bitse verhaaltjes over drie ondernemende kinderen van een jaar of zeven, die elkaar niet al te zachtzinnig aanpakken. Direct in het eerste minihoofdstuk wordt de titel verklaard en de dwarse toon gezet: 'Ga je mee?' zegt Madelief. 'Gaan we met de poppen gooien.' Het is opruiende taal voor een klein meisje, dat normaal gesproken en zeker in een kinderboek lief met die poppen zou horen te spelen, maar in deze kinderwereld zal het een beetje anders toegaan. Kuijer schrijft uit het leven gegrepen schetsjes, waarin kinderen niet liever en volwassenen niet verstandiger worden gemaakt dan ze zijn. De verhaaltjes zijn zuinig opgetekend, met oog voor grappige en onverwachte situaties, en ze eindigen vaak nogal abrupt.

Dit soort vertelling kent een lange vaderlandse traditie die je al in het begin van de negentiende eeuw zou kunnen laten beginnen bij *De Brave Hendrik* en *De Brave Maria* en die via *Ot en Sien* uit begin negentienhonderd en *Jip en Janneke* uit het midden van twintigste eeuw linea recta naar Madelief, Roos en Jan Willem voert. Altijd draait het om gebeurtenissen dicht bij huis, kleine avonturen en gesprekken van jonge kinderen, tegen de achtergrond van de betreffende tijd en ingekleurd door de maatschappelijke en pedagogische opvattingen van de diverse auteurs. Met Nicolaas Anslijn Nz. zal Kuijer weinig affiniteit hebben, voor Jan Ligthart heeft hij in het verleden zijn bewondering uitgesproken en Annie Schmidt ziet hij volmondig als inspirator: 'Het is haar mentaliteit die me gestimuleerd heeft, de anti-mevrouwen en -menerenmentaliteit. Die heeft me ervan overtuigd dat een schrijver niet altijd maar hoeft te tobben of het wel goed en verantwoord is voor de jeugd en mij het idee gegeven dat het kinderboek toch wel een genre is waar je je met goed fatsoen mee bezig kunt houden.'

Naarmate de *Madelief*-serie vordert en de hoofdpersonen iets ouder worden staat het observerende karakter minder op de voorgrond en lijkt de schrijver door zijn personages meegenomen te worden in wat hun overkomt. Het meest gave van de vijf boeken is *Krassen in het tafelblad* (1978), niet langer een bundel samenhangende verhalen, maar een kleine roman op kinderhoogte. Na oma's dood merkt Madelief dat niemand haar grootmoeder echt lief vond. Hardnekkig gaat ze op zoek naar het soort vrouw dat oma geweest is en zo ontdekt ze haar tragiek. Met jeugdliterair meesterschap schrijft Kuijer hier op elementair niveau over de wezenlijke zaken die in elk mensenleven spelen: de verhouding tussen geliefden en tussen ouders en kinderen. Hij geeft geen oordeel over zijn personages, alleen een schouderklopje voor Madelief, die het grote mensengepruts met verbazing gadeslaat en die dóórvraagt, ook wanneer ze voelt dat haar vragen slecht uitkomen.

'Weet je,' zegt Madelief, 'ik vind het jammer dat oma dood is.'
'Ik ook,' zegt opa. Hij legt een arm om Madeliefs schouder.
'Ik had haar een hoop willen vragen.'
'Wat dan bijvoorbeeld?' vraagt opa.
'Nou ja eh,' aarzelt Madelief. 'Van eh waaróm en zo. En eh als je groot bent wat je dan moet doen enne...' Ze weet niet verder.
Opa knikt. 'Ja, ja,' zegt hij. 'Dat zijn goeie vragen. Maar ik weet niet of oma een antwoord had geweten, Opa's en oma's, dat zijn héél ouwe kinderen. Meer niet. Die weten ook niet zoveel hoor.'
'O,' zegt Madelief. Ze denkt hard na. 'Waarom worden mensen dan zo oud?' vraagt ze.
'Om wijs te worden misschien,' zegt opa.
'Wijs?' vraagt Madelief. 'Wat is wijs?'
'Tja,' zegt opa. 'Wijs is eh... wijs is geloof ik als je weet dat je een oud kind bent.'
Uit: *Krassen in het tafelblad*

De figuur van Madelief maakt duidelijk dat een van de pijlers waar Kuijers schrijverschap op rust, wordt gevormd door de levensechte kinderen die hij de bladzijden af laat wandelen, regelrecht het hart van de lezer binnen. Dat hij zich beter dan de gemiddelde volwassene zou kunnen inleven in kinderen betwijfelt de auteur: 'Wat ik wel beter kan dan de meeste mensen is schrijven. Kinderen gaan alleen maar leven als je er de juiste taal voor weet te vinden. Ik kan taal vinden die bij een personage past, bij een vrouw, een oude man, een eend, een hond of een kind. Het gaat om het ontwerpen van een taallandschap waar de lezer in kan geloven, en dat talent heb ik.

Ik haal mijn kinderen ook niet uit observatie. Wel beschik ik natuurlijk over mijn eigen kindertijd, waar ik nog vrij veel van weet. Mis-

schien is het een hobby van historici of van schrijvers, want normaal onthouden mensen hun jeugd slecht. Als kind hield ik herdenkingen. Het begrip herdenking speelde in de jaren vijftig een grote rol. Mensen dachten dan plechtig terug aan iets heel ergs. Dat idee dat je ergens moet gaan stilstaan om te denken aan wat er gebeurd is, heb ik overgenomen. Als er iets ingrijpends was voorgevallen, ging ik in een speciale stoel bij de kachel zitten herdenken. Dan zette ik de gebeurtenissen en wat er gezegd was nog eens precies op een rij en daar achteraan bezwoer ik mezelf: en dat vergeet ik niet. Ik vond het namelijk onbegrijpelijk dat grote mensen altijd alles vergeten waren van vroeger, bijvoorbeeld wanneer ze voor het eerst een ijsje hadden gegeten. En als ik nou maar veel herdacht zou dat bij mij anders zijn.

Madelief en andere verhaalfiguren bestaan bij de gratie van allerlei ontmoetingen die ik in mijn leven heb gehad. Een type als Jonathan heb ik wel gekend, maar daar blijf ik toch zover vandaan dat ik zijn leven niet vervals. Letterlijke kinderen zouden me alleen maar in de weg zitten. Het zit hem juist in de afstand tot je personages. Ik schrijf beter over wezens die goed van mij verschillen: kinderen, meisjes, eenden. Door figuren te scheppen die jij niet bent voeg je allerlei mogelijkheden aan jezelf toe. Je maakt jezelf rijker. Over jezelf schrijven is helemaal niet interessant, en jezelf zijn trouwens ook niet. Volgens mij doet iedereen zijn best om zoveel mogelijk anderen in zich op te nemen, door te lezen en te onderzoeken, zodat je in godsnaam niet alleen maar jezelf hoeft te zijn. Als schrijver moet ik meer in de aanbieding hebben dan dat smalle mezelfje. Ik moet studeren en mezelf aanvullen. Ik laat me graag beïnvloeden door wetenschappers, schrijvers, muzikanten en geniet van de inspanning om een nieuwe taal te leren en moeilijke boeken te lezen. Ik heb altijd het gevoel dat er nog veel meer leuks en moois te weten valt, en dat alles wil ik vervolgens delen. Al die mensen die zeggen dat ze voor zichzelf schrijven moet je niet geloven. Je wilt dat de wereld het leest, delen waar je zelf enthousiast over bent. Misschien is het daarom zo leuk om kinderboeken te schrijven, omdat je je wendt tot een publiek dat zich gemakkelijk laat aansteken.'

MIEKE MOM

Na het succes van zijn Madeliefboeken probeert Kuijer zijn imago van 'aardige jongen die zo positief over de mensheid schrijft' onderuit te halen met *Hoe Mieke Mom haar maffe moeder vindt* (1978), een naar zijn zeggen 'hard, eng en gemeen' boekje. Het is een groteske weergave van de manier waarop de volwassen samenleving de zaken geregeld heeft: auto's rijden op dode kindertjes, Turken wonen in een kippenhok en bejaarden liggen gladgestreken boven elkaar in een ladekast, want dan nemen ze minder plaats in. Mieke Mom – wat staat voor Moeilijk Opvoedbaar Meisje – heeft van haar ouders geen last meer, want die zijn allang dood, zoals we op de eerste bladzij kunnen lezen. Mieke heeft het wel moeilijk met andere volwassenen die allemaal dom dan wel gek zijn, totdat ze in het gekkenhuis van dokter Ikkijkdwarsdoorjeheen als dochter wordt aangenomen door Azalia Mattaklap en zo tot wederzijdse tevredenheid 'haar maffe moeder vindt.' Vluchtig scheert Kuijer over verschillende hete hangijzers uit de jaren zeventig heen en maakt er een dolle boel van. Echt het beoogde effect had het boekje niet, want het werd over het algemeen welwillend ontvangen. Er vielen termen als 'karikaturaal' en 'van dik hout zaagt men planken', maar er werd vooral vastgesteld dat Kuijers lezers al wel weten wat voor schrijversvlees ze in de kuip hebben en dat de zaken waarschijnlijk anders hadden gelegen als dit een debuut was geweest.

Enige jaren later weet de schrijver voor zijn onvrede met de inrichting van de samenleving een belangwekkender en onontkoombaar duidelijke vorm te vinden in *Het geminachte kind* (1980), dat te lezen is als een soort theoretische onderbouwing voor zijn tot dan toe gepubliceerde kinderboeken. Hij fulmineert tegen de pedagogen die het kind zijn zien als 'iets wat overgaat', tegen Annie Romein, die blind was voor het literaire meesterschap van Anne Frank, alleen omdat de schrijfster een kind was, en tegen de school, die antikind is omdat leren er verward wordt met weten. Hij poneert dat literatuur terreinverkenning is en geen 'wegwijsbord' en stelt voor om op te houden met opvoeden, 'want wij leven allemaal voor het eerst en wij weten niet hoe dat moet'. Het boek lokte een heftige en brede discussie uit onder aanvoering de ontwikkelingspsycholoog Dolf Kohnstamm. Onder de deelnemers waren Aad Nuis, Renate Rubinstein en de 'grand old lady' van de Nederlandse orthopedagogiek Wilhelmina Bladergroen. Kuijer werd beschuldigd van doordraven, pseudowetenschap, halve waarheden, idealisering van het kind en het vereffenen van een persoonlijke rekening met zijn eigen opvoeders, maar de meeste beschouwers konden Kuijers uitdagende stellingname juist wel waarderen.

EEND VOOR EEND

Daarna wordt het stil aan het Kuijerfront, tot er in 1983 een eend begint te kwaken. Voor *Eend voor eend* observeerde de schrijver twee jaar lang het wel en wee van de eenden rondom zijn Noord-Hollandse boerderij. Als lezer kom je van alles over de diersoort te weten en toch is het boek geen gezellig verpakte biologieles. Het gaat vooral over wat Kuijer tussen 'zijn' eenden beleefde, dacht en voelde. Met dezelfde intensiteit en eigenzinnige betrokkenheid waarmee hij naar mensen kijkt, gaat hij nu op in het eendenleven. In sommige beschrijvingen ligt het menselijk gedrag in het verlengde van wat hij de eenden ziet doen. Er is moederverdriet om een nest mislukte kindertjes en de woerd is gehandicapt omdat hij maar een woerd is: 'Hij is niet belangrijk, hij kan alleen belangrijk doen. Met zijn kleuren, met zijn gedrag, maar het is nep. Nadat het eendje is bevrucht, kan hij net zo goed ophoepelen.' Een van de geheimen van Kuijers schrijverschap is dat hij het leven weet te vangen in net iets andere termen dan je zou verwachten. Ook de eenden krijgen vorm via korte zinnen en een beeldend

taalgebruik. Een broedende eend is een 'platte theemuts', riet ruist helemaal niet, maar 'giechelt en heeft de slappe lach' en de eendendans is 'vrijen op afstand'. De taal verleidt de lezer om naast de schrijver langs de sloot te gaan zitten en mee te kijken naar al het verbazingwekkends dat daar te zien is.

Op eenzelfde liefdevolle en precies observerende manier zal de schrijver later een boek over zijn airedaleterriër Olle maken. Dat is niet zomaar een hond die eet, slaapt, vrijt en een beetje om zich heen bijt en blaft. Nee, Olle is een onafhankelijk en eigenzinnig type, dat z'n eigen neus achternagaat, kortom: een typische Kuijerhond, allergisch voor de gebruikelijke autoritaire benadering in ultrakorte zinnen als 'lig' of 'zit'. Tot Olle moet de baas zich wenden in een soort vriendelijke toespraakjes, en het meest ongewone is nog wel dat zijn hond terugpraat. Het levert grappige en ontroerende conversaties op, waarin Olle voortleeft, ook al ligt hij inmiddels allang begraven in de tuin, 'in een dekentje, met zijn kop naar het huis'.

In Kuijers leven hebben dieren altijd een belangrijke rol gespeeld.

Als kind was hij verslaafd aan Artis en in *Olle* vertelt hij hoe hij op zijn tiende besloot om geen mens te worden, maar baviaan. In een van zijn vroege boeken, *Papa is een hond* (1977), laat hij een jongen wakker worden in een wereld waaruit alle mensen verdwenen zijn. Er zijn alleen nog dieren, wat een paradijselijke situatie oplevert, afgezien van de zorg voor al dat beestenspul die veel te zwaar weegt op één paar jongensschouders. In *De neushoornvogel* (1985) belandt een zeventienjarige die op zoek is naar het verleden van zijn grootvader op Borneo, waar hij als enig mens en bijna als de Schepper in de Hof van Eden in verrukking zijn ogen uitkijkt op de weelderige oerwoudfauna. Pollekes grote liefde geldt de koe en in *Florian Knol* wordt de overvloedige rode haardos van de titelfiguur door een mus uitverkoren als vervangend nest.

Volgens Kuijer zijn dieren met name zo bijzonder omdat het geen mensen zijn: ‘Het is denk ik voor ons mensen een groot verdriet dat de dieren zo bang voor ons zijn. Dat doet ons zelfbeeld geen goed. De wens er toch bij te horen, zoals dat kind in Rudyard Kiplings *Jungleboek*, dat is een vrij universele droom, een soort archaïsch verlangen om terug te kunnen keren naar het verloren paradijs. Biologen maken soms bezwaar tegen mijn aanpak, maar voor mij is het belangrijkste van schrijven over dieren dat ik kijk naar iets wat ik niet ken. Op een bepaald moment ga ik in eenden wezens van belang erkennen die me wat kunnen vertellen over het gecompliceerde menselijk bestaan. Op precies dezelfde manier gebruik ik kinderen. Kijkend door de ogen van een kind neem je op een directe, eenvoudige manier waar en dringt beter tot je door hoe absurd de dingen zijn en hoe raar mensen zich gedragen. Door je voor te stellen hoe het als kind zou zijn, kun je soms iets verhelderen zonder het te simplificeren. Wat ik ook schrijf, bij mij gaat het er altijd om dat ik er zelf wijzer van word.’

> Het waait. Olle steekt zijn neus in de wind. Er komen geuren van ver weg. Olle leest de wind, zoals wij een boek lezen. De wind komt uit het zuiden. Misschien ruikt Olle Afrika. Dan ziet hij giraffen voorbijdraven. Of antilopen. Misschien rent hij achter ze aan en hapt naar hun achterpoten. Voor de grap hoor, want Olle ziet geen eten in rennende dieren. Olle ziet alleen voer in zijn etensbakje.
> De wind is een spannend boek. Olle staart in de verte, maar hij ziet niets. Alles wat er gebeurt, gebeurt in zijn kop. Hij zit recht-

op, zijn neus schuin omhoog om geen regel van de wind te missen. Zo zit hij lange tijd.
Wat zou ik graag de wind willen lezen, zoals Olle dat kan. Maar mijn neus ruikt niet goed genoeg. Ik moet het met mijn ogen doen. Met een bril op. Met een boek op schoot.
Uit: *Olle*

Kuijer schreef niet alleen voor lezers in de basisschoolleeftijd. *Een gat in de grens* (1975) en *Drie verschrikkelijke dagen* (1976) zijn bedoeld voor oudere kinderen. Het is een publiek dat de schrijver met minder natuurlijk gemak en met aanzienlijk verlies aan subtiliteit benadert. Jongeren en volwassenen worden schematisch en uitvergroot tegenover elkaar gezet, de toon is lawaaierig en op nogal wat momenten treedt de schrijver met zijn mening breeduit op de voorgrond. *De zwarte stenen* (1984) is weliswaar een ingenieus geconstrueerde, politiek getinte vertelling over de overheersing van het ene volk door het andere, maar echt tot leven komen wil het verhaal niet. Daarvoor is het te bedacht en ligt de boodschap er te dik bovenop. Ergens zegt een wijze oude man: 'De prediker dwingt de mensen tot luisteren, de schrijver nodigt hen uit'.

Kuijer helt hier nogal over naar de kant van de prediking, maar daar ziet hij zelf geen been in: 'Ik heb niets tegen moralisme. Moralisten zijn geen fatsoensrakkers, maar mensen die de hoop nog niet hebben opgegeven. Die zeggen, als we nou eens zus deden of zo deden, wie weet dan... Daarom ben ik een moralist en met overtuiging. Je moet natuurlijk wel slim zijn. Een domme moralist is vervelend, want dat wordt voorkauwen en je moet niet doen of je weet hoe het moet. Ik weet dat ook niet, maar ik kan wel een aantal voorstellen doen. De literatuur is een intelligente werkelijkheid, een spinsel. Wetenschappers en kunstenaars spannen allemaal draden. Die raken elkaar en op een bepaald moment heb je een bodem waar de cultuur op staat. Daar wil ik een bijdrage aan leveren, maatschappelijk nuttig zijn. Voor mij is schrijven een sociale daad.'

POLLEKE

Eind jaren tachtig lanceerde Kuijer met Tin Toeval opnieuw een meisjesfiguur die een aantal boekdelen mee zou gaan. Tin en haar twee vriendjes zijn een jaar of zes en ze leveren met de medewerking van een blinde oma, een oude olifant en de kapitein van een veerpont luchtige, avontuurlijke verhaaltjes op. Als altijd is de auteur de rake waarnemer van alledaags kindergedoe, maar er sluipt routine in en wanneer het piepkleine *Tin Toeval en de kunst van Madelief* (1989) ver-

schijnt, ontstaat het vermoeden dat Kuijer er genoeg van heeft. Tin en Madelief ontmoeten elkaar en besluiten een schrijfwinkel te beginnen, waar via de verschillende klanten de wereld van het kinderboek op de hak wordt genomen. Tin is onverbiddelijk vóór monsters, veel bloed, spanning en sensatie, en er is geen schrijfopdracht zo moeilijk of haar fantasie weet er wel een draai aan te geven. Madelief daarentegen is door de jeugdliteraire wol geverfd. Ze weet dat meisjeshoofdpersonen en zielige zeehondjes het goed doen en ze verbaast zich erover dat Tins vader nog gewoon thuis woont: 'Vindt je moeder dat niet lastig?' Ze klinkt vermoeid, cynisch en een tikkeltje blasé, en in haar uitspraken trilt de vermoeidheid van haar schepper hoorbaar mee. Er is nog energie voor het kleine meesterwerk over hond Olle en een laatste Tin Toeval en vervolgens valt het na 1993 zes jaar stil.

Maar dan is ze er opeens: Polleke, elf jaar oud, dol op koeien en verliefd op een Marokkaanse jongen. Bovendien is ze dichter en geeft ze in kleine verzen als een Grieks koor commentaar op de gebeurtenissen in haar leven. 'Ik voel me rommelig vanbinnen/ en probeer iets te verzinnen/ om opgeruimd opnieuw mee te beginnen.' (Polleke krijgt last van de hormonen). Ze is een soort ouder zusje van Madelief, ondernemend, eigenwijs, opvliegend en niet gemakkelijk met een kluitje het riet in te sturen: onmiskenbaar een lid van de Kuijerfamilie dus. Maar Polleke en Madelief schelen bijna vijfentwintig jaar en daar kan een midden in het leven staande schrijver als Kuijer niet omheen. *Voor altijd samen, amen* (1999) wordt gevolgd door nog vier *Polleke*-boeken, die met samen een sociologische schets van de Nederlandse samenleving anno 2000 bieden. Om te beginnen gaat het 'gewoon' over vriendschap, verliefdheid, jaloezie, en vaders en moeders met nieuwe liefdes en nieuwe kinderen, maar ook nog over het verschil tussen stad en platteland, over cultuur, racisme en geloof, over kanker en doodgaan, over drugs en afkicken, asielzoekers en daklozen. Kuijer is het allemaal al levend en al lezend tegengekomen, heeft erover nagedacht en het een vanzelfsprekende plek gegeven in zijn ingenieuze weefsel van verhaaldraden. Nooit gaat het primair over problemen, wel over lastige, lieve, deerniswekkende, denkende en voelende mensen die met elkaar omscharrelen en er het beste van proberen te maken.

Blijkbaar had de auteur zoveel vertrouwen in zijn nieuwe hoofdpersoon (of in zichzelf) dat hij voor het eerst in zijn jeugdliteraire loopbaan zijn positie als alwetende verteller heeft laten varen. Polleke ver-

telt haar eigen, niet altijd even vrolijk stemmende verhaal. 'Helemaal wiebel' wordt ze wanneer ze in de donkere ogen van Mimoen kijkt, maar dat wordt een liefde met hindernissen, want 'grote mensen houden ervan dat dingen niet mogen'. Haar ouders zijn gescheiden en tot Pollekes ontzetting wordt haar moeder verliefd op de meester en gaat ze zelfs met hem trouwen. De lieve opa die op een boerderij woont en een kalf koopt voor zijn kleindochter gaat dood, maar Pollekes zwaarste last is vader Spiek. Op de vraag wat hij doet, is het antwoord: 'Ik leef.' Volgens zijn dochter is hij een dichter, maar verder dan een vers in haar poesiealbum is hij nooit gekomen. Spiek is eeuwig doende om binnenkort te gaan schrijven. Zoals hij steeds iets zal, maar nooit iets doet. Hij is dagenlang zoek, er is sprake van 'dielen', hij verkeert met rafelige types, leent voortdurend geld en maakt misbruik van de onvoorwaardelijke trouw van zijn dochter. Uiteindelijk komt hij na een verblijf in Nepal terug met een kaal hoofd en in een lange jurk, clean, maar nog steeds geen doorsneevader, want welke vader zet er nu een meditatiecentrum op?

Het lijkt de schrijver een misverstand dat hij alleen maar vervelende ouders in voorraad zou hebben: 'Spiek vind ik een geweldige figuur, ook al is hij een slappe dweil. Zijn verslaving is een gruwel en hij is een rare zwever, maar tegelijkertijd merk je dat er een hoop liefdevolle energie in hem zit. In de werkelijkheid ken ik niemand zoals hij, maar zie je zo iemand rondhangen bij het Centraal Station, dan is het niet zo moeilijk om te bedenken dat er mensen zijn die verdriet om die man hebben. Als je even kijkt, zie je een heel leven om hem heen. Omdat ik mensen beminnelijk vind met hun hele hebben en houwen en omdat ik mezelf ook zie als zwak en sterk tegelijk, daarom kan ik niet anders dan ze zo vormgeven. Andersom werkt het ook zo. De opa van

Madelief is een goedzak en een lieverd, maar zonder dat hij dat wilde heeft hij in het leven van zijn vrouw toch schade aangericht. Je hoeft niet voorzichtig te zijn omdat het voor kinderen is. Als mensen immorele dingen willen doen, laat ik ze immorele dingen doen en probeer tegelijkertijd te laten zien dat ze daarmee niet slecht zijn. Dat is geen kwestie van eerlijkheid, dat is artistiek geweten. Ik wil mijn lezers geen kartonnen verhaalfiguren aanbieden.'

Polleke komt graag bij haar grootouders op de boerderij. Ze zijn er altijd, hebben tijd en ze doen iets ongebruikelijks: ze bidden. Pol ziet wel iets in die mysterieuze communicatie met boven, maar denkt dat je om te bidden eerst 'iets van je geloof moet zijn'. Opa legt uit dat je gewoon dingen aan God vertelt en daarna amen zegt. Het is beslist niet zo dat er nu eigentijdse zondagschoolboekjes voor ons liggen. Dat geloof hoort gewoon bij opa en oma, zoals er maatschappelijk ontspoorde vaders zijn en Marokkaanse ouders nu eenmaal willen dat hun zoon met een Marokkaans meisje gaat. De functie van de grootouders is volgens Kuijer dat ze voor hun kleindochter optreden als mentor: 'Om in Polleke te kunnen geloven als een werkelijk bestaande figuur is het noodzakelijk om haar mentoren te geven. Anders had ze onwaarschijnlijk sterk moeten zijn, een soort Pippi die paarden op kan tillen. Niet elk kind vindt zo iemand, maar ook niet elk kind heeft het zo moeilijk als Polleke. Zo'n boek roept eigenlijk tegen kinderen: als het leven ingewikkeld is, kun je misschien buiten je eerste kringetje iemand vinden die je steunt. Niet omdat hij raad geeft, maar door het leven dat hij leeft. Er is onderzocht waarom in probleemgezinnen het ene kind er beter uitkomt dan het andere, en dat is bijna altijd vanwege het initiatief van het kind zelf en niet dankzij de hulpverlening.'

Ik was teleurgesteld toen Mimoen vertelde dat hij nog nooit op een kameel had gezeten. 'Nou zeg!' riep ik, 'wat ben jij nou voor een Arabier?'
'Ik ben helemaal geen Arabier,' riep hij terug. 'Ik ben een Berber.'
Nou dat weer! Die lui hebben ook altijd wat!
'Ja en ik ben een eskimo,' zei ik, want dat vind ik zo'n leuk woord. Sjonge, wat was ie toen beledigd zeg! Weet je hoe dat komt? Doordat hij een cultuur heeft. En als je een cultuur hebt, ben je om de haverklap beledigd. Ik niet, want volgens mij heb ik geen cultuur. Nooit iets van gemerkt. En ik wil er geen krijgen ook, want dat lijkt me niks. Alle buitenlanders hebben er een geloof ik. Van Consuelo weet ik het niet zeker, want die is net als ik. Ze houdt van drop en ze kan schaatsen, dus van een cultuur merk je bij haar niks.
Uit: *Ik ben Polleke hoor!*

OPNIEUW DE BIJBEL

Uit alles blijkt hoe blij Kuijer is dat Polleke hem, zoals hij zelf zegt, 'overkomen' is. Zijn verhalen over haar zinderen van energie en levenlust, ze staan vol kleine wijsheid en grapjes en ze maken vooral duidelijk dat Kuijer hier doet wat hij het allerbeste kan: schrijven over een kind zo tussen negen en elf jaar. Een kind met een heel eigen kijk op het leven, met een volwassen omgeving die haar daarvoor de ruimte gunt en waarschijnlijk het soort kind dat de schrijver zelf had willen zijn. Ook met *Florian Knol* (2006) zal hij weer een aandoenlijk portret maken van een wat chaotisch denkhoofd, dat voortdurend op zoek is naar de woorden waarmee hij een plaats kan geven aan al het ingewikkelds dat hij ziet en meemaakt.

Polleke heeft de schrijfader opnieuw laten vloeien en geleid tot een productiviteit die lijkt op het begin van Kuijers carrière. Met Pollekes zoektocht naar de betekenis van het geloof doet religie als thema haar intree. In 2004 verschijnt *Het boek van alle dingen*, voor de schrijver zelf zijn belangrijkste boek. Het speelt in de jaren vijftig in een streng christelijk en door de vader met autoritaire hand geleid gezin. Vaders hand is niet alleen autoritair, maar zit ook los, in zijn verkrampte pogingen de gezinsleden onder zijn en Gods duim te houden. Tienjarige Thomas mobiliseert al zijn moed en denkkracht om zijn vader te weerstreven, vooral omdat de vernedering van zijn moeder voor hem onverdraaglijk is en omdat hij zich heeft voorgenomen later gelukkig te worden. Het is uiteindelijk het zusje dat een eind weet te maken aan de situatie, zoals ook andere vrouwen in Thomas' omgeving voorzichtig in opstand komen tegen het onaantastbaar mannelijk gezag. Het verhaal ademt de muffe zwaarte van de jaren vijftig en er smeult een vuur in van angst en eenzaamheid, maar Kuijer laat er een lichte bries overheen waaien van humor en verbeeldingskracht en van zijn onnavolgbare stijl, waarin het grote altijd klein wordt gehouden en het larmoyante dus buiten de deur blijft.

Het succesvolle en in veel landen vertaalde kinderboek werd gevolgd door twee kritische essaybundels voor volwassenen over geloven. *Hoe een klein rotgodje God vermoordde* (2006) gaat over fundamentalisme, over de uitleg van de heilige boeken en over God die door de mens naar zijn gelijkenis is geschapen, en *Het doden van een mens* over de Spaanse ketter Miguel Servet, die zich in de zestiende eeuw verstoutte het oneens te zijn met Calvijn en derhalve moest branden. Beide boeken bevatten spitse en associatieve denkoefeningen die getuigen van een grote gedrevenheid en die op verschillende plaatsen verwijzen naar de kindertijd van de schrijver en de rol die het geloof daarin speelde.

Nooit had Kuijer gedacht nog eens een boek over religie te schrijven. Hij werd wakker toen Bush president werd: 'Die is gekozen omdat hij zo vroom was, verder kon hij helemaal niks. En toen kwamen de Twin Towers, waardoor je bijna gedwongen werd om er nog eens over na te denken, zeker als je zo opgevoed bent als ik. Ik heb namelijk het idee dat ik een beetje begrijp van die mannen en vrouwen die zijn ingesnoerd in zulke verschrikkelijke dogma's. Zelf ben ik van de angst af en ik zou hen ook graag uit hun religieuze harnas peuteren. Eigenlijk is het een soort evangeliseren, een echte Blijde Boodschap!'

Essays schrijven of kinderboeken, het levert de auteur eenzelfde euforisch gevoel op: 'Een essay lukt altijd, dat is een soort hardop denken. Daar kan ik morgen gewoon aan beginnen. Het is een kwestie van studeren en puzzelen, van je best doen en een beetje enthousiast zijn omdat het anders duf wordt. Maar een kinderboek schrijven, dat heb ik niet zo goed in de hand. Ik vind het het mooiste wat er bestaat, maar soms kan ik het niet. Een bepaald soort thema moet me overvallen en het vraagt een enorme concentratie. Je moet namelijk op toon blijven, net als bij het zingen van een lied. Het grote verschil is de stemming. Je bent in een andere stemming wanneer je een kinderboek schrijft en dat kan ik niet verder uitleggen.'

Het aardige is dat de essays en de *Polleke*-boeken zo duidelijk uit hetzelfde schrijvershoofd en -hart afkomstig zijn. Vooral in *Het doden van een mens* gaat de verhalende kracht van Kuijers denkoefening met de auteur aan de haal en krijgt Servets strijd tegen Calvijn de allure van een heldenverhaal: David tegen Goliat of Klein Duimpje tegen de reus. Met hun oorspronkelijke geest, bevragen van de wereld en dappere volharding zijn Miguel Servet en Polleke niet alleen familie van elkaar, maar onmiskenbaar ook van hun schepper, die in zijn boek over Servet in een bijna verstopt zinnetje verklaart: 'Het schrijverschap is een eigenaardige ziekte die timide mensen uit hun schuilplaats jaagt.'

Wim Hofman

©JOOST VAN DEN BROEK

Er was eens een Waseens

Wim Hofman kwam op 2 februari 1941 ter wereld onder niet al te gunstige omstandigheden: het was oorlog, het vroor al weken en een kachel was er niet. Hoezeer de oorlog zijn eerste levensjaren ook heeft getekend, toch moet er om dat kille wiegje een flink aantal goede feeën hebben gestaan. Hofman lijkt immers te kunnen maken wat hoofd en hart hem ingeven. Hij schrijft proza en poëzie voor mensen van elke leeftijd, hij illustreert al zijn eigen boeken en schildert even gemakkelijk op grote doeken als op piepkleine kartonnetjes. Daarnaast kan hij breien, timmeren en een kapotte motor aan de praat krijgen, gitaar spelen, vishaakjes en tomatensoep maken.

Zijn eigenzinnigheid en hang naar autonomie hebben de auteur binnen de vaderlandse jeugdliteratuur een enigszins marginale positie bezorgd. Hoewel hij elke denkbare prijs in de wacht sleepte en bij een kleine club geliefd is vanwege zijn onconventionele gedachtegoed, grillige fantasieën en uitzonderlijke vormentaal, bleef hij voor grote groepen lezers onbekend. Helemaal begrijpelijk is dat niet, want Hofmans werk mag dan onalledaags en soms erg melancholiek van toonzetting zijn, veelal is het buitengewoon helder en simpel van taal en stijl, en bovendien vol humor, verrassing en avontuur. Een tienjarig meisje typeerde de auteur eens kort maar krachtig als 'iemand die soms van die gekke en soms van die zielige verhalen schrijft'. Het zijn precies de twee poten waarop 'Hofmans vertellingen' rusten: aan de ene kant het fantasierijke, absurdistische en woordspelige, aan de andere kant de kritische, zwarte kijk op de samenleving en met name op de onmachtige positie van kinderen daarin. Beide kanten zijn onlosmakelijk met elkaar verbonden door de tekenhand van de schrijver én door de in al zijn werk aanwezige aandacht voor vorm en taal.

Wie in het verhalenrijk van Wim Hofman een onbekende is, zou er de eerste stappen kunnen zetten aan de hand van *De Stoorworm* (1980).

Het boek biedt een goede kennismaking met de lichtvoetige kant van Hofmans verbeeldingswereld, waar niets onmogelijk is en waar zelden een gewoon mens rondloopt. Toch wortelt de grillige geschiedenis met de impressie van de Watersnoodramp – waarvan Hofman als twaalfjarige getuige was – stevig in de Zeeuwse geboortegrond van de auteur. De hoofdpersonen Ietsje Wit en Piekevet worden midden in de nacht overvallen door het stijgende water en weten hun zolderverdieping te verlaten op een omgekeerde tafel, met als gezelschap een aftandse koffiepot. Aan boord van een oorlogsschip maken ze vervolgens jacht op de dijkverslindende Stoorworm, daarbij dwarsgezeten door de boze Kiloman.

Wat in de eerste plaats hofmaniaans is, is de tafel die de benen neemt op het moment dat hem de grond onder de voeten te heet wordt. Vooral ook de koffiepot komt met zijn mopperig karakter overtuigend tot leven: '"Weet je," zei de koffiepot, "met zoiets als huilen schiet je nu niet op. Er is water genoeg. (...) Houd dus je mond en luister met je oor. Zo heet dat ding bij jullie toch ook, daar aan je hoofd?" De koffiepot wees met zijn tuit die op een neus leek naar het oor van Piekevet.' Later in het verhaal zal de ineengestorte koffiepot ten grave worden gedragen, onder het zingen van het Koffiepotlied. Hofman geeft een ziel aan de dingen, of het nu een koffiepot, een oude schoen, een krom geslagen spijker of een kaal geknuffelde beer is.

In de tweede plaats wordt een ramp hier gepresenteerd als een opwindend avontuur: '"Tjeetje zeg, een overstroming!" roepen Ietsje Wit en Piekevet uit en ze pakken elkaar vast en dansen een beetje rond. Ze zijn blij. Zoiets hebben ze nog nooit meegemaakt.' Dat de kinderlijke beleving een heel andere is dan die van de volwassene licht de schrijver toe aan de hand van zijn vroegste herinneringen: 'Mensen groeven een put in het zand en dat vond ik mooi, al die verschillend gekleurde zandlagen. Het moest een schuilkelder worden, met takkenbossen erop. Het leek me een spannende plek, want ik had geen idee hoe benauwd het zou worden en hoe beangstigend, met vrouwen die zaten te bidden en te gillen. Uit de schoorsteen van de lijmfabriek kwam plotseling vuur. Dat zie je met verbazing aan, tot je moeder roept: lopen! De wereld is normaal, tot je moeder zegt: wees maar bang.'

Op bladzijde 34 van *De Stoorworm* staat een plaatje dat het Hofman-universum in een notendop zichtbaar maakt. Op het topje van een duin balanceren stoel en tafel, met daarop weer de koffiepot. Vaag zichtbaar is de zee, in het hele werk alom aanwezig op de voor- of de achtergrond. Het is de zee bij Vlissingen, waar Hofman zijn lagereschooltijd doorbracht en in 1971 met vrouw en kinderen weer kwam wonen, toen hij voor de Zeeuwse Culturele Raad ging werken. Vooral in de autobiografische jeugdroman *Het vlot* (1988) is de zee zo beeldend en met liefdevolle precisie beschreven, dat je hem hoort en ruikt zodra je het boek openslaat: ‘Het was laagwater en er hing mist. Ergens links moest een gele zon zitten. Ik was die ochtend over de duinen geklommen, nadat ik mijn fiets ergens onder de struiken verborgen had. Ik voelde me opgewonden en rilde van kou en warmte tegelijk: de extase van alleen te zijn op dat strand. En de eenzaamheid werd nog versterkt

door die mist; er was bijna niets te zien, geen mens, geen boot. De bleke, haast kleurloze golven van de zee maakten een bescheiden geluid: ze smoesden en sisten en ruisten wat en schoven uitdagend en plagerig over het witte zand.'

Over de zee kan iemand bij Hofman wegvaren, op een gammel vlot de wijde wereld in. Het strand is de plek waar jongens in hun eentje rondscharrelen om te zien wat er voor interessants is aangespoeld, waar je krabben en pieren vangt en een vuurtje stookt om er een zelf gevangen vis op te bakken. Op het strand eindigt het verhaal van *Aap en Beer* (1983) in een tevreden idylle, na hun avonturen met een schatkaart in een fles, een pratende kist en een vliegende jas. De twee vrienden zitten voor een scheve, uit wrakhout opgetrokken hut en een knalrode zon die de zee in zakt. Precies zoals zonnen dat aan het eind van de dag horen te doen.

Zelf vaart Hofman niet graag op zee, want dan wordt hij misselijk. Het is de rand van de zee die hem dierbaar is, vanwege het beeld en de kleuren en de geluiden van wind, water en vogels. Het liefste heeft hij er rotsen bij, waar de branding tegenaan kan knallen: 'Ik had in Engeland moeten gaan wonen, daar is de combinatie land en zee het mooiste. Hier in Vlissingen ziet het er zo langzamerhand niet zo best uit. De Noordzee is ziek en de vissen zijn dood. Het strand is niet langer meer de rand van de zee, met al die mensen en die lelijke vuilnisbakken, en je mag er ook geen vuur meer maken. Alles is gecultiveerd en opgeofferd aan het toerisme. Eigenlijk kan ik alleen nog in mijn hoofd aan zee zijn en dat is dan de zee van vroeger.'

DE TAFEL

Wim Hofman hanteert de pen niet alleen om te schrijven, maar ook om te tekenen. Bovengenoemde tafel op het duin vormt min of meer het hart van Hofmans iconografie. Meestal ziet hij er steviger en onwankelbaarder uit, getimmerd van dikke planken, schots, scheef en tijdloos. In *Zwart als inkt* biedt hij Sneeuwwitje de gelegenheid haar hartverscheurend eenzame briefjes te schrijven. Ze richt er zelfs een aan de tafel zelf: 'Beste tafel, ik schreef al een brief aan de stoel. Ik vind hem niet verstandig. Hij had allang weg kunnen zijn. Bij jou is het anders. Jij kunt niet zomaar door de deur wandelen, jij bent te breed en te lang en te zwaar. Ik heb met je te doen. Je staat hier maar. Ik weet wat het is. Maar jij bent geduldig. Misschien weet je al dat ik je schrijf: dit papier ligt toch op jou, tafeltje! Groeten hoor, S.'

In Hofmans versie van *Klein Duimpje* kun je niet heen om de twee pagina's vullende, diepzwarte tafel. Hij staat in de keuken van de reuzenvrouw en eraan zitten de held, zijn vijf broertjes en zijn zusjelief, terwijl hun hongerige koppies er nauwelijks bovenuit steken. De tafel

is de plaats voor voedsel, ook voor geestelijk voedsel. In het boek voor beginnende lezers *Zip* (1986) zijn zelfs de schoolbanken tafeltjes, gemaakt van ongeschaafde planken met grote spijkers erin. En de poëziebundel voor volwassenen *Wat we hadden en wat niet* (2003) toont op het omslag een rotsvaste tafel, met scheve inktpot en een dito lampje erboven. Het moet een inspirerende werkplek zijn, want van de tafel stijgen onleesbare, maar sierlijke schrijfsels omhoog.

Voor Hofman is de tafel onmiskenbaar een belangrijk ding: 'Hij betekent beschutting en veiligheid, als een soort huis. Dat is ook waarom hij drijft tijdens de watersnood. De tafel die ik altijd teken staat hier op zolder, met afgezaagde poten. Tijdens de oorlog schuilden we eronder. Ik heb ook mijn deken nog die ik toen iedere dag met me meesjouwde. Mijn vader moest in Duitsland gaan werken en mijn moeder wilde terug naar haar thuisland Brabant. We kwamen terecht in Valkenswaard. Met twee kinderen en wat bagage klopte ze ergens aan, waar

we konden komen wonen. In de kinderbedden werd ruimte gemaakt voor mijn broer en mij. De bevrijders die op weg waren naar Arnhem denderden dwars door het dorp heen. De tanks schoten onderweg alles aan flarden en er werd ook gebombardeerd. Mijn moeder zette dan matrassen om de tafel heen, die gingen schroeien als er granaatscherven in kwamen. Ze bezwoer ons dat er geen bom door de tafel zou komen, omdat het zwaar eikenhout was. Ze had het rotsvaste vertrouwen dat alles goed zou komen: daar ging Onze-lieve-Heer wel voor zorgen.

Ik ben in die tijd volwassen geworden, ook al was ik pas drie. Ik herinner mij nog bijna alles, beter dan wie ook in de familie. Toen mijn vader al in de zeventig was heb ik een albumpje voor hem gemaakt met voorwerpen waar ik in de oorlog mee speelde; speelgoed dat hij gemaakt had en dat kapot was gegaan. Van een draaimolen waren nog een paar paardjes en een bakje over, van een vrachtwagen nog wat wielen. Die tekende en kleurde ik uit mijn hoofd en gaf ze hem, zonder commentaar. Hij vroeg verbaasd hoe ik dat nog wist, dus klopte het wat in mijn hoofd zat.

Toen we na de oorlog als gezin terugkwamen in het kapot gebombardeerde Vlissingen leefden we met zijn vieren in een kamer van vier bij vier. Op de plaats van de ramen zaten plankjes. De kachel was stuk, want daar was een granaat ingeslagen. Uit de gaten kwamen wolkjes rook zodat het benauwd werd. Wanneer we gingen slapen deelde een gordijn de kamer in tweeën en als er gekookt werd moesten we op het bed zitten, omdat er anders geen plaats was. Qua sfeer was het allemaal een beetje Herman Heijermans en we hadden echt niks, behalve ziektes. De oorlog is een referentiekader voor me geworden en bracht ook een vreemd soort optimisme met zich mee: slechter dan dat kan het niet worden.'

DE SCHOOL

In de chaos van het naoorlogse Vlissingen leidde de kleine Wim een avontuurlijk en weinig geregeld bestaan, zoals staat beschreven in *Het vlot*. Het boek beslaat de periode tussen zijn vijfde en twaalfde jaar. De verteller heeft een mager zelfbeeld: 'Ik stelde eigenlijk niets voor. En daarbij kwam dat ik een brilletje droeg.' Hij moet het opnemen tegen brallerige, nogal gevaarlijke jongens en de leerplicht vormt een onaangename bijkomstigheid. Van het onderwijs heeft Hofman sindsdien geen hoge pet op: 'School vond ik verloren tijd en dat vind ik nog. Jonge mensen kunnen sneller en zinniger leren dan door ze in banken te zetten. De apartheid van kinderen en volwassenen is naar mijn gevoel uit den boze. We hebben het over de samenleving, maar kinderen sluiten we op tot ze zestien zijn. Ik heb in het leven het meeste geleerd buiten school. Ik kon lezen toen ik naar school ging. Mijn oudste broer Zweitse was briljant en kon het al toen hij twee was. Op mijn vijfde leerde hij mij de kunst. Hij verzon spelletjes en griezelige verhalen. Hij snuffelde in de kast van onze vader en las *Van het westelijk front geen nieuws* of *Droomkoninkje* van Heijermans voor, en ook de Bijbel. Samen hadden we plezier met de geslachtstabellen uit het Oude Testament. Die moesten we om de beurt opzeggen en al die namen vond ik prachtig. Daar loopt waarschijnlijk wel een lijntje naar mijn liefde voor opsommingen.

Wij waren een gewoon arbeidersgezin en mijn moeder had drie jaar lagere school, maar lezen vond ze belangrijk. Ze las sprookjes voor en andere boekjes en toen ik tien was gaf ze mij met Sinterklaas *De avonturen van Huckleberry Finn*. Dat boek paste precies bij mij. Huck Finn was namelijk tegen de school en de beschaving. Hij wou rondlopen en vissen. Dat de school saai was kwam omdat ik me verveelde. Er was niets te leren, want ik wist het meeste al en haalde tienen. Alleen gedrag was niet zo best, ik was wat je noemt 'levendig'! Ik kon ook goed tekenen en had een opdracht van de meester zo klaar. Tot mijn ergernis zette die dan met rode ballpoint een negen midden in mijn tekening en verknoeide daarmee mijn kunstwerk volledig. Op den duur gaf hij mij de kaften van de tekenschriften, waar je moeilijker op kon werken. Ik was eindeloos aan het tekenen, moest altijd iets op papier zetten om te verwerken wat ik meemaakte. Wanneer ik gespeeld had aan het strand of in de duinen ging ik dat thuis tekenen, vaak ietsje mooier dan het was. Later maakte ik er boekjes van.

Mijn vader tekende ook: zijn twaalfsnarige mandoline of de motor van zijn solex, meestal met Oost-Indische inkt. Hij kon dat even goed links als rechts! Hij maakte voor ons een zeilboot en een auto, een winkeltje en een pakhuis. En hij borduurde, een tafelkleed bijvoorbeeld of iets voor aan de muur. Dat gaf hem rust. Als hij zat te borduren, zat ik te punniken. Hij leerde mij breien, een inktlap maken en met een gloeiende breipen branden in hout. En mijn eerste flesje Oost-Indische inkt kreeg ik van hem. We gingen samen borduurzij kopen en dan moest ik zeggen welk groen het mooiste was. Mijn broer en ik speelden ook met poppen en daarna poppenkast en toneel. Wij vonden dat allemaal heel gewoon.'

Hofman bezocht nooit een kunstopleiding en is een typische autodidact. Voortbordurend op wat hij bij zijn vader 'afkeek' experimenteerde hij met nieuwe technieken. Hij zat altijd met zijn neus in de kunstboeken en heeft zijn leven lang een open oog gehouden voor vorm en zeggingskracht van wat hij op zijn weg vindt. Als een standjutter verzamelt hij zijn beeldmateriaal, ziet leven in wat dood lijkt, en ontfermt zich over wat onooglijk, gebutst en verweerd is. Zo veranderden bolle zeewierblaasjes via Afrikaans aandoende beschildering in de dwergen van Sneeuwwitje en in een schitterend aangevreten plank zit onmiskenbaar een huisje verborgen. Op een stukje hout van het bed van zijn overgrootmoeder schilderde Hofman een van zijn ontelbare zeetjes, uit een verroest en platgedrukt sardineblikje licht een ingekrast zilveren visje op en twee aan het strand gevonden stenen transformeerden met elk een oogje in Sneeuwwitje en haar moeder.

Het creatieve proces is bij Hofman altijd gaande, zowel in beelden als in taal: 'Ik ben een verzamelaar, denk steeds dat ik iets nog wel eens zal kunnen gebruiken. Om dezelfde reden bewaar ik fragmenten van schrijfsels, want die kan ik later vaak weer ergens inpassen. Ik ben een lastige voor een uitgever: ik doe niet wat moet, maar wat er gebeurt. De ene keer schrijf ik iets op, de andere keer geef ik iets vorm met verf. Schrijven en schilderen lopen helemaal door elkaar heen, maar vragen wel om andere hersenactiviteit. Schrijven is moeilijker. Je weet nooit precies waar het heengaat. Bij tekenen zie ik onmiddellijk of het fout is of goed. Als ik teken kan ik ook rustig zitten praten of de tv aan hebben. De hand gaat min of meer zijn eigen gang.'

ROEPING

In het protestantse Zeeland lag een roeping niet zo voor de hand en dus verbaasde het de meester van de zesde klas dat Wim priester wilde worden om als missionaris de wereld in te gaan. Hij had ademloos gelezen over ontdekkingsreizen en vreemde volken en vermoedde dat de wereld interessanter was dan die waarin hij zat. Thuis was het ook niet erg gezellig: 'Mijn jongste broer moest in 1953 geboren worden en mijn moeder lag veel op bed. Vader werkte meestal 's nachts in de scheepsreparatie en sliep overdag. Mijn oudste broer was een zenuwachtig kind en vaak ziek. Ik moest dus koken en zorgen, boodschappen doen, terwijl er haast geen geld was. Maar ik vond het prima: aardappels kunnen schillen of een stekker repareren zou volgens mij altijd van pas komen! Voor als ik eindelijk wegging en alleen in het grote leven zou staan. Als ik mijn vader vishaakjes en loodjes zag fabriceren of vis schoonmaken zat ik er met mijn neus bovenop. En ik moest ook leren zwemmen en Frans en Engels. Het was allemaal voorbereiding voor later, al had ik geen idee wat dat 'later' in zou houden.

Als arbeidersjongen ging je toen naar de fabriek, maar ik wist zeker dat ik de wereld in wilde om hem beter te maken dan hij was, dat ik iets zou kunnen betekenen. Ik wilde weg, vooral van school, en ik voelde daarbij een bijzondere kracht die mij duwde. Ik geloofde echt in God en dat die bedoelingen met mij had. Om mij heen waren er veel neerslachtige jongens. Die hadden na twee jaar een stofjas of een overall aan, maar ik was in topvorm. Het zal iets tussen hoogmoed en enthousiasme in geweest zijn. Ieder mens moet dat wel eens hebben, 's ochtends wakker worden, de zon schijnt en je denkt: nou kan ik van alles gaan doen. Dat opgetogen gevoel heb ik nog heel lang gehouden wanneer ik op reis ging. Waarschijnlijk ben ik altijd een beetje twaalf gebleven.'

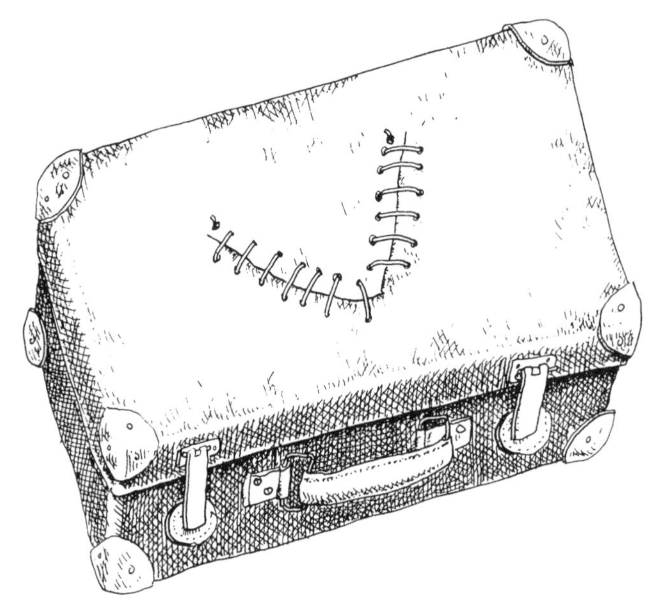

Zeulend met een te zware koffer vertrok Wim op zijn twaalfde naar het kleinseminarie in het Noord-Brabantse Sterksel. Aansluitend bij vernieuwingsideeën werd een stuk van de opvoeding daar overgelaten aan de vijftienjarigen: 'Wij opereerden in kleine groepjes met een oudste die een beetje verantwoordelijk was. Die groepjes zorgden voor een kameraadschappelijke sfeer die ik heel prettig vond. Zo rond mijn vijftiende ging ik naar de witte paters in Santpoort, voor de laatste drie jaar van het gymnasium. Het was een kleine school, met een opleiding, regels en spiritualiteit die vergelijkbaar waren met die van de jezuïeten. Eigenlijk was het een soort vreemdelingenlegioen op geestelijk gebied. Mensen werden opgeleid om naar Noord-Afrika te gaan en een tegenwicht te vormen binnen de moslimwereld.

Wij leefden daar in een stimulerende en inspirerende gemeenschap. Er werd gezegd: ga jij maar eens gitaar leren spelen of hockey, of schrijf eens een toneelstuk. De leraren zaten ook in de toneelclub en voetbalden mee. Mijn schilderijen hingen aan de muur te drogen. Ik timmerde decors, ging in de band, zong in het koor en schreef absurde toneelstukken, die ik zelf niet eens kon volgen. Ik denk niet dat ik ooit nee zei! Er was ook zoveel mogelijk omdat we intern waren en alles bij de hand hadden. Ik ben erg voor kostscholen. Voor iemand zonder heimwee en zonder het romantische idee dat je altijd thuis moet zijn is het een perfecte plek.'

Na het gymnasium werd de priesteropleiding vervolgd in Engeland (kennismaking met het werk van onder anderen Dylan Thomas en James Joyce) en in België, toen nog een spannend vreemd land, waar je de mensen niet verstond en aan de grens je tas moest laten zien. Medestudenten schilderden anders, in donkere bruinen, net als Permeke. Hofman leerde er een varken slachten en veel over Afrikaanse kunst. De opleiding was lang en uitgebreid, want als priester moest je 'volwassen' zijn en alle roerselen overwonnen hebben: 'Ik was klaar toen ik ongeveer vijfentwintig was, en toen bleken ze me niet geschikt te vinden om uit te zenden. Ik zou te veel een eigen mening hebben en ze vonden me vast te vreemd in mijn artistieke uitingen. Ik zag dat maar als een pluim.' Anderen vonden dat blijkbaar ook, want hij kon terecht in Nederland, en werd kapelaan in een paar Brabantse dorpen. Daar bleef hij niet lang, hij zei zijn baan op en vertrok op eigen houtje naar Oost-Afrika. Bij terugkomst trouwde hij met Toke, oorspronkelijk afkomstig uit Rijsbergen, waar hij begon als parochie-assistent. Toke was echter niet de reden om de Kerk vaarwel te zeggen: 'Ik was opgeleid om naar Afrika te gaan en paste helemaal niet in de Nederlandse kerk, die ik burgerlijk, standsbewust en eigenlijk niet christelijk vond. Iedereen wilde mij als autoriteit zien, wat angstaanjagend was. Kwamen ze mij vragen of ze de pil mochten gebruiken! Daar ging ik me natuurlijk niet mee bemoeien. En mijn preken zouden niet deugen, terwijl de kerk wel stampvol zat. Uiteindelijk was ik te ongelovig geworden en wilde ik niet meer naar de kerk. Ik heb er niets meer mee te maken gehad tot mijn moeder op sterven lag. Toen zij een requiemmis wilde zei de pastoor dat ze dat niet meer deden en zeker geen

“Dies irae”, wat mijn moeder nu juist wilde horen! Ze raakte haar geheugen kwijt en vond het vreselijk dat ze de oude teksten aan het vergeten was. In die tijd heb ik elke dag met haar gebeden en gezongen. Dat was mooi om te doen, want die vaste formuleringen waren voor haar therapeutisch en troostend.’

TOVENAARS

De verhalen voor *Welwel, de zeer grote tovenaar*, de bundel waar Hofman in 1969 mee debuteerde, ontstonden gedeeltelijk al op de middelbare school, waar hij schreef voor de schoolkrant. Leerlingen stuurden die krant naar huis en dus bedacht de schrijver in spe dat hij iets moest maken voor de broertjes en zusjes thuis. De omtrekken van het latere werk zijn al goed zichtbaar. Zeer op de voorgrond tredend zijn de illustraties: gedetailleerde en zorgvuldig uitgewerkte pentekeningen in Oost-Indische inkt, allemaal volgekrast met een wirwar van ragfijne lijntjes. De mensen zijn gedrongen figuurtjes, met kinderlijk grote hoofden, enorme ogen en oren, vreemde hoofddeksels en dwarsstaande puntschoenen die uit de voetjes lijken te groeien als boomwortels.

In het titelverhaal hollen negen onnozele tovenaars stuurloos achter elkaar aan, dwarsgezeten door oppertovenaar Welwel op zijn gele klompen. Alle medespelers dragen waanzinnige namen en dollen in het rond, als kleine kinderen tijdens een opwindend verjaarspartijtje. Toen Hofman in 1991 de Theo Thijssenprijs voor zijn hele oeuvre ontving, onthulde hij in zijn spirituele dankwoord met een verwijzing naar één van zijn vroegste nonsensverhalen iets over zijn manier van werken: ‘Schrijf: Er was eens.

En nogmaals: Er was eens. Al spoedig heb je dan, voordat je er erg in hebt: Er was eens een Waseens. De pen zoekt blijkbaar zijn weg op papier. Dingen, rare wezens komen tot leven. De maan komt op, stijgt, zzzzzzzz, spat als een zeepbel uiteen. Dat is schrikken. Op papier kan alles, zoals in je hoofd.'

Zijn eerste stappen op het schrijverspad zette Hofman in de tijd van Lucebert en Karel Appel, toen het kinderlijke gewaardeerd werd als een serieuze factor in de kunst. De Franse surrealisten hoorden bij zijn lectuur, hij kende Carrolls nonsensgedicht *Jabberwocky* uit zijn hoofd

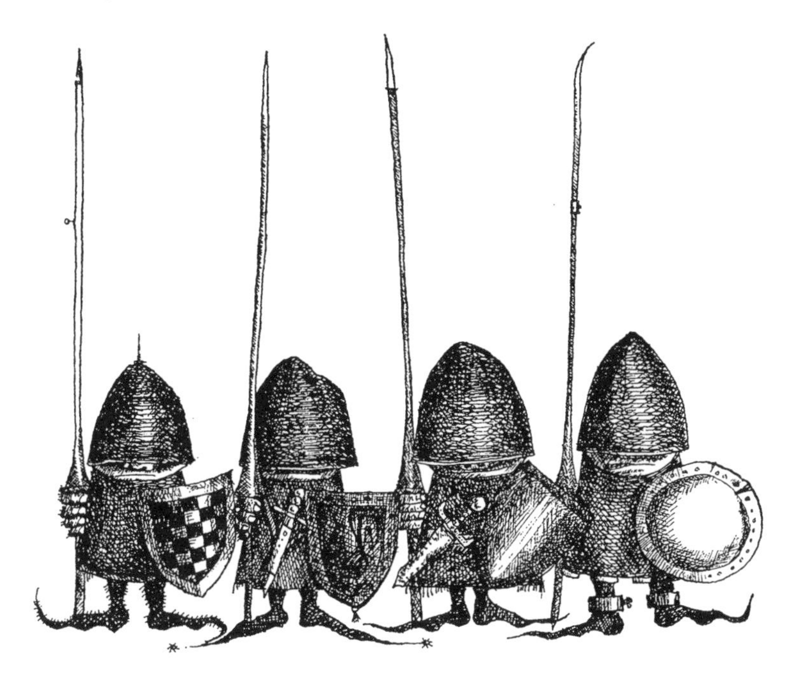

en vond Edward Lear een openbaring. Later zou hij *Finnegans Wake* van James Joyce zijn meest bewonderde boek noemen. Het spannende in al dit nonsensicale werk is volgens Hofman dat je door een hoop rare woorden bij elkaar te zetten een sfeer op kunt roepen en een verhaal vertellen: 'Ik wil heel precies bedenken hoe ik iets opschrijf. Ik maak geintjes, heb daar zelf plezier in en hoop dan maar dat iemand anders het ook ziet.'

De gebeurtenissen in genoemd *Welwel*-verhaal worden in gang gezet door het verlangen naar een prachtig eiland in de zee. De eerste tovenaar die afreist zegt: 'Ik ken het eiland niet en de weg is vreemd en lang.' Zoals de tafel centraal staat in de beeldenwereld raakt dit zinnetje inhoudelijk aan de kern van Hofmans werk. De wezenlijke ervaring van het op weg gaan toen hij twaalf was resoneert op vele niveaus. Soms ontvluchten de verhaalfiguren hun onverdraaglijke werkelijkheid, die bevolkt wordt door egoïstische volwassenen en onaangename kinderen. Vaak is iemand alleen maar op zoek naar iets dat opwindender is dan het dagelijks bestaan. Er wordt met overgave gereisd: op de fiets, in een wandelende kist of een voorwereldlijk vliegmachien, op een vlot of een omgekeerde tafel. Een boot zegt 'toet' en bij Hofman betekent dat: 'Wie wil er mee?' Het zinnetje 'Ik ga de wijde wereld in' komt in talloze variaties voor en eigenlijk heb je daarmee het kinderverhaal in zijn meest samengebalde vorm.

Thematiek en toon keren terug in *Het eiland Lapje Loem* (1972), *De mist in* (1975) en *Ansje Vis en Matje Klop* (1979), maar het belangrijkste binnen deze fantastische, nonsensicale stroom is ongetwijfeld *Koning Wikkepokluk de Merkwaardige zoekt een rijk* (1973). Dit boek wordt wel gezien als Hofmans meest karakteristieke en persoonlijke werk en zal voor jeugdige lezers mogelijk het minst toegankelijke zijn. Gevolgd door drie trouwe onderdanen is Wikkepokluk op zoek naar een plek waar hij rustig kan regeren. Ze belanden op een onbewoond eiland, in de net als Vlissingen verwoeste stad Omvalom, in een rovershol en bijna in de bek van een draak. De koninklijke ambities zijn niet groot. Wikkepokluk wil wel heersen in een boom (maar alle bomen zitten al vol koningen), in een duistere gevangeniscel of in een huis zonder dak, zonder vloer en zonder muren. Uiteindelijk vindt hij zijn rijk in een kist: 'En als niemand die kist geopend heeft, dan zit hij daar nog.'

Naast deze overbekende slotformule en de openingszin – 'Er was eens een koning en die leefde in een beest' – zijn er andere verwijzingen naar het sprookje. Er is sprake van een duizendjarige grijsaard die de wijsheid in pacht heeft en een moeilijke opdracht om daarna de koningin te mogen trouwen. Het surrealistische en soms ook benauwende karakter is weer weinig sprookjesachtig. Er duiken Jeroen Boschfiguren op en in ontelbare dozen huizen evenzovele bizarre beesten die Wikkepokluk vrijlaat, als deed hij de schepping nog eens dunnetjes over. Anders dan de sprookjesschrijver verrast Hofman met zorgvuldig geformuleerde, elegante zinnetjes – 'Wat witte linten kille mist, die slingertje-slangetje met de wind meekwamen en langs de benen van de mannen kropen' – en verlustigt hij zich in woordspelletjes en wonderlijke opsommingen. Zo verschijnen er op het slagveld: 'Bullenbijters, mattenkloppers, herrieschoppers, kwaadkijkers, zwaardvechters, pie-

keniers, schaduwmannen, neeschudders, puddingsmijters, harentrekkers, neuzenknijpers, doorzagers, officieren en oude rotten van lagere rang, sommigen zaten onder de strepen, hun uniform leek op een pyjama, zoveel strepen zaten er soms op. Je kon er geen wijs meer uit.'
Het verhaal is vooral een opsomming van alles wat er in het leven tegen kan zitten voor iemand die op zoek is naar macht en aanzien. Het kan gelezen worden vanwege het avontuurlijke plezier om de weinig samenhangende en maffe gebeurtenissen. Oudere lezers zullen in de desolate sfeer de vergeefsheid herkennen van het bestaan dat, wat we ook ondernemen, onvermijdelijk eindigt tussen zes planken.

KINDEREN

Wordt Hofmans pessimistische levensvisie hier nog in evenwicht gehouden en zelfs enigszins gemaskeerd door het taalplezier en de absurdistische gebeurtenissen, in een gedeelte van het oeuvre is de somberte niet te ontlopen. Het eerste boek met deze toon en kleur is *Wim* (1976), een aangrijpend portret van een elfjarige jongen, van wie de ouders te druk met zichzelf en hun nieuwe relaties zijn om oog voor hun zoon te hebben. Het is grote vakantie en Wim verveelt zich, terwijl hij het gedoe van de rood gestoofde badgasten met verbazing beziet. Aan zijn lot overgelaten en dwarsgezeten door een onaangename grote broer scharrelt Wim langs het strand en eet in zijn ongezellige huis de ongezellige restjes uit de koelkast. Wanneer de verlatenheid onverdraaglijk wordt loopt hij weg, het grote avontuur tegemoet. Hij wordt min of meer gered door Tootje, een scharminkelig meisje dat desondanks stevig op haar dunne benen staat. In *Het vlot* zal zij twaalf jaar later opnieuw opduiken als de vrolijke en onaantastbare Pia.

Hofman zegt zelf bij het schrijven de meeste moeite te hebben met de verhaallijn. Over een van zijn vroege boeken merkte zijn toenmalige redacteur Paul Biegel eens op: 'Een vrouw met te veel vlees en te weinig ruggengraat!' Binnen Hofmans oeuvre is *Wim* het meest hecht gestructureerde verhaal, waarin willekeurige uitweidingen en zijweggetjes ontbreken en al het materiaal bijdraagt aan het oproepen van de onmacht en verlorenheid waar de hoofdpersoon mee geconfronteerd wordt. Grote kracht is dat de narigheid niet wordt benoemd, maar eerder omcirkeld en gesuggereerd. Een terugkerende nachtmerrie in een tunnel, het langzaam verminken van een vlieg die daarna onder een omgekeerd glas rondhompelt, de stress in de toeristenfile en in de hotelkeuken waar Wim hulpje is tussen enorme messen en ander dreigend keukengerei, het treurige huwelijksverhaal van de chauffeur van de vrachtwagen waarop Wim meelift, dat alles verbeeldt wat de jongen voelt, maar tegen niemand zeggen kan. Eén keer staat de schrijver zijn hoofdpersoon toe te denken 'Hij wilde dat hij er niet was', maar ondanks die emotionele zuinigheid of juist daardoor is de ondraaglijke zwaarte van het bestaan voor de lezer tastbaar. Dat die lezer evenmin als Wim bezwijkt onder die zwaarte komt door de terloopse lichtheid van de korte zinnetjes en door het gevoel van vrijheid en de verwachting van avontuur, die besloten liggen in de zelfstandige handeling van het weglopen. Uitzonderlijk is ten slotte dat het verhaal na dertig jaar in geen enkel opzicht aan zeggingskracht en belang heeft ingeboet.

Het boek deed bij verschijnen veel stof opwaaien, want aan een zo onbarmhartige kijk op de hoeksteen van de samenleving was men in de kinderboekenwereld nog niet toe. Ook werd verondersteld dat het om autobiografisch materiaal ging, waarbij de titel voor de nodige verwarring zorgde. Volgens Hofman zit het heel anders: 'Ik wilde gewoon de naam Wim een beetje promoten, want die was aan het wegzakken tussen alle Dennissen, Olafs en Martijnen. Verder hadden we net kinderen en zat ik in een soort postnatale depressie. Om ons heen gingen allerlei mensen scheiden en ik stelde me voor hoe dat voor kinderen moest zijn. Daar werd ik ontzettend treurig van, en ik ben al niet zo'n vrolijke fluiter.

Ik stoor me aan de samenleving en hoe ouders zich gedragen, aan de houding dat je kinderen even voor de lol hebt en ze dan opbergt. Sinds ik grootvader ben geworden weet ik dat er computergestuurde wiegen

bestaan! Maakt de baby geluid, dan gaat de wieg bewegen. Huilt hij, gaat er boven zijn hoofdje iets kleurigs ronddraaien. In de crèche moeten ze wakker gehouden worden, anders slapen ze niet om halfzeven, wanneer vader en moeder thuiskomen. Scholen worden groter en onpersoonlijker, er bestaan reglementen over hoofddoekjes en pasjes om binnen te komen en er is nauwelijks een band met degene die je iets leert. Kinderen hebben zo niet veel van het leven te wachten.'

SPROOKJES

De voor Hofman belangrijke thematiek van de machteloze positie van kinderen ziet hij weerspiegeld in een aantal sprookjes, die hij naar zijn hand zette. In 1991 maakte hij van *Klein Duimpje* een pikzwart, door Klaus Baumgärtner prachtig getypografeerd boekje. Daarin legt de auteur uit waarom hij dit sprookje bewerkte: 'Het verhaal laat haarscherp, als door een vergrootglas zien hoe netelig en deerniswekkend de situatie van kinderen is. Ze zijn tot in al hun vezels en tot in het diepst van hun ziel afhankelijk van wat volwassenen met hen uitrichten. Deze kunnen hen niet alleen uit liefde, haat, onachtzaamheid of balorigheid in het leven roepen, maar hen ook naar eigen goeddunken koesteren, knijpen, voeden, verhongeren, loslaten, opsluiten, het bos in jagen, verslinden, om de eenvoudige reden dat kinderen klein en dus te verwaarlozen zijn.'

Ook al is dit voor Hofman de somber stemmende realiteit, hij ziet voor zijn bedreigde verhaalfiguren als altijd een ontsnappingsmogelijkheid: zij nemen de benen. Met *Klein Duimpje* heeft hij zijn visie in een notendop in handen, want kleiner dan Duimpje bestaat er niet, schrijnender beeld van in de steek gelaten worden is moeilijk denkbaar en de benen worden hier zelfs letterlijk en concreet genomen, namelijk door de zevenmijlslaarzen die vanzelf lopen, terwijl Klein Duimpje en zijn familie over de rand kijken. Waar de minuscule held bij Perrault met schatten overladen weer thuiskomt, veroorlooft Hofman zich een heel eigen slotzin: ''s Nachts sliepen ze diep in de laarzen, als kindjes in de schoot van hun moeder. En ze gingen nooit meer terug, ze gingen nooit meer terug naar huis.' In deze bijna bezwerende herhaling klinkt Hofmans moraal door: als het thuis werkelijk onveilig is, blijf dan niet hangen in de illusie dat het de mooiste plek op aarde zou moeten zijn, maar neem je lot in eigen hand.

Zwarter nog – zo *Zwart als inkt* (1997) – is de versie van *Sneeuwwitje* waarin het sprookje wordt gebruikt als een spiegel, die onbarmhartig het beeld van een liefdeloze moeder terugkaatst. Zwart is de kleur van de afgunst en die is niet afkomstig van Sneeuwwitjes stiefmoeder, maar van haar eigen moeder, die wordt vergiftigd door 'zure spijt en jaloersheid' vanwege haar steeds mooier wordende dochtertje. De auteur volgt de lijn van de gebroeders Grimm, maar hij doet iets

waar je in de volkssprookjes vergeefs naar zoekt: hij geeft de personages achtergrond en diepte. Zelfs de gruwelijke moeder krijgt even een tegenkleur door de compassie waarmee de schrijver haar aanvankelijk beziet. De koning is immers onafgebroken op weg om te vechten of andere belangrijke dingen te doen in de wereld, waardoor hij zijn vrouw verwaarloost. Zij moet zijn kind in pijn en eenzaamheid baren en verwijt Sneeuwwitje dat ze geen jongen is, voor wie de vader vast wél naar huis gekomen zou zijn. Daar legt de auteur de kiem voor de verwording van de moeder tot een narcistische heks, die haar dochter naar het leven staat. Als straf zal ze uiteindelijk moeten dansen op vurige schoenen tot ze er dood bij neervalt, maar over lang en gelukkig leven horen we niets. Wel wordt de spiegel weer opgehangen, omdat de inmiddels getrouwde Sneeuwwitje zichzelf wel eens wil zien... Ook al heb je dan de prins binnen, het sprookje van moeders en dochters is nooit uitverteld.

Zoals te verwachten is het met name het kind dat Hofman met inzet van al zijn creativiteit en inlevingsvermogen in het kille licht zet. Dun, wit en bang is ze en vreselijk alleen, met niet meer dan een afgerukt poppenbeentje, overblijfsel uit een ooit veiliger wereld. Maar ze is ook een dappere dóórleefster. Belangrijke overlevingsstrategie vormt het schrijven van brieven: aan de boom, de tafel, de spijker in de muur, de kaars en de wortel – 'Hoi, leuke wortel, wil je dat ik bijt?' – en het meest aangrijpend, de trouwhartige briefjes aan mamma – 'Zeg me, wat heb ik dan gedaan?' Dat is een Sneeuwwitje die nog lang niet uit de tijd is en die schrijft namens alle kinderen die nu in de steek gelaten, mishandeld, misbruikt of vermoord worden.

Wonderbaarlijk genoeg is het boek geen loodzware aanklacht geworden. Daarvoor is het te speels, te fantasievol en vooral ook te verhuld geschreven. Achter de woorden broeien woede en onmacht over de dingen die zijn zoals ze zijn, maar er is ook het zichtbare plezier in het mooi en precies vormgeven. Terwijl de auteur de kern en de eenvoud van het sprookje trouw blijft, verrijkt en verdiept hij het met zijn eigen levenswijsheid, gedachtekronkels en taalversiering. Het resulteert in een indrukwekkend boek, waarin een oud en gekend verhaal plaats biedt aan delen van Hofmans persoonlijke geschiedenis en zijn bekommernis om de soms treurige positie van kinderen in deze tijd. Die leidt er bij Sneeuwwitje toe dat ze zich heel goed bewust is van het soort appel waar ze haar tanden in zet. Het moet een bevrijdend hapje worden, zoals Hofman uitlegt: 'Dat ik Sneeuwwitje de vergiftigde appel bewust laat opeten is omdat het zo erg is dat je als kind niet gewenst bent. Al drie keer heeft haar moeder een poging ondernomen haar te vermoorden, terwijl ze toch zo vreselijk graag een kind wilde. Misschien zou het goed zijn als er meer mensen zonder kinderen waren. Hier is kinderen hebben nog vaak een luxe, maar er zijn er veel te veel op de wereld waar men zich geen raad mee weet. Wat dacht je van de Palestijnse kinderen of die in de voorsteden van Parijs? In Saoedi-Arabië is bijna tachtig procent jeugd. Wat moet je daarmee? Er is niets te doen in de woestijn. Ik vraag niet om bevolkingspolitiek, de mensen zouden zelf beter moeten nadenken.

En Klein Duimpje, waarom zou hij in vredesnaam teruggaan naar huis aan het eind van het verhaal? Dat het thuis het beste zou zijn is buitengewoon onwaarschijnlijk als je ouders hebt die je in het bos achterlaten. Een schrijver met enig gevoel voor rechtvaardigheid laat die kinderen niet teruggaan. Het is natuurlijk Freud die de rol van de ouders enorm heeft aangedikt, maar lees je het leven van Darwin, dan zie je dat die zijn broer had. Zo was het bij mij ook en daar hoef je geen trauma aan over te houden. Op de middelbare school had ik weer andere broers. En dan die verhalen over stiefmoeders die niet deugen. Tegenwoordig hebben zoveel kinderen opeens een andere vader of moeder. Die kunnen zelfs wel leuker zijn. Ik bestrijd ook dat het huwelijk zo geweldig zou zijn. Dat werd altijd op de geestelijkheid geprojecteerd: die trouwen niet en doen niet aan seks, dus zijn ze ongelukkig. Er bestaan te veel hardnekkige beelden over hoe wij gelukkig zouden moeten worden.'

Zwart als inkt verscheen in 1997, wat voor Hofman een belangrijk jaar zou worden, omdat hij na vijfentwintig jaar zijn baan bij de Culturele Raad opzegde en een kleiner huis kocht. Sinds hij daar woont, heeft hij geen ruimte meer voor grote schilderijen: 'Ik dacht dat dat moest, grote olieverfschilderijen maken, maar wat je wilt kan vaak ook op iets heel kleins. Het eerste dat ik in dit huis schilderde was een minizeetje. Of het nou groot of klein is, als het goed is kan er evenveel zee op! Kleiner is niet moeilijker, iets goeds maken is altijd moeilijk. Je moet vooral geluk hebben.'

De behoefte meer geconcentreerd te werken uit zich ook in het bezig zijn met poëzie. Hofman maakte de vertaling van een keuze voor kinderen en jongeren uit de gedichten van Jacques Prévert, een verre van eenvoudige klus. Hij weet dat de tweetalig uitgegeven bundeltjes in het voortgezet onderwijs worden gebruikt en glundert over de schoonmaakster van het bejaardenhuis uit de buurt die hem vertelde dat ze 's avonds Franse les volgt en Prévert zo mooi vindt.

Hofmans eigen gedichten die gebundeld werden in *Wat we hadden en wat niet* (2003) en *Na de storm* (2005), ging hij schrijven toen het tijdschrift *Tirade* vroeg eens iets te sturen: 'Met het ouder worden vallen er een heleboel zorgen van je af. Je kinderen zijn volwassen. Je hoeft geen carrière meer te maken, 's ochtends aan je werk te denken, aan vergaderingen of mensen waar je geen zin in hebt. Je trekt je op een kleiner terrein terug en concentreert je op je eigen werk. De kwaliteit van het leven neemt niet af als je je concentreert op wat jezelf bezighoudt. Als je eindelijk eens gaat doen wat je altijd al had willen doen, zonder publiek, zonder aan een tentoonstelling te denken, zonder dat iemand zegt hoe het moet.

Kinderboeken schrijven bijvoorbeeld, doe je niet helemaal voor jezelf. Je zoekt toch een vorm die bij een jeugdig publiek hoort. Die is wel vergelijkbaar met mijn poëzie, want ik ben altijd bezig met klank. Het moet voorgelezen kunnen worden. Maar de inhoud is anders. Schrijf ik voor volwassenen dan kan ik veel meer leunen op wat ik zelf gelezen heb en waarvan ik vermoed dat de lezer dat ook wel gedaan heeft. Bij kinderen heb ik wel eens naar *Kuifje* verwezen en in *Het vlot* heb ik geschreven dat de zee voortklotste. Een volwassene die Kloos kent, leest dat natuurlijk anders dan een kind dat het voor het eerst ziet. Mijn nieuwe poëziebundel gaat helemaal over het raadsel van het geheugen, verwijst naar mijn verleden. In een kinderboek zou ik nooit schrijven over het probleem dat je je herinneringen niet goed in taal kunt vangen. Ik zou ook nooit een citaat van Hitler gebruiken of een begrip als epitaaf. Toch wordt het er, met een volwassen publiek voor ogen, niet gemakkelijker op. Het probleem van de vorm vinden blijft onveranderd. Dat is nou juist de sport.'

Dat vormprobleem speelt vooral ook bij het schrijven voor beginnende lezers, voor wie Hofman prachtige verhaaltjes maakte, zoals *Uk en Bur*, *Zip* of *Aap en Beer*. Zelfs binnen de strenge beperkingen van lettergrepen en zinslengte vindt hij ruimte voor kleine filosofische overpeinzingen – waarom doet een boom in de herfst alles uit, terwijl een mens juist steeds meer aantrekt? – en voor grapjes. Zo vinden Aap en Beer op hun zoektocht naar de schat een vis, die onthult: 'Ik ben geen schat, maar een schar.' En wanneer het ruimtemannetje Zip mee naar school gaat, schrijft juf zijn naam op het bord. Liesje legt het uit: 'Daar staat Zip', waarop Zip verbaasd uitroept: 'Ik zit toch hier!'

Volgens de schrijver was hij wel erg streng aan regels gebonden: 'Het is net als met scrabble, je wilt altijd meer letters dan je hebt! En dat je geen hoofdletters mag gebruiken is belachelijk. Die kent elk kind juist, denk aan de chocoladeletter. Kinderen willen letters leren en willen weten hoe ze hun naam schrijven. Dan kun je toch niet zeggen: eerst moeten jullie woordbeelden leren. Op de computer hebben ze ook letters en kunnen ze geen woordbeeld tikken. In de meeste letters zit een oervorm. De s is een slang, de o is als een zon. Toen ik had geschreven, "de zon is een o" (met een getekend rondje) mocht dat niet, want dat stond niet in de lijst met toegestane woorden. Maar kinderen zien toch een ronde o als ze naar de zon kijken, net zoals ze een c zien bij een maansikkel. Ik heb dat nog eens gevraagd in een klas en daar zeiden ze onmiddellijk: "de maan is een banaan." Mooier kan het toch niet? Kinderen zijn veel verder dan uitgeverij Zwijsen wil toestaan.'

De auteur heeft zich er nooit iets aan gelegen willen laten liggen, maar hij is zich zeker bewust van de hokjesgeest in het land der letteren: 'Ik was wel gewend om weggezet te worden als kinderboekenschrijver, dat wil zeggen minder betaald worden en op een poëziefestival mag je in een achterafzaaltje, want het is toch maar voor kinderen en die kunnen dan leuk op de grond zitten. Groot voordeel is dat je zulke prachtige boeken kunt maken. Dat er plaatjes in kunnen! Zoiets bijzonders als *Zwart als inkt* had ik in een fonds voor volwassenen nooit ergens uitgegeven gekregen. Toen mijn inkomen een aantal jaren geleden terugliep en ik al her en der in tijdschriften gedichten publiceerde, vroeg ik een werkbeurs aan bij het Fonds voor de Letteren. Er kwam een feestelijke brief terug dat ik bekend was als kinderboekenschrijver en dat ik eerst nog maar eens moest bewijzen of ik ook poëzie kon schrijven en of ik maar een lijst met gepubliceerde gedichten wilde inleveren. Dat ik uiteindelijk een klein beginnersbeursje kreeg, heb ik als werkelijk krenkend ervaren.'

Nu hij zijn AOW ontvangt en grootvader is geworden schrijft hij misschien nog wel eens een kinderboek, maar tussen een kleinkind en een kinderboek bestaat niet noodzakelijkerwijs een verband. Tenslotte ontstonden zijn eerste kinderverhalen in een tijd dat het vaderschap niet eens in zijn hoofd opkwam. Hoe dan ook, geschreven moet er worden. In het dankwoord bij de aanvaarding van de Theo Thijssenprijs luidt de conclusie immers: 'De pen houdt de wond open. Bloed kan inkt zijn.' Dat wil Hofman nog wel toelichten: 'Je hebt in het leven bepaalde dingen nodig om je staande te houden, om jezelf te kunnen zijn. Ik heb het geluk gehad iets te ontdekken waardoor ik mijn eigen wereld kon scheppen. Om terug te gaan naar Huck Finn: zo vond ik mijn vrijheid. Niet alleen door vreemde stenen op te rapen langs het strand, maar door mijn fantasie te gebruiken, op mijn eigen manier na te denken en dingen te doen die ik zelf wil. Rare figuren met rare namen verzinnen bijvoorbeeld, of een vreemd land. Zonder dat was ik misschien wel depressief geworden of had ik in elk geval het leven heel wat minder leuk gevonden.'

Els Pelgrom

Wat Er In Het Leven Te Koop Is

Binnen de vaderlandse jeugdliteratuur is het een zeldzaam verschijnsel: het boek dat al op het moment van verschijnen klassiek lijkt te zijn. Els Pelgroms *Kleine Sofie en Lange Wapper* is zo'n boek. Het kwam uit in 1984, toen het realistische, maatschappijkritische probleemboek op zijn laatste benen liep. Het verhaal is weliswaar kritisch over de onrechtvaardige verdeling van de welvaart onder mensen, maar de beschreven werkelijkheid is die van de poppenkast en het sprookje, en niet die van de grootsteedse probleemwijk of de derde wereld. Pelgrom brengt een hommage aan alles wat traditioneel behoort tot het rijk van de kinderkamer: de wereld van 'net alsof', speelgoed dat tot leven komt, pratende dieren, schurken en helden en het onwankelbare geloof dat alles uiteindelijk goed zal komen. Waar er tot op dat moment in het kinderboek nog voornamelijk grootouders en huisdieren stierven, laat Pelgrom aan het slot haar dappere kleine hoofdpersoon doodgaan. Toch is niet de dood haar onderwerp, maar het leven, dat met overgave verkend en gevierd wordt. Dit alles resulteert in een sfeer van tijdloosheid die nog versterkt wordt door de schitterende, enigszins ouderwets aandoende en tot op de millimeter uitgewerkte pentekeningen van Thé Tjong-Khing. Zijn aandeel is minstens zo belangrijk als dat van de schrijfster. Tekst en beeld kunnen niet zonder elkaar en tillen elkaar op naar het niveau van werkelijke kunst op kinderhoogte.

Het boek riep wel discussie op omdat sommige leden van de toenmalige kinderjury's zich te groot voelden voor zo'n 'plaatjesboek'. Ook bleken ze Pelgroms ingenieuze verweving van droom en werkelijkheid niet begrepen te hebben en dus niet op waarde geschat. Op grond van deze aanmerkingen meenden sommige volwassen wakers over de kinderziel het verhaal in de hoek te moeten zetten van wat door grote mensen de hemel in wordt geprezen, maar door kinderen ongelezen blijft. Ondanks deze schermutselingen is het boek inmiddels toe aan de elfde druk. Het werd in twaalf landen vertaald en diende verschillende kunstenaars als inspiratie. En dat de mening van hét kind, dan wel dé kinderen niet bestaat, bewees het afwijkende oordeel van een jongen uit genoemde kinderjury: 'Het zou niet echt gebeurd kunnen zijn, maar het zijn wel de feiten van het leven.' Het is frappant hoezeer deze uitspraak verwant is met Pelgroms eigen poging om tijdens een symposium aan de Tilburgse universiteit de grootste gemene deler vast te stellen van wat binnen de jeugdliteratuur voor klassiek doorgaat: 'Op zichzelf is dat een soort wonder, dat door de eeuwen heen en in alle windhoeken van onze planeet in de mensen gevoelens leven die we delen en dat we gelijke ervaringen hebben die bepalend zijn voor ons leven.'

> Terror was gaan staan, hij strekte zijn poten en maakte een hoge rug. Langzaam en bedaard sprong hij van het bed, liep door de kamer naar het toneel en klom erop. Daar ging hij zitten en legde zorgvuldig zijn staart om zijn poten.
> 'Jullie willen iets moeilijks zien, iets ernstigs,' zei hij. 'Nou dat kan. Toevallig heb ik een toneelstuk geschreven dat heel moeilijk is. Zullen we daar dan naar gaan kijken?'
> 'Hoe heet het?' riep iemand.
> 'Dat doet er niks toe,' zei Terror, 'ik weet het zelf nog niet. Het is een lang stuk, en het gaat over Wat Er In Het Leven Te Koop Is. Willen jullie het zien?' (...)
> 'Halt! Stop!' riep Terror en het doek hield stil. 'We vergeten het belangrijkste. Er moeten ook spelers zijn. Wie wil in mijn stuk spelen?'
> 'Hoe kan dat nou?' zei het duikelaartje met zijn piepstemmetje. 'We weten niet eens waar het over gaat.'
> 'Als je meespeelt, merk je dat vanzelf,' zei Terror. 'Want zo gaat het in het leven.'
> Uit: *Kleine Sofie en Lange Wapper*

Toen Els Pelgrom haar magnum opus afleverde, was ze vijftig en erkend als een belangrijk kinderboekenschrijfster. Dat ze dat zou worden was niet vanaf het begin een uitgemaakte zaak. De ambitie had ze zeker en de schrijfmachine werd jarenlang met regelmaat gebruikt, maar voor een boek dat ertoe deed vond de schrijfster in spe de ruimte

niet. Lange tijd had ze net als Kleine Sofie al haar energie nodig om uit te vinden wat 'de feiten van het leven' zijn, van relaties onderhouden, kinderen grootbrengen en voldoende geld verdienen. Pelgrom zegt heel verschillende levens geleefd te hebben, met het gevoel dat ze steeds weer opnieuw begon: 'Hoe lang je leeft is maar betrekkelijk. Het hangt ervan af hoe nieuwsgierig je bent en hoeveel je meemaakt.'

HET EERSTE LEVEN

De kindertijd speelde zich in en rondom Arnhem af, waar de schrijfster in 1934 als Else Koch werd geboren, tweede in een gezin met vier kinderen. Aanvankelijk woonde ze aan de rand van de stad, vlak bij het Openluchtmuseum. Haar ouders hadden een abonnement en ze was er kind aan huis: 'Natuurlijk was het een museum met van die touwtjes voor de stoelen, maar het was ook een prachtig bos en wij konden overal vrij spelen. Het was een sprookjeswereld met die oude boerderijen en molens. We woonden in een gewoon rijtjeshuis, maar eigenlijk ben ik opgegroeid in een "los hoes", de Gelderse oerboerderij. Daar heb ik volgens mijn moeder leren lopen. Ik denk altijd dat mijn levenslange heimwee uitgaat naar de boerderij waar ik in de oorlog een tijdje heb gewoond, maar misschien verlang ik om te beginnen naar dat los hoes. Aan de voorkant is daar een kleine ruimte met keitjes op de grond, met een tafel en een paar stoelen en een pot aan een ketting boven een vuurtje. Maar de koe en de geiten staan er ook. Zo zou ik nóg graag wonen, in één ruimte waar alles gebeurt, slapen, eten en werken.

Mijn ouders leefden in veel opzichten extreem en ze waren buitenbeentjes: sociaaldemocraat, remonstrant, geheelonthouder, vegetariër en van de Rein Leven-beweging. Dat laatste was een vooroorlogse club van gezond en zuiver levende naturisten. Die waren van het wandelen, fietsen en kamperen, van de natuurgeneeswijze en naakt voor het open raam zitten. En ze waren vooral tegen seks. Seks was niet rein, dat was van de dieren, en als je een kind wilde werd dat gepland. Dat betekende een opoffering, maar als je intellectueel zo goed in elkaar zat, dan had je de verplichting om voor nageslacht te zorgen. Het was eng en hoogverheven gedoe en het kwam bij mijn moeder vandaan.

Ons leven verliep volgens vaste patronen. Elke zondag zaten we met het hele gezin op de fiets en op zaterdagavond gingen we steevast allemaal achter elkaar in de teil in de keuken, dan chocolademelk en een krentenbol en daarna zingen: een christelijk lied én iets vaderlands uit Jan Pierewiet. Dan las moeder uit de kinderbijbel en tot slot mocht mijn vader een boek voorlezen dat hij leuk vond, avonturen van Paul d'Ivoi of Jules Verne.

Mijn moeder was over alles de baas, van opstaan tot naar bed gaan. Het was een vrolijke vrouw en veel mensen vonden haar leuk, maar wij kinderen hebben onder haar geleden. Ze was gefrustreerd en bang voor de wereld en voor het leven. Ze deed de dingen zoals je ze toen hoorde te doen en tegelijkertijd had ze een vreemd soort onverschilligheid. Tijdens onze evacuatie in de oorlogswinter gingen mijn zusje en ik brood halen in het dorp. We moesten een eindeloos, besneeuwd heideveld over en door een bos. Daar liepen gedeserteerde Duitse soldaten rond en mensen die op hongertocht waren. Er werd geschoten en er waren bombardementen en luchtgevechten. Dat maakten wij allemaal mee op die hei, terwijl mijn moeder achter de kachel een boekje van een of andere dominee zat te lezen.

En het aardappelen schillen! Dat deden we met andere vrouwen voor twintig of dertig mensen, en als het klaar was kwam moeder vragen of er nog iets te doen was. Dan schaamde ik me dood. Zij was daar op die boerderij de mevrouw en achter haar rug lachten ze haar uit. Toen al ben ik me bewust geworden dat ik niet bij het "kamp" van mijn ouders hoorde, maar bij dat van de arbeiders en de pachtboeren. En nog altijd vinden de keuzes die ik maak en de voorkeuren die ik voel daar hun oorsprong.'

Fine bukte zich, raapte de kluwen wol op en legde hem op het tafeltje. 'Wat is er van mevrouws dienst?' vroeg ze.

'Wat bedoel je?' vroeg mevrouw Allersma verwonderd.
'Waarvoor hebt u me geroepen?' zei Fine.
'Nu, dat zie je toch. Om die kluwen op te rapen. Je kunt gaan.'
Fine voelde dat ze een kleur als vuur kreeg. Haar hart bonkte en haar handen werden vuisten.
'Hebt u me daarvoor laten komen!' riep ze. 'Om uw wol op te rapen! En ik heb het zo druk met het zilver. Het moet klaar zijn voor het bezoek komt, dan moet alles schoon zijn...' Ze kon haast geen adem krijgen.
'Mientje!'
'Ik... ik... u denkt maar dat wij alles kunnen en... en... u kunt toch zelf wel iets oprapen... U hebt toch ook handen aan uw lijf!'
Uit: *Voor niks gaat de zon op*

Vader Koch werkte bij de Heveafabriek, eerst als boekhouder en later als personeelschef. Na de oorlog was hij rayondirecteur Gelderland voor de socialistische krant *Het Vrije Volk* en ten slotte werd hij in Amsterdam een van de drie directeuren van de Arbeiderspers, waar *Het Vrije Volk* werd uitgegeven: 'Hij was een mooie, stijlvolle man, charmant en gek op vrouwen. Mijn moeder moet stapelverliefd op hem zijn geweest. Ook mensen van het Reine Leven hadden hormonen en ze wilde absoluut trouwen, want alles moest toch gebeuren zoals het hoorde. Mijn vader was meer van het avontuur, maar had ook een groot verantwoordelijkheidsgevoel. Ze hadden vier kinderen toen de oorlog begon en daarom is hij bij haar gebleven, maar direct na de bevrijding nam hij de benen en zijn ze gescheiden. Hij is drie keer getrouwd geweest.

In Arnhem zat hij in de gemeenteraad voor de PvdA. Onder pseudoniem schreef hij daarover cursiefjes in *Het Vrije Volk*. Hij was heel geestig, vaak op een sarcastische manier. Zijn zoon, mijn halfbroer Herman Koch, lijkt erg op hem. Mijn vader schreef ook een paar kinderboeken die ik niet echt goed vind. Ik denk niet dat hij ervan droomde een groot schrijver te worden, wél zat hij eeuwig met zijn neus in de boeken om in te halen dat hij nauwelijks middelbare school had gehad. Tot zijn dood toe ging hij als toehoorder naar de universiteit, waar hij Nederlands, Frans en geschiedenis studeerde. Ik was dol op hem. Het was vreselijk toen hij bij ons wegging. Zoiets als de zon die schijnt en dan wordt het donker en het blijft donker. Ik voelde me in de steek gelaten. Ik dacht dat vader me mee zou nemen, want ik hoorde bij hem en ik zou toch voor hem kunnen zorgen. Maar nee, kinderen bleken bij de moeder te horen.'

Lezen was in het gezin de gewoonste zaak van de wereld. Vader en moeder kochten boeken en de kinderen waren lid van de openbare bibliotheek, waar ze een leeftijd 'hoger' mochten lenen, omdat ze wat voor hen bedoeld was al uit hadden. Ze gingen naar een progressieve particuliere school: 'Daar moest je voor betalen en dat was echt een offer, waar ik zielsdankbaar voor ben. Het was er geweldig, met klassen van twintig kinderen, zeven jaar om over de school te doen en veel tijd voor leuke dingen. Aardrijkskunde was wandelen door de stad en de straat opmeten met een lat. Ik kwam op die school halverwege de tweede klas en al de eerste dag las juffrouw Boomsma voor uit *Niels Holgerssons wonderbare reis*. Zoiets moois had ik nog nooit gehoord. Ik ben het boek thuis helemaal gaan lezen, heb het aan mijn kleine broer voorgelezen en veel later bewerkt voor dyslectische kinderen. Voor mij is het hét perfecte kinderboek, omdat het zoveel te bieden heeft. Het is fantasy, want het jongetje krijgt het formaat van een kabouter. Hij kijkt vanuit de lucht op de aarde en dat is ongelooflijk goed opgeschreven in een tijd dat mensen nog niet vlogen. Je leert van alles over Zweden en over het leven van de ganzen, die eieren leggen en voor hun jongen zorgen, maar ze praten wel en dat vind ik een fantastische combinatie. De moraal ligt er nogal dik op, want Niels moet erg tot inkeer komen en nooit meer gemeen zijn tegen dieren, maar ik ben absoluut niet tegen moraal!'

In verschillende van Pelgroms boeken is een belangrijke rol weggelegd voor dagdromers die de soms gecompliceerde werkelijkheid met hun verbeeldingskracht te lijf gaan. Zo verkeert Rogier uit *Lady Africa en nog een paar* (1981) in bange afwachting van een ziekenhuisopname. De wachttijd vult hij met avonturen, waarin zijn oude speelgoedjes, zoals de eend Lady Africa, het voortouw nemen. Angst en onzekerheid krijgen mooi vorm in nachtmerrieachtige figuren en gebeurtenissen, waarvan de lijntjes naar de realiteit steeds zichtbaar blijven. De lezer weet hoe onecht de griezels en de helden zijn, van wie elke beweging nauwkeurig op de kaart van de Amsterdamse binnenstad gesitueerd wordt. Aan de echtheid van de beleving doet dat echter niets af.

De schrijfster blijkt dit soort dagdromers naar haar eigen beeld en gelijkenis te hebben geschapen: 'Als kind had ik wel twintig fantasievrienden, die me achtervolgden en heel levensecht waren. Soms zaten ze in mijn kamer en had ik zo'n last van ze dat ik ze naar zolder stuurde en de deur achter ze dichtsmeet. Ik was ook altijd gefascineerd door huizen, waarin ik van alles wilde fantaseren, maar dan moest ik ze eerst inrichten, het was een soort obsessie. Als ik binnenkwam moest ik precies weten wat er links en rechts van de deur was en hoe de trap liep en wat voor meubels er stonden. Daarom zijn mijn eigen boeken daar zo precies in. Ik zie het allemaal voor me, ik ruik de luchtjes en weet waar het lichtknopje zit. Eerst moet dat helder zijn en dan pas kan het verhaal zich ontwikkelen. Het is ook niet zo dat ik iets verzin. Ik ga niet achter een tafel zitten denken, maar het gebeurt echt. Het is zoals die dagdromen, maar voor een boek moet het vorm krijgen. Dan moet je een vak gaan uitoefenen. Schrijven is dus vormgeven aan wat ik mijn leven lang al heb gedaan. Ik denk soms dat het een soort gekte is, waar je mooi je brood mee kunt verdienen. Volgens mij moet elke auteur daar iets van hebben, anders kun je niet schrijven, dan wordt het maakwerk.'

> Meer heb ik niet. Ik laat het aan niemand lezen, ook niet aan Gabriël. En ik vertel ook aan niemand dat ik nu zeker weet dat ik later schrijver zal worden. Ik wil verhalen schrijven over alles wat er gebeurt en ook over wat er niet gebeurt, of eigenlijk bedoel ik over wat er in mijn hoofd gebeurt.
> Uit: *De straat waar niets gebeurt*

Else Koch was zes toen de Tweede Wereldoorlog uitbrak. Het zou in veel opzichten een bepalende periode in haar leven worden, waaraan ze talrijke en scherpe herinneringen bewaart: 'Mijn moeder maakte me 's nachts om vier uur wakker om te vertellen dat de oorlog was begonnen. Ik was boos omdat ik zo lekker lag te slapen. De volgende morgen liep iedereen op straat, het was mooi weer, we hoefden niet naar school en er kronkelde een vliegtuig boven ons rond. Ik moest met mijn tante papier gaan kopen om op de ramen te plakken zodat het glas niet zou springen, en toen zagen we de eerste moffen. Op een motorfiets met zijspan kwamen ze onze straat in rijden, zwaarbewapend. In mijn ogen waren het monsters, want zulke soldaten hadden wij nog nooit gezien. Mijn oom zat in het leger en die leek meer op een boswachter, verkleed in een groen pakje, met van die lappen om zijn benen. Maar deze hadden helmen en grote geweren en zo'n ronkende motorfiets. Ik moest er erg aan denken bij de inval in Irak, waar de Amerikanen met al hun apparatuur er ook uitzagen als een soort *aliens* tussen die mannen in lange jurken.

In september 1944, bij de Slag om Arnhem gaven de Duitsers opdracht om de hele stad te evacueren. Je moest maar bedenken waar je heen ging. Het idee was dat we een weekje weg zouden blijven, maar we mochten niet meer terug. Voor ons werd het een eenzame boerderij buiten Arnhem, waar we al twee zomers een heerlijke vakantie hadden doorgebracht. We gingen met zijn zessen op vier fietsen, met ieder een deken en we moesten de poes achterlaten. De mensen daar zaten al op ons te wachten. Ze begrepen meteen dat wij daarheen zouden komen.'

Het zou nog tot 1977 duren vóór deze indrukken en gebeurtenissen een plaats kregen in *De kinderen van het Achtste Woud*, dat beschouwd wordt als Els Pelgroms debuut en direct bekroond werd met een Gouden Griffel. Haar verhaal onderscheidde zich op dat moment opvallend van andere oorlogsboeken voor kinderen, waarin toen nog drama en heroïek de boventoon voerden. De oorlog dringt wel degelijk door op de afgelegen hoeve – dagelijks kloppen er mensen aan voor voedsel, een V1 slaat in, er worden Duitsers ingekwartierd en in het bos houden zich joodse onderduikers schuil – maar het leven wordt in de eerste plaats bepaald door de ijzeren regelmaat van melken, oogsten, een koe die moet kalven en een keuken vol mensen met een lege maag. Met haar ogen en oren wijd open vindt de hoofdpersoon haar weg in het uitpuilende huis en ze koestert zich in de geborgenheid van het boerenbestaan. Hoe schokkend de gebeurtenissen ook zijn, voor kinderen gaat het leven op alledaags niveau voort. De zeggingskracht en authenticiteit van het verhaal werden door critici herkend en leidden na de Duitse vertaling tot de mooie vaststelling in de *Frankfurter Allgemeine*: 'Els Pelgrom hat nichts erklärt, sondern sich erinnert'.

> Maar later, veel later, toen Noortje allang in Amsterdam woonde en weer naar school ging, vond ze het wel eens moeilijk om op te letten in de les. (...) Dan droomde Noortje van Klaphek. Ze hoefde niet eens haar ogen dicht te doen om de dikke bomen van de Beukenlaan voor zich te zien. Ze hoorde vanzelf de wind in hun hoge takken ruisen. Ze hoorde ook het geluid dat de klink maakte, als ze de keukendeur opendeed. Ze rook een heerlijke geur. Ze rook brandend hout en pap van roggemeel.

Dan glimlachtte ze in zichzelf en zag alles wat er in die keuken geweest was weer voor zich.
Uit: *De kinderen van het Achtste Woud*

HET TWEEDE LEVEN

Na de oorlog was het moeilijk om de draad weer op te pakken. De geliefde vader verliet het gezin en de geborgenheid van de boerderij was verleden tijd: 'Naar school gaan vond ik verschrikkelijk, almaar stil zitten in zo'n bank en luisteren. Ik wilde er zo gauw mogelijk vanaf zijn en ruilde dus het gymnasium in voor de middelbare meisjesschool. Van thuis moest ik een diploma halen en daarna mocht ik doen wat ik wilde. Met een fiets en wat oude kleren ben ik op mijn achttiende naar Amsterdam vertrokken, waar ik de beeldhouwer Karl Pelgrom leerde kennen, die jarenlang mijn grote liefde was. Hij woonde in een pakhuis, was zeven jaar ouder, rookte en dronk en had al twee kinderen bij twee vrouwen. Een beter wapen om mijn moeder mee voor het hoofd te stoten bestond er niet. Ik kwam in een wereld van kunstenaars terecht die heel anders was dan het benauwde van mijn eigen milieu, en ik voelde me er thuis. Karl kwam uit een trotskistisch gezin en ik onderging een soort hersenspoeling. Door je eerste liefde word je geherstructureerd en later moet je dan weer bedenken wat je daarvan wilt behouden, net als bij je opvoeding.

Ik wilde illustratrice worden, tekende graag en goed en ging in de avonduren naar de kunstnijverheidsschool, waar ik les had van Piet Klaassen en Jan Elburg. Ik hield het niet vol omdat ik de kost moest verdienen en doodmoe in de klas zat. Na allerlei baantjes deed ik een spoedcursus voor onderwijzer. Die duurde anderhalf jaar en je kreeg een beurs van honderdvijftig gulden per maand, waar we toen met zijn tweeën van konden leven.'

Begin jaren zestig vertrok het gezin, dat inmiddels twee kinderen telde, naar Groningen. Het was de tijd waarin *Het geheimzinnige bos* (1962) verscheen, Pelgroms allereerste kinderboek. Zelfs de omtrekken van het latere werk zijn daarin onvindbaar en het boekje verdween in de papiermand van de literatuurgeschiedenis. Zelf noemt de schrijfster het een 'begindingetje' en de publicatie ging een beetje langs haar heen omdat het leven zo ingewikkeld was: 'Ons derde kind werd geboren en het was een heel strenge winter. We hadden geen inkomen en zaten gratis in een krot van een boerderij, waar de sneeuw binnen op de vensterbanken lag. Mijn grootste zorg was die baby warm te houden. Zelfs het butagas bevroor en de tandenborstels moest je eerst op de kachel warm maken voor je ermee kon poetsen.'

Later kwam er in het communistische dorp Finsterwolde een grotere boerderij beschikbaar, waar Karl Pelgrom met onder anderen Harry Huisman, Gjalt Blauw en Ger de Wilde een kunstenaarscommune stichtte met de naam Instituut voor Cultureel Werk. Hij had connecties met de Situationisten en alles wat gemaakt werd gebeurde

anoniem. Er waren niet alleen tentoonstellingen en aangeklede feesten, maar er werden ook speelplaatsen ontworpen en een enorme tuin voor het Biologisch Instituut in Haren. Voor Pelgrom was de periode buitengewoon vormend, ook al was het niet eenvoudig om geëmancipeerd te zijn: 'Ik woonde zo ongeveer in de keuken. Karl had een ongelooflijk charisma en trok veel mensen aan. Die kwamen allemaal thuis over de vloer, ook uit het buitenland, met ons adres in hun zak en de aansporing maar eens langs te gaan. Ik zag eigenlijk alleen maar kunstenaars en dat wordt vervelend, omdat ze over weinig anders kunnen praten dan hun kunst. Inmiddels had ik wel Nancy Friedman en Simone de Beauvoir gelezen en mezelf herkend, maar weglopen zou mijn naasten en liefsten veel pijn gedaan hebben en mezelf ook. En ik vond dat Karl belangrijk was voor de wereld. Hij geloofde er heilig in dat hij via de kunst iets kon veranderen, dat hij met beelden en schilderijen de strijd met het kapitalisme aan kon gaan. Dus ik was dienstbaar en vrat mijn frustraties op. Mijn tekenambities had ik allang weggestopt en in al die jaren hield ik nooit meer een potlood vast, want Karl was getalenteerder en belangrijker.'

Bijna dertig jaar later zou Pelgrom iets van haar Groningse tijd laten herleven in *Ongeboren Roulf* (1992). Daarin roept ze een mooi en tastbaar beeld op van zo'n grote herenboerderij met lange donkere gangen en geheimzinnige uithoeken, waar een kind allerlei griezeligs kan verwachten. Buiten giert de ijzige wind, deuren klapperen en binnen wonen zwijgzame, zuinige boeren. Ongeboren Roulf is afkomstig uit een gedicht in dialect – 'De moan schient deur de roeten/ Het duuster loert hier as 'n wolf/ De stille nacht is boeten/ En hoog in 't goulff/ Zit Ongeboren Roulf!' – en hij fungeert als boeman die kinderen komt halen als ze zich misdragen. De schrijfster schetst zijn mogelijke levensgeschiedenis in een spannend en intrigerend spookverhaal, dat is ingebed in volkse tradities en dat zich afspeelt in een afgesloten en door eigen wetten geregeerde omgeving. Pelgroms behoefte fantasie en werkelijkheid te verweven resulteert hier in wat je magisch realisme zou kunnen noemen. Het nogal onevenwichtig opgebouwde verhaal is even hoekig en ondoorgrondelijk als sommige Groningse boeren en is binnen het totale oeuvre een beetje een vreemde eend in de bijt.

Als kind schreef Pelgrom altijd al en kreeg ze tienen voor haar opstellen. In de Groningse periode stond ze voor de klas en maakte ze een kinderrubriek voor de *Winschoter Courant*. En al die jaren beklaagde ze zich erover dat ze geen eigen schrijfplek had, niet eens een tafeltje: 'Karl heeft toen een sinaasappelkistje rechtop tegen de muur naast het fornuis gehangen. Daar kon ik mijn spullen in stoppen en aan de keukentafel schrijven. Maar die keuken was piepklein en aan die tafel zat iedereen de hele dag, dus een dik boek zag ik daar niet ontstaan. Ik ben stukjes gaan maken voor de leerlingen op de lomschool, waar ik werkte als remedial teacher en zo ervaring opdeed met moeilijke lezers. Bij de opening van een tentoonstelling ontmoette ik de directeur van Wolters-Noordhoff, die mij in contact bracht met de redacteur van de Wenteltrapreeks, een serie boeken speciaal voor de dyslectische kinderen. Het eerste boek dat ik bewerkte was *Niels Holgersson*, onder leiding van Heleen Kernkamp-Biegel, die zelf twee dyslectische kinderen had en precies wist waar ze het over had. Voor mijn schrijverschap heb ik er veel aan gehad, het heeft me aan het werk gezet en op gang gehouden.'

En al die tijd lag haar eigen verhaal over de oorlog te wachten: 'Voor mezelf was het zo'n bijzondere tijd geweest, maar ik kon het aan niemand kwijt. Ook niet aan mijn man. Die vond het totaal oninteressant vergeleken bij wat hij in Amsterdam had meegemaakt. Mijn schoonfamilie woonde met tien kinderen op een bovenhuis en daar zaten nog eens veertien onderduikers bij. Wat ik wilde laten zien was het grijze oorlogsleven van alledag, geen helden en geen verraders, maar gewone mensen. En toen ik eindelijk ben gaan schrijven en drie hoofdstukken had, ging Karl bij me weg. Altijd had ik zijn leven voor hem geregeld en hij accepteerde niet dat ik ook iets helemaal van mezelf zou hebben. Bij een vriendin heb ik toen in drie weken de eerste versie afgemaakt, met het gevoel dat het nu of nooit was. Ik wilde weten of ik zélf iets kon maken, iets beters dan dat beginboekje. Ik herinner me dat ik de *Tuinen van Dorr* van Paul Biegel las en dacht dat ik misschien ook wel op zo'n manier een kinderboek zou kunnen schrijven.

Voor het verhaal kon ik mijn moeder niet gebruiken, want tante Janna was de belangrijkste figuur. Die moest perspectief hebben en die wilde ik niet afzetten tegen die tirannieke gekke vrouw die mijn moeder was. De geboorte van het joodse kind in het bos heb ik niet zo meegemaakt, maar ik vond dat Noortje iets te doen moest hebben, iets wat fijn was en van haar alleen. En ik wou de jodenvervolging een plaats geven, want je kon toch geen boek over de Tweede Wereldoorlog schrijven zonder het daarover te hebben.'

Tante Janna had een rimpel boven haar neus gekregen. Noortje zat op een stoel naast Zusjes bed en keek naar de grote mensen. Ze zag hoe tante Janna de rode koekjestrommel van de schoorsteenmantel pakte en op tafel zette.
'Ruilen doen wij niet,' zei ze. 'U kunt vier weken lang twee keer een liter melk komen halen. Ik vraag elf cent per liter. Voor de oorlog was de melk negen cent, maar alles is nu wat duurder.'
De meneer keek tante Janna verbaasd aan. 'Dat maak je niet vaak mee,' zei hij. 'De meeste boeren willen wat graag in ruil voor eten iets waardevols hebben. Elf cent voor een liter melk, nou...'
'Ik weet wel dat er boeren zijn die dat doen. Maar wij niet. 't Is erg genoeg als mensen honger hebben, daar willen we niet rijk van worden.'
Uit: *De kinderen van het Achtste Woud*

Mét de Gouden Griffel kwam de aandacht voor Pelgroms eindelijk geschreven boek. Er werden excursies georganiseerd naar de oorlogsboerderij, wat bussen vol schoolkinderen opleverde, en de schrijfster kreeg een brief van de Arnhemse stadsarchivaris. Hij deed onderzoek naar de evacuatie en zijn dochtertje vertelde dat zij een boek had over het onderwerp waar hij al jaren mee bezig was. Na enige aarzeling had hij het gelezen en vastgesteld dat alles klopte. Voor de schrijfster was dat een opluchting, omdat ze op haar geheugen had blindgevaren en zich nooit gedocumenteerd had.

De kinderen van het Achtste Woud is niet helemaal vrij van een ouderwets kinderboekentoontje, maar het boek vormt de solide basis die alle aanzetten tot het verdere werk in zich draagt. Noortje is het soort hoofdpersoon dat vaker op zal duiken in Pelgroms boeken: een meisje van een jaar of elf, dat ondernemend, eigenzinnig en tamelijk onverstoorbaar door het leven stapt. Binnen de kortste keren maakt ze zich los van de bladzijden om de lezer mee het verhaal in te nemen. En na tante Janna zullen in Pelgroms werk nog regelmatig stevige en vanzelfsprekend zorgende moeders optreden, moeders bij wie het prettig en veilig is en die met overgave in overdadig dampende pannen roeren: Moei, die het Tehuis voor Mislukte Kinderen beheert, met een inzicht dat even groot is als haar hart (*Kleine Sofie en Lange Wapper*), de redderende meesterkokkin Zeugster (*Het onbegonnen feest*) en Curro's moeder, die op het zwartste moment van haar armoede besluit tot een feestmaaltijd op de pof (*De eikelvreters*).

Wat zich ook onmiskenbaar aftekent is Pelgroms rustige, precieze stijl, met een aandacht voor het zintuiglijke die bij jeugdboekenauteurs zelden voorkomt. Je voelt de warmte van de stal, de natte sokken in een lekkende klomp en de zachtheid van een pasgeboren kalf. Je krijgt de smaak van een ijspegel in je mond en je ruikt de drogende luiers bij de kachel, de poepdoos en de naderende lente. Ook in het verdere werk zal vooral de neus op scherp blijven staan. Geuren en luchtjes zijn steeds weer van belang om snel een sfeer, een situatie of een persoon neer te zetten. Zo wordt over een keurige dame gemeld dat er 'een wolkje kappersgeur' om haar heen hangt, en een Amsterdams jongetje kan het Waterlooplein midden in de nacht niet zien, maar wel ruiken: 'Het rook er naar natte steen en nat zand, naar roest en naar hondepoep. Uit de verte kwam de geur van het water van de rivier en van olie naar hem toe. Rogier snoof de bekende luchtjes op. Zo is het dus 's nachts op het plein, dacht hij.'

Het toppunt van reukzin is *Bombaaj!*, Pelgroms Kinderboekenweekgeschenk uit 1995. Met zijn oplettende neus weet een klein Spaans hondje een aantal hem dierbare mensen bij elkaar te brengen. Bombaaj doet in de ik-vorm verslag van de gebeurtenissen en hij blijkt een poëtisch en filosofisch ingestelde waarnemer. Hij kan ruiken dat de baas lacht of zenuwachtig is, en wanneer hij een onbekend meisje tegenkomt stelt hij tot zijn verbijstering vast dat ze ruikt naar het kussen in de stoel van de baas (later zullen ze familie blijken te zijn). Een dweilende vrouw is verantwoordelijk voor de 'Verschrikkelijke Bleekwaterlucht', sommige oude mannen ruiken 'of ze een vacht hebben' en Bombaaj raakt ernstig van slag door een 'dikke wolk paard'. Het boekje is nooit in het licht gezet dat het verdient, waarschijnlijk omdat het ter gelegenheid van de Kinderboekenweek verscheen, wat betekent dat het door de kritiek weinig serieus wordt genomen, terwijl zo'n uitgaafje er ook zelden uitziet als 'geschenk', maar eerder als een onaantrekkelijk stapeltje krantenpapier. Binnen Pelgroms oeuvre biedt het echter een uitzonderlijke combinatie van toegankelijkheid en meesterschrijverschap, terwijl de auteur de lezer ook nog eens haar inzicht in en liefde voor het verschijnsel hond cadeau doet.

Na de scheiding van haar man en het verschijnen van haar 'tweede debuut' brak voor Pelgrom een nieuwe periode aan, in Amsterdam met drie kinderen, kleine baantjes en een dito werkbeurs en in de groeiende overtuiging dat ze schrijfster was geworden, kinderboekenschrijfster: 'Ik heb geen idee waarom ik voor kinderen ben gaan schrijven. Misschien kan ik wel niet anders, misschien omdat ik vanbinnen niet volwassen ben. Mijn blijvende leeftijd is ongeveer elf, dan ben je nog net geen puber en zit je fijn vol plannen en dromen. Ik denk dat iedereen een leeftijd heeft waar hij eigenlijk aan beantwoordt en waar hij zich het lekkerste in voelt. Het zou kunnen dat kinderboekenschrijvers allemaal een kinderleeftijd hebben, de goede schrijvers dan, want de andere gaan op hun hurken zitten. Die doen wat ze denken dat kinderen leuk vinden.

Ik heb dan wel allerlei prijzen ontvangen, maar die worden gegeven door volwassen critici. Die kijken naar de literaire vorm en dat zal kinderen worst zijn. Ik weet best dat ik mooi schrijf en dat wordt alleen maar beter, maar daarmee worden het geen betere kinderboeken. Misschien zelfs juist niet. En een slecht kinderboek afleveren, dat gaat dan weer tegen mijn natuur in! Dat is een spanningsveld waar ik altijd in verkeer. Voor mij is Astrid Lindgren de beste kinderboekenschrijver. Aan haar kan niemand tippen. Haar boeken zijn luchtig, maar hebben wel inhoud en ze zullen altijd door alle kinderen worden gelezen, wat te maken heeft met de kinderwereld die ze weet op te roepen.

Wie een kinderboek maakt, is waarschijnlijk een bescheiden mens. Je waagt je niet meteen aan iets belangrijks. Ik zie het wel als een vak apart, net als poëzie of journalistiek, en als een kinderboek kwaliteit heeft kan het zeker groot en belangrijk zijn. Tóch vind ik het een bescheidener tak van het vak, zelfs al is het mooi gemaakt en noem je het voor mijn part literatuur. Als genre zie ik het als volksdans naast ballet. Bij allebei heb je kwaliteit en rommel, en ik houd meer van volksdans. Ik ben me er altijd bewust van geweest dat ik een kinderboekenschrijfster ben en daarmee een gemankeerde schrijfster voor volwassenen. Waarschijnlijk is van invloed geweest dat ik in het onderwijs zat. Ik ontdekte als kwekeling dat ik willekeurig welke groep plat kreeg met een verhaal. Ik kan geen ingewikkelde intellectuele boeken schrijven, maar vertellen kan ik goed. Ik zou wel eens voor volwassenen willen schrijven, ook omdat ik denk dat ik te moeilijk en te zwaar op de hand ben voor kinderen, maar ik kan geen verhaal bedenken dat ik aan volwassenen kwijt wil. Ik heb altijd gedacht: later ga ik échte romans schrijven. Theodor Fontane is ook pas begonnen toen hij bijna zeventig was en heeft toen nog vijf prachtige boeken geschreven, maar ik ben inmiddels vierenzeventig en moet dus voortmaken.

Andersen ploeterde zijn hele leven op dikke pillen waar niemand doorheen kon komen en schreef voor de lol zo nu en dan een sprookje. Daar was hij niet tevreden mee, want dat was niet het échte werk. Waarom iets werkelijk goed is, kun je blijkbaar zelf niet beoordelen. Het heeft alles te maken met 'duende'. Als er op een feest twintig paren aan het dansen zijn, dan is er één bij dat iets heeft, waar al die anderen saai en onhandig bij blijken. Zo is het ook met koken of muziekmaken: iedereen doet het ongeveer even goed, maar één iemand die heeft het, die heeft 'duende'. Letterlijk vertaald is dat een huiskabouter en hij staat voor iets dat met magie te maken heeft.'

Als Hannibal nou eens werkelijk komt, dan moet ik toch eindelijk wat poëzie hebben geschreven, lag Pad te mijmeren op zijn bed. Omdat ik papier in huis heb, denken ze allemaal dat ik wel

eens iets moois opschrijf. Maar een vers schrijven, nee, daar is het nooit van gekomen. Hij deed zijn ogen dicht en er kwamen allerlei gedachten, en ook heel mooie, in zijn kop. Maar versregels zaten er niet tussen.
Uit: *Het onbegonnen feest*

Haar belangrijke boeken schreef Pelgrom in een periode van ruim tien jaar en haar magnum opus *Kleine Sofie en Lange Wapper* verscheen zeven jaar na haar debuut. Het kreeg zowel een Gouden Griffel als een Gouden Penseel en ook de Deutsche Jugendliteraturpreis. Op een nacht komen de poppen en beesten van de ernstig zieke Sofie tot leven. Terror de kater heeft een stuk geschreven – Wat Er In Het Leven Te Koop Is – en dat zal worden opgevoerd in Sofies poppentheatertje. Belangrijkste acteurs naast Sofie en Terror zijn de volkse lappenpop Lange Wapper, wulpse Annabella en Beertje, een conservatieve 'herenbeer' die het liefste thuiszit met een goed glas en een sigaar. Het schouwtoneel van het leven blijkt voornamelijk gevuld met armoede en onrecht, slappelingen, dommeriken en hypocrieten. Maar het verhaal erover is avontuurlijk, wijs en ontroerend en het laat zich in verschillende lagen lezen.

Het boek ontstond toen Thé Tjong-Khing aan Pelgrom vroeg iets te schrijven waar hij lekker veel bij kon tekenen: 'Het verhaal heeft zo'n enorme vaart gekregen omdat ik terwille van hem bijna elke alinea van scène veranderde. Ik stuurde hem steeds een hoofdstuk, zodat hij verder kon. Het was een echt schrijfavontuur, waar we allebei veel bij gelachen hebben. Kleine Sofie is heel erg mijn eigen verhaal en heeft absoluut te maken met politiek engagement. Lange Wapper is Jan Klaassen of Scaramouche in de commedia dell'arte. Hij heeft honger en dus propt hij zijn zakken vol in de provisiekast van een rijke boer, maar diens gouden horloge laat hij liggen, want dat kan hij niet opeten. En een vrouw die geen slavin wil zijn wordt als Annabella gemakkelijk een hoer. Ieder jong meisje dat aan de grond zit ontdekt dit en zal dan kiezen: ja of nee. Daarom was het vroeger ook zo belangrijk om een goed huwelijk te doen en niet met een arme sloeber te trouwen. Eigenlijk is dat hetzelfde.'

Bij het succes van het boek plaatste Pelgrom indertijd de nodige kanttekeningen, omdat ze het verhaal er 'in een hilarische stemming' had uitgeperst, en bovendien namen mensen het allemaal veel te serieus en zouden ze niet zo snel moeten gaan 'snotteren' om zo'n poppenverhaal. Nu zegt ze: 'Ik ben bang voor kitsch. Mensen huilen tranen met tuiten bij Frans Bauer en André Hazes. Dan wordt er een snaar geraakt die ik niet heb. Als er bij mijn verhaal ook zoveel mensen ontroerd raken, heb ik daar mijn twijfels over. Ik kan me niet voorstellen dat iemand oprecht ontroerd is door iets wat ik geschreven heb. Dat maakt me verlegen en brengt me in de war.'

De dikke keel van de lezer heeft waarschijnlijk minder te maken met de treurigheid van de dood dan met die van het leven en wat daarin volgens Pelgrom te koop is. Dat is het verschil tussen arm en rijk, de volle maag die zwaarder weegt dan de liefde, de man die zich laat verleiden door een berekenend vrouwmens en de volwassene die bij de echte vragen van een kind niet thuis geeft. Door de sprookjesachtige en komische bovenlaag schemert een weinig vrolijk stemmend beeld van het menselijk bestaan, dat natuurlijk niet ver bezijden de werkelijkheid ligt. De feiten van het leven gaat Pelgrom nooit uit de weg, ook al schrijft ze voor kinderen, en hier heeft ze er een gave en mooi afgeronde vorm voor gevonden, waarin elk woord precies op zijn plaats staat en in de formulering iets mee-echoot van lang geleden vertelde verhalen. Ze maakte een kinderboek in zijn oervorm, dat we allemaal al een beetje kennen, maar dan door de schrijfster ingevuld en opgepoetst tot een nieuw verhaal van alle tijden.

HET VIERDE LEVEN

Toen bekend werd dat Kleine Sofie zowel de Gouden Griffel als het Gouden Penseel had gewonnen, was Pelgrom onvindbaar. Ze was op weg naar Spanje: 'Daar zwierf ik rond op weg naar mijn dochter in Portugal. Nu is het in Spanje niet meer zo, maar toen was het wat de manier van leven betreft net of je terugkwam in de Nederlandse jaren vijftig. Maar daar scheen dan wel de zon en het eten smaakte lekkerder. Ik stapte uit een stinkend volle bus, op een plek waar de cactussen bloeiden, keek over het dal naar Granada en ik dacht: waarom ben ik hier niet geboren? Hier hoor ik. Andalusië was een openbaring. Het is er heel Moors, een Arabisch land eigenlijk. Ik houd van de respectvolle manier waarop de mensen met elkaar omgaan, met afstand, maar ook met warmte. Ik heb daar veel afgeleerd van wat ik typisch Nederlands vind: het indiscreet zijn, het ongeduld, het alles beter weten. Het intense leven dat ik op de Veluwe als kind heb gehad, dat vond ik daar na veertig jaar terug, omdat ik opnieuw alles om me heen rook, hoorde, proefde en zag.'

De schrijfster ontmoette er haar tweede man, met wie ze op het land werkte, een huis bouwde en een tevreden, eenvoudig bestaan leidde. Over zijn jeugd schreef ze *De eikelvreters* (1989): 'Ik heb Salvador het hemd van het lijf gevraagd. Hij was helemaal geen prater, maar ontdekte gaandeweg dat hij er graag over vertelde. Misschien was het voor hem wel een opluchting om dat eindelijk eens te kunnen doen. In zijn omgeving was niemand zo geïnteresseerd als ik, want daar had iedereen het tenslotte zelf meegemaakt. Hij was apetrots op het boek en zat in een nieuw pak bij de uitreiking van de Gouden Griffel.'

In *De eikelvreters* (een scheldwoord voor arme sloebers) kijkt een man terug op de onvoorstelbare armoede van zijn kindertijd, kort na de Spaanse Burgeroorlog. Op zijn eigen benen en met zijn eigen handen leert de kleine Curro het grotemensenleven kennen. Dat leven is zwaar en de sociale ongelijkheid groot, maar ondanks de bijna ondraaglijke omstandigheden blijft de jongen overeind, omdat hij zich geborgen weet in de vanzelfsprekende zorg en aandacht van zijn familie. De simpele, onopgesmukte verteltrant past het verhaal als een handschoen en via het vertelperspectief van de ik-vorm laat Pelgrom

de lezer in het verhaal kruipen, zodat hij de kou, de honger, de stukgelopen voeten en het onrecht aan den lijve ondervindt. *De eikelvreters* is een monument voor een taaie kleine jongen, die zijn naam Curro – iemand die knap is, de mensen aan het lachen maakt en ook nog een goed hart heeft – met ere draagt.

Met *De kinderen van het Achtste Woud* en *Kleine Sofie en Lange Wapper* vormt *De eikelvreters* binnen het totale oeuvre een drieluik. Op de zijpanelen is het 'echte' leven vastgelegd in de eigen jeugdherinneringen van de schrijfster en die van haar Spaanse geliefde. Centraal bevindt zich het minitheater, waar de poppen ons de oude levenswaarheden van het sprookje voorspelen. In alle drie de verhalen is een ernstige, sociaal bewogen auteur aan het woord, met een scherp oog voor onrecht en machtsmisbruik, maar ook voor kleine lichtpuntjes, grappige situaties, saamhorigheid en menselijke onbaatzuchtigheid. Een auteur die trouw is aan de keuze van een tienjarig meisje – niet haar moeder, maar tante Janna – en die haar jeugdige hoofdpersonen met zoveel respect en genegenheid portretteert dat je als lezer haast niet anders kunt dan van ze houden.

> Ik nam me wel eens voor om mijn vader uit te schelden en hem te vertellen wat ik van hem dacht, omdat hij me van school had genomen. Als ik mijn hele leven geitenhoeder bleef, was dat zijn schuld, dacht ik. (...) Maar ik schold mijn vader niet uit. Ik hield te veel van hem. Eens, op een morgen, had ik hem tegen mijn moeder horen zeggen: 'Geef straks een beetje geld aan Santiago zodat hij een paar sigaretten kan kopen. Ik heb liever niet dat hij rookt maar het is nog erger als hij peuken raapt. Er zijn er hier te veel die met tering rondlopen.' Zo zorgde mijn vader voor mij op zijn manier en daarom kon ik hem nooit zeggen hoe ik erover dacht.
> Uit: *De eikelvreters*

Het boek waar Pelgrom zelf het meeste aan hecht is *Het onbegonnen feest* (1987), geschreven in haar Spaanse tijd, maar als beeld in gang gezet door een idyllisch verblijf in Umbrië. Het is een soort vervolg op *De olifantsberg* (1985) en allebei zijn het beschouwende, nogal trage verhalen over een wonderlijk dierengezelschap dat op een Italiaanse berghelling huist. In het eerste boek vindt een ontmoeting plaats met de buitenaards vriendelijke circusolifant Hannibal, in wie elk dier zijn

eigen unieke vriend ziet. De sfeer van het verstilde landschap en de verschillende karakters van de dieren – redderende Zeugster, aartsluie Pad, licht hysterische Kip, zelfzuchtig Lam, zorgelijke en zorgzame Marter – zijn mooi getroffen, maar als verhaal hebben de gebeurtenissen weinig kern en richting. In *Het onbegonnen feest* weet de schrijfster het aandoenlijke gescharrel van haar dieren meer samenhang te geven, door het te richten op één blijde gebeurtenis, de waarschijnlijke terugkeer van Hannibal naar de berghelling. Voor een feestelijk welkom heerst er wekenlange bedrijvigheid van taarten bakken, hout voor het vreugdevuur verzamelen, gedichten schrijven en muziek en dans instuderen. Naarmate de tijd verstrijkt, de slingers verpieteren in de herfstregen en de dieren voor de zoveelste keer de taarten zelf hebben opgegeten, sluipt de twijfel binnen: zou Hannibal ooit nog komen?

Pelgrom schreef een filosofisch, Messiaans getint verhaal over de illusie die de mens gaande houdt. De dierenfiguren zijn met warmte en humor neergezet en scherp geobserveerd in hun (menselijke) zwakheden. De schrijfster beziet ze met liefdevolle blik en laat ze de ruimte om hun eigen wonderlijke zelf te zijn, een beetje zoals Moei in haar Tehuis voor Mislukte Kinderen. De mooiste scènes zijn die waar de dieren smikkelend bijeen zitten. Daar glanst het verhaal van harmonie en blijde verwachting. Eigenlijk wordt de langzaam opgebouwde sfeer van vergeefsheid en berusting aangetast door het verschijnen van Hannibal op het laatste nippertje. Dat heeft iets van een slaapmutsje voor bezorgde kinderen. De jeugdliteratuur wordt altijd als dé plek gezien voor een dierenverhaal, maar als het meest volwassen boek binnen Pelgroms oeuvre lijkt *Het onbegonnen feest* er een beetje verdwaald.

HET LEVEN NU

Na het overlijden van haar Spaanse man kwam Pelgrom via een aantal jaren in Portugal terug in Nederland. Ze schreef nog een paar toneelstukken, en bewerkte klassieke verhalen als *De klokkenluider van de Notre Dame*, *Het monster van Frankenstein* en een groot aantal Griekse mythen en sagen: 'Toen Salvador ziek werd ging het schrijven niet meer en behalve *Bombaaj!* en *De zee en het land* heb ik na zijn dood geen echt eigen verhaal meer gemaakt. De verhalen zijn niet op, maar ik wil of kan er geen vorm meer aan geven. Om te kunnen schrijven moet je geen sores aan je hoofd hebben als geldgebrek, verhuizing of ziekte. Je moet in een langdurige staat van totale concentratie kunnen verkeren, in een soort roes die wel een beetje lijkt op dronkenschap. Er zijn schrijvers die zo gedreven zijn dat ze alles opzijzetten. Multatuli bijvoorbeeld zou zijn *Max Havelaar* in één winter op een zolderkamertje hebben gemaakt, maar we zijn niet allemaal genieën.

Ik ben ook al een heleboel kwijt van wat ik wilde schrijven en sta niet meer te trappelen om mijn zegje te doen. Dus laat ik maar een bescheiden oud vrouwtje worden met een paar hobby's. Ik ben heel tevreden dat ik nu schilder en lesgeef aan vluchtelingen, maar soms knaagt er nog het verlangen naar een boek. Dan ben ik zo nieuwsgierig naar wat erin zou staan! Ik weet nog dat ik op mijn eerste buitenlandse reis in een klein Frans stadje kwam. We stopten even op een pleintje en er keken een paar vrouwen uit een raam. Toen had ik ineens het waanzinnige gevoel dat *ik* dat had kunnen zijn. Hoe zou dat dan zijn, mijn hele leven in zo'n dorpje? Zou ik dat uithouden? Hoe is het als je heel iemand anders bent? Misschien is dat wel altijd mijn belangrijkste drijfveer geweest om te schrijven.'

Imme Dros

Over zeven zeeën gaan

Als land van herkomst trekt Texel door het oeuvre van Imme Dros een spoor van zeewater, storm en boten, van kleurrijke figuren, oude liedjes en kinderangsten en van het eilandgevoel dat geborgenheid betekent, maar ook benauwenis. Zoals Odysseus met duizend draden vastzit aan Ithaca, is Imme Dros verbonden met Texel. Ze betreurt het dat ze niemand meer heeft om Texels mee te praten, want dat is de taal van haar jeugd, waar haar 'mond naar staat'. Over de Waddenzee moet na haar dood haar as worden uitgestrooid.

> Al zou ik over alle zeven zeeën gaan en de mooiste plaatsen van de wereld zien, al zou ik rijk en beroemd worden en ateliers en huizen hebben in New York en Rome en Parijs, al zou ik honderd jaar worden, ouder dan honderd jaar, al zou er niemand meer op het dorp wonen die mij nog kende, elke reis zal een omweg zijn naar hier en dat zal niet veranderen zolang ik leef.

Het is de slotzin van de jeugdroman *Ongelukkig verliefd* en de verzuchting borrelt op in de hoofdpersoon Daan List, terwijl hij over de reling hangt van de boot naar Texel. Zowel naar vorm als naar inhoud kan deze zin van niemand anders zijn dan van Imme Dros. Hij is klassiek van allure en opbouw. Met de volgehouden herhaling werkt hij toe naar een climax, die niet helemaal vrij is van een zekere, bij jongeren passende, pathetiek. De precies gekozen woorden zijn zodanig gerangschikt dat er een mooie cadans ontstaat, verwijzend naar de beweging van de zeven zeeën die zonder twijfel bevaren zullen worden. Het leven is immers een reis langs ongekende wegen, een reis vol wonderen en gevaren, opwinding en teleurstelling, een reis die hopelijk zal eindigen waar hij is begonnen: op de plek waar de reiziger bekend en gekend is.

Emmy Theodora Dros werd op 26 september 1936 geboren in Oudeschild, als oudste van zes kinderen. In het babyboek hield haar moeder het kraambezoek bij, waaronder de drossiaanse verhaalfiguren zich al aankondigen: buurvrouw Koert, buurvrouw Scholte en buurvrouw Blom, oome Jan en oome Willem, opoe, tante Sijke en tante Ma. Na twee jaar werd er een broertje geboren en anderhalf jaar later een tweeling. Weer tien jaar verder kwamen er nog een broer en een zusje. Samen vormden ze een druk, warm gezin, waar veel gelachen werd. Vader Dros was bakker, moeder runde de winkel. Vader was gereformeerd, moeder een 'Texelse heiden'. Beide ouders lazen graag en veel, en toen kleine Imme die kunst niet snel genoeg onder de knie kreeg nam moeder de zaak ter hand. Ze vond de op school gehanteerde globaalmethode maar niets. Spellen, dat was belangrijk, en dus werd *Ot en Sien* erbij gehaald. Ook was er dierbare oma Immetje, de in veel van Dros' verhalen opduikende grootmoeder, die liedjes zong en voorlas. En in de bibliotheek huurde je boeken voor een cent per dag.

Schrijven deed Imme graag, brieven en opstellen, maar ze tekende ook, speelde toneel en vertelde verhaaltjes aan de broers en zusjes. Vanwege de oorlog viel er weinig te beleven voor kinderen en daarop was de fantasie het enige antwoord. Wanneer ze een jaar of elf is, schrijft Imme een versje dat haar trotse moeder opstuurt naar de V.P.R.O., waar mevrouw Spelberg-Stokmans op zondag een radioprogramma voor kinderen had. Het wordt afgedrukt in het omroepblad *Vrije Geluiden* en op muziek gezet door Gerrit de Marez Oyens.

KERSTMIS

Dagen die korten, verandering in 't weer.
Sneeuwvlokjes storten bij duizenden neer.
Kerstklokjes luiden in stille pracht:
Hoort hoe ze melden: 'Hij is gebracht!'
Onder de kerstboom, bij kaarsengloed
Luist'ren we naar hem die 't Kerstverhaal doet:

'Heel lang geleden, in Bethlehems stal
is Hij geboren die zaligen zal,

Hij lag in de kribbe in doeken en hooi
Naast Jozef en Maria, die sliepen in 't strooi.'
Zo vertelt ieder van 't kindje teer.
En kerstklokjes luiden: 't Is Kerstmis weer!

Een aantal jaren daarna begint Dros op verzoek van haar oudtante Frouwien van der Vooren te schrijven voor de kinderpagina van *Het Utrechtsch Nieuwsblad*. Tijdens haar studententijd gaat ze daarmee door, maar nu voor *Het Vrije Volk*. Later zal ze een keuze uit deze verhalen in een raamvertelling verpakken en er bij Van Holkema & Warendorf mee debuteren onder de titel *Het paard Rudolf* (1971). Rudolf zwaait de scepter over het beestenspul dat in en om de boerenstal huist. Hij is een groot, sterk en vooral ook denkerig paard. Op alle mogelijke momenten vertellen de dieren elkaar verhalen en ze vertonen ook overigens menselijke trekjes. Duif wil eigenlijk een havik zijn, het varken hunkert naar een bruiloft, terwijl de haan met zijn twintig kippen het huwelijk juist ziet als 'gruwelijk'. De toon is luchtig, de taal is woordspelig – een wekker blijkt een meelijwekker, een groot dichter luistert naar de naam van Sjeeksveer – en een tikkeltje plechtstatig: 'Kreunend begaf de geit zich zeepsopwaarts'. De schrijfster doet droge observaties – 'Het leven kan hard zijn voor een paard met aanleg voor de wintersport' (Rudolf beschikt niet over de benodigde twee paar schaatsen) – en haar toekomstige bezetenheid van de *Odyssee* kondigt zich al aan, waar het hert spreekt over de 'grootste dichter aller vogels Homeermus'.

MEVROUW GEELEN

In het boek staan een paar tamelijk onhandige, maar expressieve pentekeningen. Ze zijn van de hand van Harrie Geelen, met wie Imme Dros sinds 1963 getrouwd is en drie kinderen heeft. Ze ontmoette Geelen tijdens de studie Nederlands in Amsterdam (1958-1964) en raakte met hem bevriend. Het duurde een tijd voor het wat werd, want Imme was 'eeuwig verliefd op de verkeerde', maar uiteindelijk viel ze als een blok voor Harrie en toen ze zwanger raakte trouwden ze, met een heuse Texelse bruiloft. Imme bewonderde Geelens liedteksten voor het studentencabaret Sing Sing, waar ze nog een tijd in meezong. De toon, de humor en de naamgeving in Dros' verhalen rondom het paard Rudolf zijn in de verte familie van de door Geelen geschreven televisieseries *Oebele* en *Kunt u mij de weg naar Hamelen vertellen, meneer?* die in de vroege jaren zeventig ontstonden. Dros werkte mee aan de boekuitgaven daarvan, ze schreef teksten voor het televisieprogramma *Ti Ta tovenaar* en gaf nog een aantal bundels met dierenverhalen uit.

Geelen was dag en nacht aan het werk, wat zijn vrouw weinig tijd liet om te schrijven: 'In de tijd van de kleine kinderen was ik met handen en voeten gebonden. De oudste was vier toen de tweeling kwam en daar begon alles weer van voren af aan. Onze eerste baby kregen we in moeilijke omstandigheden, wonend op een half Amsterdams zoldertje en met een grote studieschuld. Ik hield heel veel van mijn kind, maar was blij dat hij naar de kleuterschool kon. Harrie wilde zo graag een tweede, een echt gezin. Ik niet, ik wilde weer gaan schrijven, maar een kind erbij leek ook geen onredelijke vraag. Ik had bedongen dat Harrie me dan meer zou helpen en niet alleen voor zijn werk zou leven. Dat heeft hij wel beloofd, maar er was telkens iets wat hij moest en wat dringender was.

Eigenlijk is het altijd zo gebleven: Harrie maakt dingen en in de tijd die overblijft maak ik ook dingen. Je kunt mensen niet veranderen en er is zoveel wat ik in hem waardeer. Hij maakt me bijvoorbeeld aan het lachen. Hij zou ook in de kroeg kunnen zitten of het met andere vrouwen aanleggen, wat voor mij de genadeklap zou zijn. Dat hij me altijd trouw is gebleven verbaast me wel eens als ik denk hoe gemeen ik kan zijn. Dan zegt hij: ach wat ben je toch een kreng, maar op zo'n liefdevolle manier dat het klinkt als een groot goed!

Naar Harrie heb ik me gevoegd omdat ik van hem houd en omdat ik het leven heb dat ik graag wilde hebben. Zijn carrière ging voor en daar leefden we ook van. Toen hij de Bommelfilm maakte en dat niet zo lekker ging, wilde hij weg bij Toonder. Maar ik heb gezegd: jij blijft, want de kinderen studeren nog en het was jouw keuze dat we er drie hebben. Daar was geen speld tussen te krijgen en dus heeft hij toen een tijdlang iets gedaan wat vergelijkbaar was met mijn gemoeder in de jaren daarvoor. Het is toch écht een kwestie van geven en nemen. Ik doe altijd de boekhouding en de belasting. Bepaalde dingen moeten nou eenmaal. Als ik die sneller en beter kan, waarom zou ik ze dan maar niet gewoon doen?'

DAAN LIST EN WUBBE WITTE

In 1980 verschijnt *De zomer van dat jaar*. Het boek bracht een Zilveren Griffel (de eerste van de dertien) met zich mee en het markeert een belangrijke ontwikkeling in Dros' schrijverschap. Het is een verhaal met een kop, een staart en een ontwikkeling. De gebeurtenissen komen in korte, bijna filmisch geschreven scènes op papier, de (menselijke) personages zijn springlevend en de dialogen schitteren. Het gaat over wat pubers bezighoudt: over vriendschap, verliefdheid en eerste zoenen, over onzekerheid, opstandigheid en de vraag wie je bent en wat je wilt. En dat alles wordt bezien met een blik vol humor en relativering. *Lange maanden* (1982) was het vervolg en met *Ongelukkig verliefd* werd de trilogie over de boezemvrienden Daan List en Wubbe Witte in 1995 afgesloten. Dros heeft het gevoel dat veel van haar boeken in een glazen kistje lagen te wachten tot iemand ze wakker kuste. Zo begon de Texeltrilogie met een verzoek. Karel Eykman vroeg aankomende schrijvers om een bijdrage voor 'De Blauw Geruite Kiel', de kinderkrant van *Vrij Nederland*. Het moest voor kinderen van een jaar of elf zijn en dus wilde hij liever niet iets met dieren.

Dros had dieren als verhaalfiguren genomen omdat ze vaak uitspraken of karaktertrekken van dorpsgenoten wilde gebruiken: 'Het was daar op het eiland een kleine gemeenschap, waar iedereen iedereen kende. Zelfs als ik iets door een schaap liet zeggen was ik nog bang dat ze erachter zouden komen wie dat was. In *De zomer van dat jaar* heb ik me weer verscholen, nu achter de sekse. Een meisje in de hoofdrol zou te autobiografisch lijken. Mijn ouders hebben zich toch over een paar dingen heftig opgewonden, omdat het echt wel duidelijk was wie er met wie bedoeld werd. Het hele verhaal over het gemengde huwelijk van zwangere Ietje, dat is bijna letterlijk wat mij gebeurd is. Ik vond dat ik het recht had dat te gebruiken. Dan hadden ze maar niet zulke dingen moeten zeggen.'

> Hij zei: 'Het is toch waar, dat jij in verwachting bent? Nou, als koster heb ik ook wat te vertellen. Ik verbied het! Met de pastoor heb ik niks te schaften, die is maar van de overkant. Het is geen goed voorbeeld voor de jonge meisjes hier. Straks denken ze nog, dat ze maar raak kunnen rotzooien en dat ze dan evengoed het Ave Maria wel krijgen in de kerk.'
> Uit: *De zomer van dat jaar*

'Mijn heimwee is naar de zee, niet naar Texel. Met mijn kindertijd was niks mis, maar ik verlang helemaal niet terug naar de sociale controle, de ondergeschiktheid aan de publieke opinie. Mijn moeder hoorde en wist alles omdat iedereen kwam klagen, jammeren en roddelen in de winkel. En dat moest ze dan maar aanhoren voor twee cent gist, terwijl ze achter zes kinderen en een was had. Altijd moest ze klaarstaan, tot elf uur 's avonds. En als ze dat niet deed, ging ze over de tong. Ze was brandschoon en had een ijzeren regelmaat: op maandag dit en op dinsdag dat, of het nu vuil was of niet. Dat was voor mij het huwelijk, zo'n toekomst hing me boven het hoofd. En ik wist dat ik dat niet wilde. Als ik daar was gebleven, was ik een verbitterde, zure vrouw geworden.'

> Alles wisten ze hier van je. Welk hemd je moeder voor je kocht en hoeveel onderbroeken je had en hoe duur je sokken waren. En met welk garen je trui werd gestopt. Wat je voor beleg op je brood had. Ze wisten wie er in het dorp een baby moest krijgen en wie er dood zou gaan. En ze waren het er niet mee eens.
> Uit: *De zomer van dat jaar*

'Mijn zusje had een helder verstand en wilde verpleegster worden, in het Amsterdamse Binnengasthuis. Toen onze moeder ziek werd is ze terug naar Texel gegaan, daar gebleven en getrouwd. Haar leven was als dat van onze moeder: handwerken, koken, schoonmaken en de kinderen. Zij was daar tevreden mee. Ik ben uit de wereld van mijn ouders gestapt en dat hebben ze noodgedwongen geaccepteerd. Mijn moeder had altijd al gezegd dat mijn handen verkeerd stonden voor de huishouding. Ze was wel trots op me toen *Annetje Lie in het holst van de nacht* verscheen. Dat had haar geraakt omdat het haar zo deed denken aan het dorp.'

JURKENVROUW EN MUIZENKONING

In *Annetje Lie in het holst van de nacht* (1987) wordt een meisje om onduidelijke redenen bij oma gebracht. In haar verlatingsangst ontdekt Annetje Lie onder de dekens het 'holst van de nacht'. Daar huizen wonderlijke wezens: de maan, waarin je kunt varen als in een bootje, de vileine vos, de muizenkoning en de enge jurkenvrouw op de pie-

pende schommel. Met elkaar beleven ze warrige avonturen, die verlopen volgens de grillige, associatieve lijnen van de droom. Flarden uit de werkelijkheid doen vermoeden dat het meisje ernstig ziek is. In haar nachtmerries krijgen al haar eenzaamheid, angst en onzekerheid vorm en Dros weet ze prachtig in taal te vangen. De stem van de vos klinkt als die van papa, maar hij kijkt gemeen en hij wil honderd haren van Annetje Lie voor een rondleiding door zijn 'oud woonhuis', waar in navolging van de dichter Leopold 'peppels' omheen staan.

De wolken verschuiven. Daar is pappa met zijn armen naar haar uitgestrekt.
'Kom maar kindje, kom maar lieveling.'
'Kom maar kindje, en laat je vastbinden,' zegt de Vos er dwars doorheen.
'Nee nee nee!'
'Je wilt niet dat ik je vastbind met dit mooie touw? Nee? Dat kan ook, daar valt over te praten. Ik zal je laten gaan, maar dan moet jij iets terugdoen. Dan moet jij mij Muizenkoning M. G. Muizenkoning geven, die ouwe rakker.'
'De Muizenkoning is mijn vriend!'
'Zeur niet. Muizen zijn om op te eten.'
'Niet de Muizenkoning, niet een muis die die die liedjes kan zingen.'
De Vos kijkt verrast op. 'Zingen? Kan hij dat, die ouwe sloeber? Hm, dat verandert de zaak. Ik ben een beschermer van de Kunsten en kan me niet vergrijpen aan een muzikale muis.'
Uit: *Annetje Lie in het holst van de nacht*

De kwaliteiten van het door Margriet Heymans indrukwekkend geïllustreerde boek werden algemeen erkend. Naast een Zilveren Griffel ontving Dros in 1988 als eerste de gloednieuwe Libris Woutertje Pieterseprijs. In het juryrapport duidt Jan Blokker Annetje Lies nachtelijke escapades aan met een van Paul van Ostayen geleend begrip: 'feesten van angst en pijn'. Verderop gaat het over 'avonturen in het grensgebied van fantasie en werkelijkheid, helder, economisch en vaak geestig opgetekend zonder een spoor van opsmuk of pathetiek. En ze zijn nooit vrijblijvend. Alle grilligheden van de verbeelding, de eindeloze herhaling van gebeurtenissen, de wijze waarop flarden van oma's bakerrijmen in dromen en halve nachtmerries terugkeren – het staat allemaal in functie van het kind dat ze beleeft, en dat we in haar gedroomde werkelijkheid leren kennen en koesteren. Annetje Lie laat te raden. Aan het eind, dat vrolijk stemt, heeft Imme Dros meer opengelaten dan ze had kunnen invullen. Er ligt nog een geheim achter: zo'n mysterie dat een boek mooier maakt dan het toch al is.'

KINDERANGSTEN

Het boek had een lange ontstaansgeschiedenis. Toen in 1977 het thema van de Kinderboekenweek 'dromen' was, kreeg Dros de vraag om voor de *Kinderboekenmolen* de droom op te schrijven die zij zich het beste herinnerde. Daarin kwamen een donkere kast, muizen, de satijnen trouwschoenen van haar moeder en de griezelige jurkenvrouw voor. Ze bleef er voortdurend over denken. Voor een *Okki Vakantieboek* had ze al een aantal verhaaltjes geschreven over een Kleine Anne met de mazelen, maar die zou nooit zulke gruweldromen krijgen. Dan moest er iets ergers aan de hand zijn: 'Dat kind weet niet waar ze aan toe is. De moeder is weg. Wat er met haar is weet ik ook niet. Later heb ik gedacht, misschien is ze wel een moffenhoer. Voor mij heeft het verhaal te maken met de traumatische angsten uit de oorlog. Altijd moest je uitkijken: dit mocht niet, dat was gevaarlijk, die mensen deugden niet. Je hoorde de volwassenen over van alles praten, maar je begreep het nooit precies. Er spoelden blauw geworden soldaten langs de dijk aan en de piloot van een neergestort Engels vliegtuig stond op zijn kop in de grond. Iedereen was bang voor bombardementen en als kind ervaar je angst op een uitzonderlijk felle manier. Je kunt de dingen nog niet beredeneren, geen afstand nemen. Als ik zie hoe rampzalig kinderen soms kunnen huilen, dan moet daar toch meer dan zomaar een verdrietje achter zitten.'

Ook in *Zuurstok is de mooiste kleur* (1999) gaat het daarom. Ondanks het vrolijke roze is het een donker verhaal, over kleine Sofie die altijd alles verkeerd doet en zichzelf dus Soffie noemt. Wanneer ze moeders mooiste servies in diggels laat vallen verstopt ze zich, gekweld door zelfhaat voor de wereld:

> Ze vonden haar stom,
> ze wilden haar niet,
> al die grote mensen,
> al die grote kinderen.
> Zij zou later als ze een groot kind was
> of een groot mens, ook wel gaan denken:
> Wat een stom kind was jij. Bah!
> Ik wil niks van dat stomme kind weten.
> Uit: *Zuurstok is de mooiste kleur*

'Als kind heb ik zoiets gevoeld. Ik was bang dat ik, als ik volwassen zou zijn, mezelf ook zou veroordelen. De angst dat je afstand kunt nemen van jezelf, die was heel bedreigend. Ik heb scherpe herinneringen aan de tijd vanaf ongeveer mijn vierde en zelfs aan daarvoor. Toen ik nog twee moest worden gingen we voor het eerst logeren bij een tante, weg van Texel. Slapen in een vreemd bedje, alleen in een kamer. Ik brullen en waarschijnlijk daarom blijft mijn moeder een tijdje bij me, zittend in het open raam. Ik zie haar beeld, donker tegen de lucht afgetekend, door de spijltjes van het bedje, en ik dwing mezelf steeds naar haar te kijken, want als ik niet kijk is ze weg. Als ik daaraan denk, voel ik nog de angst.'

Ella blijft strak naar mama kijken.
Achter mama is de deur naar weg.
En mama mag niet weggaan!
Uit: *Naar het ziekenhuis*

NODIG EN VOLDOENDE

Als een van de belangrijkste periodes in haar leven ziet Imme Dros haar korte, maar intensieve gymnasiumtijd. Zelf wilde ze naar de huishoudschool, veilig samen met de meisjes van het dorp, maar de onderwijzer vond haar daar te goed voor en dus werd het de ulo in Den Burg. Ze vond het verschrikkelijk. Na haar beschermde kindertijd in een dorp van achthonderd zielen leek het of ze in de Nieuwe Wereld terechtkwam, in plaats van in een dorp vier kilometer verderop: 'Mijn vader had een goeie kop en mocht doorleren, maar hij had het lef niet: weg van het eiland, weg van alle mensen. Ook al heeft hij me nooit gedwongen, ik moest eigenlijk doen wat hij niet gedurfd had. Na de ulo ging ik naar de kweekschool in Den Helder, maar die opleiding beviel me helemaal niet. Ik wilde naar het gymnasium, want later Nederlands studeren. Vader vond het goed, als het me niet langer zou kosten dan de twee en een half jaar kweekschool die nog restten. Hij ging zelf naar de rector en zei dat hij zijn dochter met Pasen in vier gymnasium wilde hebben. De man riep: "Meneer, waar hebt u het over! U kent die opleiding niet!" Waarop mijn vader antwoordde: "Meneer, u kent mijn dochter niet."

Ik heb keihard moeten werken, maar het was een openbaring. Op de ulo was alles gericht op het nut. Op het gymnasium zaten we de hele dag teksten te lezen. Daar had je niet speciaal iets aan, dat deed je voor jezelf en niet in gestolen momenten tussen het stofzuigen en de boodschappen door. Dit was een opleiding en daar hoefde je je dus niet voor te verontschuldigen. Mijn grote passie voor taal is daar aangewakkerd. In alles wat ik schrijf gaat het niet alleen om het verhaal, maar vooral ook om de taal. Ik verander eindeloos. Ik moet mezelf dwingen om door te schrijven en niet al in het ontstaansproces van het verhaal te gaan schaven. Ik zeg voortdurend tegen mezelf: doorschrijven, niet zeuren. Dat heb ik van Harrie geleerd. Pas later begint het grote schrappen. Zelfs terwijl ik iets voorlees dat al lang is gepubliceerd, blijven mijn gedachten doormalen en wil ik nog veranderen.

Het mooiste is als je het hoe en het wat kunt laten samenvallen. En als je het precieze evenwicht weet te vinden tussen nodig en voldoende.

Ik was eens in het Gulbenkianmuseum in Lissabon. Dat staat vol met de prachtigste dingen, maar ik raakte gebiologeerd door een simpel Chinees kommetje, een ding van niks. Die vorm, die kleur, dat samengebalde... Het maakte dat ik alles wat ik daarvoor had gezien vergat. Zoiets wil ik in kinderboeken ook. In simpele beelden en woorden een probleem dat voor alle mensen gelijk is – als je ijdel bent en je koopt te kleine schoenen, dan krijg je pijn aan je voeten – vormgeven. Er zijn dingen in je leven die je altijd blijven benauwen. Daar kun je een enorme pil over schrijven, zoals Adri van der Heijden dat doet over zijn jeugd, maar bij mij zal het altijd klein blijven. Ik wil de humbug eraf schrapen en dan laten zien: kijk, hier gaat het om.'

Ooit moest het ervan komen: een roman. Vrienden riepen regelmatig dat ze zo goed schreef en nu eens iets moest maken, waar zij met goed fatsoen mee in de trein konden zitten. Het zou gaan over twee echtelieden die uit elkaar groeien en de titel was *Mevrouw Klein*. Het was prettig om eens met een ander soort, want voor volwasenen bestemde, dialoog bezig te zijn, tot de schrijfster zich begon af te vragen wie hier in vredesnaam op zat te wachten. Ze streepte alles weg en daar verscheen uit het niets de regel 'Op een dag kreeg mevrouw Klein een staart'. Dat resulteerde in *Een heel lief konijn* (1992), een luchtig prentenboek met eigenzinnige tekeningen van Jaap Lamberton. Een keurige mevrouw ontwikkelt niet alleen een staart, maar ook oren. De dokter stuurt haar naar de dierenarts, die zegt alleen hele konijnen te behandelen. De dokter 'met verstand van verstand' laat haar alles van zich af praten, maar 'de oren en de staart bleven zitten'. Iedereen heeft een mening, behalve de kleinkinderen, die vrolijk met de enorme oren spelen. En meneer Klein ziet helemaal niets aan zijn vrouw. Hij vindt haar oren prima, want 'alle mensen hebben wel wat'.

Met verbazing en berusting stelde Dros vast dat het toch weer een kinderboek was geworden: 'De meest bepalende periode in mijn leven is nu eenmaal tussen mijn derde en mijn achtste geweest. Dat is de enige reden die ik kan bedenken waarom ik schrijf wat ik schrijf.' Ooit benaderde ze haar schrijverschap via het verhelderende beeld van de klassieke roeiers: 'Op de woelige zee van taal en literatuur zit de kinderboekenschrijver met de rug naar de voorsteven, de volwassenenboekenschrijver met de rug naar de achtersteven. Ze schrijven vanuit een verschillend perspectief'.

RITME VÓÓR ER WOORDEN ZIJN

Meestal ontstaat een verhaal bij Dros met één zin, een hardnekkig in haar hoofd terugkerende zin. 'Kees Kledder kookte zijn aardappels in zeewater, want dat spaarde zout', bijvoorbeeld, zette *De zomer van dat*

jaar in gang. *De reizen van de slimme man* dat aanvankelijk een kort verhaal was voor de bundel *Tien x op reis* begint met: 'Lang geleden toen ik klein was, hielden mijn ouders van dansen en uitgaan.' Dat doet denken aan de klassieke hexameter en zo is Homerus het verhaal in geslopen. Soms is er een ritme, vóórdat er woorden zijn, 'alsof je in een bootje dobbert'. Omdat de schrijfster al haar leven lang slechte ogen heeft, is ze primair auditief ingesteld.

Dat schrijven op ritme is onmiskenbaar aan de orde in de geserreerde teksten die Dros voor jonge kinderen maakt. Dat begon in 1989 met *Roosje kreeg een ballon*: 'Roosje kreeg een ballon. Een grote. Een rode. Een grote, rode, mooie ballon.' De acht miniverhaaltjes over Roosje zijn bedoeld voor kinderen die net kunnen lezen. Ondanks de beknoptheid van de tekst weet de schrijfster een levend kind met herkenbare gevoelens neer te zetten. Roosje krijgt behalve de ballon ook nog de mazelen en een broertje. In vier regeltjes wordt deze in een kinderleven ingrijpende gebeurtenis onontkoombaar geïntroduceerd: 'Roosje kreeg een broertje. Hij kwam op een zondag, om twaalf uur precies, toen Roosje er even niet was.'

Harrie Geelen helpt de beginnende lezer met zijn snelle en geestige pentekeningetjes. Roosje is bij hem een stripachtig figuurtje met een enorme neus, een achterhoofd dat uitloopt in een vermoeden van een paardenstaart en gehuld in een ondefinieerbaar slobberpak, dat het midden houdt tussen een nachtpon en een tuinbroek. Toch laten de onvaste zwarte lijntjes er geen twijfel over bestaan: Roosje is woedend, Roosje is zielig of door het dolle heen.

Na Roosjes wederwaardigheden verschijnt er nog een groot aantal kleuterverhalen, nu uitgegeven als prentenboek, met Geelens warm gekleurde schilderingen in brede penseelstreek. De teksten zijn zonder uitzondering gecomprimeerd en precies. In achtentwintig kleine regels weet de schrijfster bijvoorbeeld de essentie van ruzie en verzoening te treffen. Ondanks de beperkte omvang wordt er wel degelijk iets wezenlijks beweerd, vaak over de niet altijd even zonnige wereld van jonge kinderen. Jannie Julia trekt zich met haar poppen en beesten terug in de blauwe 'ruziestoel' op zolder, ver weg van het boze geschreeuw van haar ouders. En Jan vertrekt naar China, waar kinderen alles mogen en altijd voorgaan, waar er geen stomme zusjes bestaan en de pappa's altijd tijd hebben.

In *Lievepop en Lappenpop* (1996) is het strijdtoneel naar de poppenkast verplaatst. Hij is een Lulletje Rozenwater die zijn Lievepop voortdurend naar de ogen kijkt, zij is een ontevreden en bazig kreng met verdacht veel aandacht voor elke jongenspop in de kast. Gevraagd naar de reden van zoveel valsheid in een kinderboek beaamt Dros dat ze zich erover verbaast zoiets te hebben geschreven: 'Maar als kind zou ik dat helemaal niet erg hebben gevonden. Die Lappenpop is een zacht ei. Als je zo stom bent om maar te blijven dwepen met zo'n figuur die jou de grond in stampt, dan is dat je verdiende loon. Hij maakt die Lievepop ook zo! Hij blijft maar van haar houden of van wat hij denkt dat ze is. Dit is dus weer een voorbeeld van iets groots, waar ik een kleine vorm voor heb gezocht: de vraag waarom mensen elkaar zo moeten kwellen.

En dat die Lievepop een vrouw is, tja! De potentaten in mijn jeugd waren vrouwen. De mannen waren op zee of met hun werk bezig, de moeders voedden de kinderen op en opvoeders zijn nooit populair. Daar moet onderuit gekomen worden. Mijn moeder was een ontzettende driftkop. Ze had eens een laaiende ruzie met mijn vader. Ik zat achter de bank en dacht dat ze uit elkaar zouden gaan. Ze grijpt hem bij zijn overhemd en toen hield ze er opeens een stuk van in haar handen. Moeder lachte zich dood, maar vader bleef bokken. Eigenlijk mocht hij dat niet, want als mijn moeder weer goed was moest iedereen dat zijn, ook al had ze de vreselijkste dingen gezegd. Dat razend zijn en van het ene moment op het andere het bizarre ervan inzien, dat heb ik van mijn moeder. Het absurde wint het bij mij altijd, van alles. En wat er dan blijft hangen is vooral het potsierlijke. Ik ben somber van inslag, maar ik heb het in mijn karakter om de lichte kant op te zoeken.'

DE ODYSSEE IS IEDERS TOCHT

Haar bezetenheid voor taal heeft Imme Dros volledig kunnen uitleven in het vertalen van de *Odyssee*. Het was een langdurig, intensief en aan het werk van Sisyphus verwant proces, dat succesvoller bleek dan ze had durven hopen. Vertalen is volgens Dros slijpen, precies zoals schrijven: 'Het gaat om het juiste woord op de juiste plaats. Ik hoorde de violist Isaac Stern op de televisie betogen dat er geen enkele noot onbelangrijk is. Zo is het met woorden ook. Het zoeken naar het precies passende woord, dat is geweldig. Met grote voldoening heb ik een zelfbedacht epitheton in het boek kunnen zetten – 'de onbevooroordeelde Hermes' – een lekker lang woord met een mooie cadans. Wat er in het Grieks staat is niet helemaal te verklaren. Hermes neemt alle schimmen mee naar de onderwereld, of ze nu goed zijn of slecht. Hij is dus onbevooroordeeld. 'De man van duizend listen', daar heb ik ook zo lang over moeten denken. Het was wel zwoegen, hoor!'

Homerus diende zich aan in een periode van somberte, toen Dros' tien jaar jongere broer met een pleziervliegtuigje verongelukte. Ze waren zeer met elkaar verbonden en het werken aan iets eigens bleek een tijdlang onmogelijk. Maar de schrijfster kon niet niks doen en zocht houvast in bestaande teksten. In *De reizen van de slimme man* (1988) was Homerus al opgedoken en haar toenmalige uitgeefster had gevraagd of Dros een navertelling in proza voor jongeren van Odysseus' omzwervingen wilde maken. Hier en daar zou een klein fragment letterlijke vertaling kunnen worden opgenomen. Het idee leek aantrekkelijk, vanwege het verhaal over zee, reizen en heimwee. Inspirerend was ook de vondst van een Franse prozavertaling, waarin alle namen van de mensen die aan het woord zijn in kapitaal staan afgedrukt. Plotseling zag het er bijna als een toneelstuk uit en volgens Dros is het ook vaak theater, met zeker de helft in de directe rede: '*De Odysseia* is zo'n rijk boek: geen episch gedicht, geen toneelstuk en geen roman, maar van alles wat. En Odysseus is een bijzonder soort held. Al die kerels zijn natuurlijk helden, maar Odysseus is uitzonderlijk omdat hij dingen verzint. Odysseus heeft fantasie.'

In de loop van de met moeizaam ploeteren gevulde tijd werd het werk steeds meer vertaling, in plaats van navertelling. Omgeven door vijf woordenboeken en zeven verschillende vertalingen en met een telefonische hotline naar een bevriende classicus maakte Dros versie na versie. Toen er dertien boeken af waren wilde de uitgeefster wel eens wat lezen, waarop ze meedeelde het niet te willen hebben... Dros wist dat ze er niet meer mee op zou kunnen houden en meldde zich op aanraden van collega's bij Querido. Daar zei Ary Langbroek, 'de man van weinig woorden': 'Je moet het maken zoals jij het mooi vindt.'

Voor de vertaalster was dat precies zo'n openbaring als ooit op het gymnasium: 'Het ging niet over functie of nut, maar over mooi vinden. Het was een echte passie. Elke dag dacht ik, ha, daar gaan we weer. De uren vlogen om. Vaak was ik terneergeslagen over hoe weinig verzen ik gedaan had, maar de volgende dag begon ik weer even opgewekt. Het was wel irritant dat ik steeds dezelfde woorden moest opzoeken, hoewel dat soms ineens een voordeel bleek. Een van de vertalingen die ik erbij had was die van Timmermans. Die man heeft fouten gemaakt door zijn kennis. Het woord *leukos* bijvoorbeeld heeft als meest voorkomende betekenis 'wit', maar het kan ook 'helder' of 'doorzichtig' zijn. En omdat ik het elke keer weer met alle zeven betekenissen moest opzoeken, ontdekte ik dat Timmermans het volkomen verkeerd heeft gezien. Odysseus komt door een nauwe sleuf in een baai waar het water stilligt, zodat ze geen ankerstenen nodig hebben. Dat water is volgens Timmermans wit. In een bijgaande verklaring licht hij toe dat Odysseus in de fjorden van Noorwegen moet hebben gelegen. Het water daar is door het klotsen tegen de bergen wit van het schuim geworden. Nou, ik kom van zee en zo gaat dat niet, zeker niet in die tijd toen er nog geen vervuiling was. Achter die lange sleuf ligt het water vlak en is het dus doorzichtig. Ze kunnen tot de bodem kijken. Dat zijn zo de perikelen van een vertaler!'

Dros vermoedt dat Querido haar graag wilde hebben, in de hoop dat ze daarna in het kinderboekenfonds zou komen. Dan namen ze die vertaling wel voor lief. Die werd echter een onverwacht succes, met mooie verkoopcijfers, ruime persaandacht en een integrale, veel beluisterde lezing voor de radio door Ton Lutz. De respons is niet te vergelijken met die op haar werk tot op dat moment: 'Ik heb het gevoel dat ik pas echt iemand ben sinds die vertaling. Op de een of andere manier heb ik ermee bewezen dat ik kinderboeken schrijf omdat ik dat wil en niet omdat ik niet anders kan. Zoiets als: ik maak wel eens een schrijffout, maar ik heb mijn doctoraal! Status is een ding dat niet echt hoort bij een kinderboekenschrijver en ik maal er ook niet zo erg om. Ik maal wel om rechtvaardigheid. Ik erger me als er weer eens laatdunkend wordt gedaan over kinderboeken, alsof het geen teksten zouden zijn, maar speeltjes of leermiddelen. Ik sta ook op het punt om mijn lidmaatschap van de Maatschappij der Nederlandse Letterkunde op te zeggen. In al hun periodieken wordt nooit met één woord gerept over kinderboeken, niet over oude en niet over nieuwe.'

Wanneer het belang van de jeugdliteratuur in het geding is, heeft Imme Dros zich altijd geroerd: scherp van tong en pen. Zes jaar was ze voorzitter van de Werkgroep Kinderboekenschrijvers van de Vereniging voor Letterkundigen. In 1992 eindigde ze een betoog over de toekomst van het kinderboek met de klassiek getinte uitsmijter: 'En overigens ben ik van mening dat er een universitaire leerstoel kinder- en jeugdliteratuur moet komen.' Maar toen die leerstoel in Leiden werd ingesteld en op zeer wankele financiële pootjes bleek te moeten staan, kreeg staatssecretaris Rick van der Ploeg er tijdens de Griffeluitreiking op 4 oktober 1998 van langs in een stapelverhaaltje:

'Dit is een leerstoel voor jeugdliteratuur.
Vijfduizend gulden per jaar, is dat duur
voor de leerstoel van AMG Schmidt?
AMG Schmidt die weet het niet.
Staatssecretaris Rick van der Ploeg,
Geeft u het kinderboek straks wel genoeg?'

Twee jaar later zal ze erop terugkomen in de eerste Annie Schmidt-lezing: 'Het is een bijzonder leerstoeltje en dat is het.' Met *De kleren en de keizer* houdt ze een typisch Drossiaans betoog, dat handelt over Odysseus, Hamlet en Repelsteeltje, over Gijsbrecht van Aemstel en Sebastiaan de spin. En als altijd draait het vooral om de vraag wat er staat 'op de wijze van de taal'.

Na de vertaling kwam de beoogde bewerking voor jongeren er toch nog met *Odysseus: een man van verhalen* (1994). De gebeurtenissen worden gezien door de ogen van steeds een andere verteller. Zo ontstaat het beeld van de godenvergadering op de Olympus uit de door Hermes opgestelde notulen, inclusief agenda en rondvraag. Pallas Athene verslaat het resultaat van haar bemoeienissen met Odysseus en Telemachus via een soort draadloze telefoonverbinding met de Olympus: 'Zeus, Athene hier.' En het is Telemachus die de moord op de vrijers van Penelope mag vertellen. Volwassen worden is het accent dat Dros in haar bewerking heeft willen aanbrengen, door extra aandacht te geven aan de zoon die zijn vader alleen kent als de held uit de verhalen.

'Je vader was een bijzonder kind en dat was hij,' zegt de oude voedster met een oer-Hollandse knipoog.

> We vechten naast elkaar. Mijn vader en ik en opeens weer met vier man. De vrijers sneuvelen. Ik voel een schrijnende pijn aan mijn pols, let er niet op. We vechten. Er zijn minder vrijers. De vloer is glibberig van het bloed. Ik probeer niet te luisteren naar het akelige geluid waarmee mannen sterven. Ik vecht. We vechten. Ik ben bang en ik vecht, ik ben gelukkig en ik vecht, ik voel haat, medelijden, razernij en verrukking en ik vecht. Ik vecht naast mijn vader.
> Uit: *Odysseus: een man van verhalen*

Hier is een bewerker aan de slag die boven de materie staat en er haar eigen spel mee speelt. Op een vergelijkbare manier vertelde Dros Vergilius' verhaal over Aeneas opnieuw en stak ze belangrijke mythen in een nieuwe literaire jas, zoals die van Perseus, Heracles, Iason en Medea. Lang is de schrijfster doende met alles over de mythische figuren bijeen te garen, om vervolgens de verschillende gebeurtenissen en ontwikkelingen naar haar eigen verhaallogica en in haar eigen versvorm te ordenen.

Iets vergelijkbaars is aan de orde met de toneelstukken die Dros sinds een jaar of tien schrijft. Het zijn bewerkingen van sprookjes of van eigen boeken, waaronder *De Maan en de Muizenkoning* en *Koning Odysseus*. Toneel schrijven was een oude en diepe wens en het theater is haar met de paplepel ingegoten. Oma speelde ooit Kniertje en vader en moeder Dros waren enthousiaste leden van de amateurclub Het Klein Toneel. Gerepeteerd werd er in het verenigingsgebouw naast de bakkerij, en als het even kon sloop Imme daar stiekem binnen. Er kwamen stapels stukken het huis in die gelezen moesten worden en de oudste dochter las gretig mee, hoe slecht die teksten ook waren.

Later verslond ze Shakespeare, Shaw, Anouilh en Ayckbourn, voor haar een heerlijke manier van lezen omdat het zo snel gaat: 'Al dat overbodige gedoe van hoe iets eruitziet omzeil je. Je hebt meteen dialoog!' Tijdens haar studie won ze de eerste prijs in een toneelschrijfwedstrijd met een eenakter over de Bijbelse figuur Ruth. Ook deed ze toelatingsexamen voor de toneelschool. Ze werd afgewezen en koos toen dramaturgie als bijvak.

Laat in haar carrière kon Dros alsnog haar oude liefde omarmen. Dat begon toen Rinus Knobel van de toenmalige jeugdtheatergroep Teneeter vroeg om een toneelversie van *Annetje Lie*. Met groot gemak blijkt de schrijfster in haar eigen proza te kunnen schuiven en snijden ten behoeve van de wetmatigheden binnen het theater. En de verhalen van anderen zet ze met verve naar haar hand. In *Kleine, kleine zeemeermin* voeren moeder en dochter zeemeermin een door de inzichten van de moderne psychologie gekleurde strijd om de knappe aangespoelde drenkeling. De vergeefse liefde van een zeemeisje voor een landman is even hartverscheurend als bij Andersen en wordt door het koor aldus bezongen:

liefde, ik weet wel hoe liefde moet
en hoe zoet die is en hoe zeer die doet
hoe die komt en gaat als eb en vloed
dun als het water, diep als de zee
niemandsland tussen wel en wee
liefde, ik weet wel hoe liefde moet
en hoe zoet die is en hoe zeer die doet
hoe die klopt en bonst in hart en bloed

dun als het water, diep als de zee
niemandsland tussen ja en nee
liefde, ik ken de liefde zo goed
ik kijk in de as en denk aan de gloed
en hoe zoet die was en hoe zeer die doet
ik ken de liefde voorgoed
Uit: *Kleine, kleine Zeemeermin*

In het Grimmsprookje van Repelsteeltje moet de molenaarsdochter voor de koning goud uit stro spinnen. Dat lukt met behulp van een aardman, aan wie ze in ruil haar eerstgeborene belooft. Met een interessante dramaturgische ingreep maakte Dros van de koning en de aardman één figuur. Vermomd als gedrochtelijk kereltje stelt de koning zijn geliefde op de proef en laat hij haar ontrouw zijn met zijn alter ego. Al bijna haar hele leven is de schrijfster geïntrigeerd door de raadselachtigheid van dit verhaal: 'Als kind gruwde ik van het einde, waar dat mannetje zich op een rotmanier in tweeën scheurt. Daar kon ik niet van slapen, dus in mijn hoofd veranderde ik dat dan. Voor de Hartstichting maakte ik eens prozagedichten van verschillende sprookjes: *Grimmige gedichten*. Daar kwam Repelsteel weer op de proppen en ik brak me het hoofd over de vraag waarom die toch zijn naam wil laten raden. Toen vroeg Teneeter om een operalibretto voor muziek van Bernard van Beurden, en weer diende Repelsteel zich aan. Ik kreeg beperkte mogelijkheden: drie zangers en drie spelers die de koning, het meisje en de molenaar moesten verbeelden. Voor een monster was geen plaats, waardoor ik uiteindelijk bedacht dat de koning een dubbelrol zou moeten spelen. Alleen op die manier kan hij die vrouw krijgen, en dat hele stomme figuurtje dat uit de grond komt slaat nergens op.

Nog weer later las ik in een gedicht de regel "de wind is van de leenheer". Wie een molen had op het land van de leenheer moest hem daarvoor betalen. En ook was er het gegeven van de heer die de eerste nacht van elke bruid mocht hebben, waardoor onduidelijk bleef van wie het kind was. Zo kreeg dat verhaal eindelijk logica. Het beantwoorden van zulke vragen is voor mij een belangrijke drijfveer, niet alleen om te schrijven, ook in de relaties en de gebeurtenissen uit mijn eigen leven.'

Wie het werk van Imme Dros overziet krijgt de indruk van een productief, rijkgeschakeerd en gedreven schrijverschap. Kenmerkend voor alles wat ze schrijft is de zorgvuldigheid waarmee ze haar verhalen vormgeeft, de kracht van de dialogen en de poëzie van de taal. Daarbij heeft ze een voorliefde voor extreme figuren, een scherp oog voor het hilarische en de gave om over iets zwaars op luchtige toon te berichten. Het paard Rudolf zei het al: 'Met je rug naar de mesthoop zie je alleen mooie dingen.' Dit alles resulteert uiteindelijk in een zekere afstandelijkheid, zodat je je als lezer wel eens afvraagt: wie is Imme Dros nu eigenlijk?

Het boek dat haar het dichtste op de huid zit, is ongetwijfeld *Annetje Lie in het holst van de nacht*. Eenzaamheid, angst en machteloosheid vinden hun perfecte vorm in een even raadselachtige als herkenbare verhaalwereld, vol sprookjesachtige figuren en nachtmerrieachtige gebeurtenissen. Door de tijdloosheid van de angsten en fantasieën uit de kinderkamer heeft het boek het in zich om tot de klassieken van de jeugdliteratuur te gaan horen. Het boek waarin Dros zich het meeste laat kennen is eerder *De reizen van de slimme man*. Hierin komen alle draden uit haar leven en werk samen: Homerus, de oorlog, de liefde voor de zee en voor de taal. Met zijn rijk geworden ouders verhuist Niels van een Amsterdams bovenhuis naar een Wassenaarse villa. Daardoor verliest hij het contact met de oude meneer Frank, een dierbare buurman die vaak op hem paste. Deze deed geen stap zonder een beduimelde Homerus onder zijn arm, waaruit hij vertelde en in het Grieks voorlas. Op het ritme van de hexameters beleefde Niels zijn eigen avonturen:

> Ik lag te luisteren. Aan zijn stem kon ik horen wat er gebeurde, ik hoorde de branding van de zee, het klotsen en het kabbelen van het water rondom de boeg van de schepen, het ritselen van gras en bladeren, het zachte blaten van schapen in de verte en het fluisteren van de mannen. Mijn hart begon te bonken als er gevaar dreigde en gevaar dreigde er elke keer.
> Uit: *De reizen van de slimme man*

Na de dood van meneer Frank erft Niels het boek en beheerst Homerus zijn dagen: op de surfplank waant hij zich tussen de Griekse roeiers en de mooie buurvrouw vervloeit met de beeldschone Helena. De *Odyssee* zet Niels op het spoor van de literatuur en de geschiedenis, maar voert hem ook terug in zijn eigen geschiedenis en in die van meneer Frank, die als onderduiker complete Griekse teksten uit zijn hoofd leerde.

Net als een aantal andere belangrijke boeken uit Dros' oeuvre is *De reizen van de slimme man* een adolescentenroman, die handelt over onzekerheid, angst voor de toekomst, vage verliefdheden en de wisselende neiging tot verzet en conformeren. Net als Flip in *De trimbaan* en Jim in *De witte boot* heeft Niels iets wezenlijks uit te zoeken, is inzicht in wat is geweest voorwaarde om verder te kunnen. Niels, Flip, Jim en uiteraard ook Daan List zijn doende met hun eigen Odyssee, hun omzwervingen naar volwassenheid. Maar van dit adolescentengezelschap zondert Niels zich af door zijn gedachten over taal, over lezen en schrijven. In een meeslepende passage, waarin Niels tussen de Griekse roeiers de golven van de wijnkleurige zee slaat, maakt Dros tastbaar wat identificatie betekent. Ze laat haar hoofdpersoon worstelen met zijn weerbarstige geheugen en met de onmogelijkheid van een goede eerste zin voor wat hij vast wil leggen. Ze laat hem inzien dat de werkelijkheid niet zonder verzinsels kan, zoals een verhaal niet zonder iets van de werkelijkheid kan. En uiteindelijk laat ze hem de woorden vinden die alles voor hem zullen vasthouden, zolang als hij wil.

Niels zal net als Imme schrijver worden: 'Pas toen er een boek verscheen en ik daar geld mee verdiende durfde ik te zeggen dat ik schrijver was. Dan zei ik trouwens: ik schrijf kinderboeken. Dat klonk iets minder pretentieus. Nu noem ik mezelf gewoon schrijver, zelfs tegenover de koningin. Jaren geleden werd ik uitgenodigd bij het Koninginnedagconcert op paleis Noordeinde. Er verscheen een lakei. Die klapte in zijn handen en vertelde dat we naam en functie moesten zeggen wanneer we aan de koningin werden voorgesteld. Zat ik daar te denken wat ik eigenlijk ben: vrouw, moeder, grootmoeder... Maar toen ik voor haar stond, was het eruit vóór ik het wist: Imme Dros, schrijver.'

Peter van Gestel

Wat je ziet ben ik niet

Wie met Peter van Gestel in gesprek raakt, waant zich gemakkelijk in een van zijn boeken. Achter de slungelachtige gestalte in spijkerbroek en het grijs geworden jongenshoofd schemeren Van Gestels door de stad sjokkende pubers, en in zijn jolige, soms wat narrige opmerkingen klinkt hun dwarsheid door. Precies als veel van zijn verhaalfiguren verschuilt de auteur zich graag achter half afgemaakte zinnen, langs de vraag heen scherende antwoorden en gedetailleerde herinneringen aan de dierbare boeken uit zijn kindertijd. Hier is onmiskenbaar de schrijver van zijn eigen werk aan het woord.

Schrijven moet voor Van Gestel altijd van eenzelfde orde zijn geweest als eten en slapen. Zijn vader kende hij nauwelijks anders dan achter de schrijftafel, zijn jonggestorven broer Marcel was aankomend dichter en zijn eigen toneelstukjes werden al opgevoerd toen hij een jaar of tien was. Hij schreef een kleine honderd hoorspelen en bewerkte talloze romans en verhalen tot filmscript voor de televisie. Op zijn vierentwintigste debuteerde hij met een verhalenbundel voor volwassenen en op zijn tweeënveertigste als schrijver voor kinderen. Daarna groeide zijn jeugdliteraire oeuvre uit tot een kleine twintig titels, met als voorlopige hoogtepunten *Mariken* (1997) en *Winterijs* (2001).

Ook in het werk hebben schrijven en boeken een goed zichtbare plaats. Wie met vakantie gaat, zeult een koffer vol leesvoer mee en er wordt met overgave in dagboeken gepend. Middeleeuwse Mariken leert de eerste omtrekken van de grote wereld kennen uit een handgeschreven volksboek, en als lezer zijn we er getuige van hoe een wagenspeler het naar haar genoemde en klassiek geworden mirakelspel ter plekke verzint. Een oude vrouw weet haar uithuiszetting te voorkomen door haar knorrige huisbaas dagelijks een verhaal uit haar jeugd te vertellen en een van Van Gestels vele introverte personages gebruikt de vierregelige versvorm om nu en dan een glimp van zichzelf te laten zien, of zoals hij literair onderlegd persifleert: 'Alleen in mijn kwatrijntjes kan ik wonen.'

> Mijn vader noemt zichzelf een krabbelaar, andere mensen zeggen dat hij schrijver is. Helemaal goed bij zijn hoofd is ie in ieder geval niet. Hij zegt bijvoorbeeld: 'Ik kan alleen nadenken als ik schrijf.' Dat soort onzin. Ik wil later geen schrijver worden, dat is niets voor mij. Een heel boek bij mekaar verzinnen – 't lijkt me een rotwerkje, je krijgt er een kromme rug van en je hebt nooit es tijd om domino met je zoon te spelen.
> Uit: *Winterijs*

Toch werd het schrijverspad niet direct in geslagen, want Van Gestel wilde aan het toneel. 'Voor mij was het van jongs af aan duidelijk dat ik acteur zou worden. Mijn vader had vóór de oorlog ook een tijd op de planken gestaan en ik schitterde op het schooltoneel. Stapelgek was ik op theater, zelfs als ik er maar de helft van begreep. Op mijn elfde zat ik al in de schouwburg en zag er de grote stukken, waaronder veel Shakespeare. *King Lear* is natuurlijk niet echt iets voor een kind, toch herinner ik me fijne enge dingen, zoals een met veel gekreun uitgerukt oog.

Ik werd toegelaten tot de toneelschool en er twee jaar later weer afgegooid. De ambitie had ik zeker, maar geen bijzonder talent. Ik heb nog wel een paar jaar gespeeld, want voor het brood op de plank was dat het enige fatsoenlijke waar ik toe in staat was. Ook als hoorspelacteur bleek ik niet goed genoeg. Natuurlijk was ik teleurgesteld, maar zo ging dat nou eenmaal: soms zat het even mee in het leven, maar vaker niet en ik was niet zwaarmoedig van aard. Ze hebben het ook wel goed gezien. Je moet iets extraverts hebben en het gevoel dat mensen het heerlijk vinden om jou te zien. Dat is niet aan te leren, dat heb je of dat heb je niet en er is weinig tragischer dan een C-acteur.'

> 'Ja, Mariken,' zei Joachim, 'en toen dacht ik: hee, ik ben een meisje. In een kist vond ik oude kleren van Griet. Ik trok een te lange rok aan, ik sloeg een kleurige doek om mijn hals, ik stak bloemen in mijn haar en maakte kleine pasjes. O, ik voelde me zalig. Het was zo aardig een meisje te zijn. Tien keer per dag verkleedde ik me. Binnen twee tellen veranderde ik van een sierlijk jonkvrouwtje in de Duvel en van de Duvel in een dappere ridder – ik vocht met draken, ik huilde als een meisje, ik krijste

als de Duvel. Pas als ik moe was, werd ik weer mezelf.'
'Wie was dat – mezelf?'
'Een hongerig jongetje, een slaperig jongetje, een lui jongetje – niets aan te beleven.'
Uit: *Mariken*

Peter van Gestel werd in 1937 geboren in Amsterdam, waar hij zijn hele leven is blijven wonen. Tijdens een van de jaarlijkse jeugdliteratuursymposia aan de Universiteit van Tilburg vertelde hij over de stad van zijn jeugd als de plek waar hij zich 'suf heeft geautopet', waar hij voor het eerst naar de Cineac ging en waar Sinterklaas soms als gewoon mens op het achterbalkon van een overvolle tram stond. Tekenend voor een ontluikend schrijverschap is hoe het bewustzijn van zijn geboortestad pas ontstond toen de kleine Van Gestel in de hongerwinter met andere te magere kinderen een tijdje in Friesland werd ondergebracht. 'Hoe verder weg en geheimzinniger Amsterdam werd, hoe vaker ik aan Amsterdam dacht. Ik schepte eindeloos lang op over die stad: het werd een magische plaats waar ik iets van wist en de anderen niets van wisten. Mijn nieuwe broertjes Jan en Siep en mijn helemaal spiksplinternieuwe zusje Aaltje wilden alles over die toverplaats weten en ik vertelde ze waanzinnig veel over Amsterdam: er reden treinen door de straten, stoomboten voeren door de grachten en er brandden zoveel lantaarns dat het er 's nachts bijna lichter was dan overdag. Ze luisterden ademloos, ikzelf vond mijn eigen verhalen ook prachtig.'

Zijn jeugd ziet de schrijver niet als de mooiste tijd van zijn leven. Hij was een slim, maar lastig kind met een koortsig soort fantasie, waarvan hij in trance kon raken. Hij verzon verhaaltjes en speelde die, met bijbehorende verkleedpartijen. Meestal waren ze droevig, zoals over keizer Ronaldo, die wel kinderen, maar geen vrouw wilde. Al toen hij een kleuter was, dacht zijn moeder dat het niet goed met hem af zou lopen en nam ze hem mee naar de psychiater. Iets daarvan zal later terug te vinden zijn in *Het meisje zonder muts* (1982).

Op zijn oudere broer Marcel was Van Gestel dol, maar een vijf jaar jonger broertje is vaak alleen maar lastig en Marcel onttrok zich zoveel mogelijk aan de spanningen in het gezin. 'Ik denk niet dat mijn vader me vreemd vond. Misschien merkte hij het niet, want hij was een dromer en zat bovendien altijd te schrijven. Maar de relatie met mijn moeder was gecompliceerd. We konden niet goed tegen elkaar. Ze was regelmatig op het randje van overspannenheid en wanneer ze bij moest komen van me werd ik uitbesteed, in de raarste gezinnen of in zo'n akelig kindervakantiehuis. Overigens onderging ik moeilijke situaties met een zekere vanzelfsprekendheid, wat waarschijnlijk mijn redding is geweest.'

> 'Ze hebben mijn boeken afgepakt,' zei Felix terwijl hij een groot bord aan het afdrogen was, 'dat is gemeen, nou heb ik straks in bed niks te lezen.'
> 'In bed wordt hier niet gelezen,' zei Gerda snauwerig. 'In bed wordt hier gelegen en geslapen, in bed wordt hier niet gesnurkt, en er wordt hier zeker niet in bed geplast.'
> 'Maar morgen had ik toch kunnen lezen,' zei hij. 'Ik ben hier toch voor mijn lol.'
> 'Morgen ga je wandelen,' zei Gerda, 'van je een twee drie, en dan wordt er gezongen, en dan kijken de mensen naar je en dan denken die mensen: ach, daar lopen die vrolijke gelukkige kinderen van Vreugdevol. Begrijp je?'
> Uit: *Kleine Felix*

Wat Van Gestel wel betreurt, is dat hij de intensiteit is kwijtgeraakt waarmee hij dingen onderging: 'Ik kon bezeten zijn van een schrijver en wilde dan alles van hem lezen. Geld om boeken te kopen was er

niet. Het liefste ging ik naar zo'n kantoorboekwinkel, waar je stokoude gekafte boeken kon lenen. Censuur bestond daar niet en ik mocht er bijvoorbeeld alle Van Abkoude's lezen die in de openbare bibilotheek verboden waren. Als ik nu een Nederlandse klassieker zou moeten noemen, dan werd het *Pietje Bell*. Van Abkoude doorbrak de braafheid in het vaderlandse kinderboek en durfde een schelm neer te zetten, die bovendien honderd jaar na verschijnen nog wordt verkocht. Dat is in ons land een fenomeen op zich. Alles van Nienke van Hichtum las ik en Kieviet ook wel, maar dat is toch een moralist en dat had ik blijkbaar algauw in de gaten. En Pinokkio vond ik schitterend. Het heeft iets duisters en grofs en dat brave eind, daar geloofde ik helemaal niet in. Je voelt aan alles dat de auteur dat zelf ook niet deed.

Mijn grootste liefde gold waarschijnlijk *Bruintje Beer*. Naast hem is Tom Poes een levendig, welbespraakt persoon en een saaiere held is er niet te verzinnen – 'Gered, gered, dankzij mijn autopet!' – maar wat was het fijn griezelig en raar: in een vliegtuigje zitten en in de middeleeuwen landen. Ik hield ook van de huiselijkheid, las graag dat de held zat te ontbijten met zijn ouders. Het positieve van mijn kindertijd zit in verhalen en plaatjes, en die magie is niet meer terug te vinden.'

> Op de rommelmarkt had mijn vader voor mijn tiende verjaardag een stelletje oude kinderboeken gekocht. Het is een mooi torentje bij het voeteneind, het boek waarin ik aan het lezen ben, ligt altijd lekker warm onder het kussen. Ik ben dol op oude boeken. Ze ruiken fijn en gaan vaak over arme dorpskinderen – vader werkt op het land of in de fabriek, verdient vier gulden per maand en moeder ligt ziek in de bedstee. Ik ben ook dol op oude meisjesboeken. Lekkere tuttebollen zijn de meisjes daarin, ze dragen mooie jurkjes van fluweel en kant, ze zijn lief voor mams en paps en kleine broer. En ze zijn guitig. In het echt kun je zulke meisjes nergens vinden.
> Uit: *Winterijs*

Aan de lagere school heeft de schrijver geen slechte herinneringen, maar de middelbare school vond hij een gevangenis. Vier jaar deed hij over de driejarige hbs: 'Ik wou altijd de stad in en dus spijbelde ik. De briefjes die je dan moest laten zien schreef ik zelf. Wanneer ik eens een keer echt ziek was geweest en ik kreeg een briefje van mijn moeder mee, moest ik dat overschrijven, anders viel het verschil in handschrift op. Ik zat eeuwig in de bioscoop. Eerst van half tien tot half twaalf naar de Cineac, vervolgens naar de Luxor tot half twee en ten slotte naar

Royal tot een uur of vier. En dan naar huis, na een dag hard werken... Als ik niet genoeg geld had, jatte ik uit mijn moeders portemonnee. Mijn ouders hebben het allemaal nooit geweten.'

> Even later was het precies kwart over acht en verbaasd constateerde Ko dat hij niet naar school fietste. Altijd had hij gedacht dat spijbelen iets was waarvoor je koos. Nooit had hij geweten dat het iets kon zijn dat vanzelf gebeurde. Dat laatste was bij hem nu het geval. Via deze weg die hij ongewild had gekozen, zou hij nooit zijn school bereiken. Over een kwartier zou hij een spijbelaar zijn. Dapper fietste hij verder.
> Uit: *Uit het leven van Ko Kruier.*

REINA PRINSEN GEERLIGSPRIJS

In 1962 debuteerde Van Gestel met de verhalenbundel *Drempelvrees*. Hij was enigszins thuis in de literaire wereld, had vrienden die al publiceerden en probeerde zich na de mislukte acteurscarrière te richten op het schrijverschap. Wat zijn ambitie eigenlijk was, vindt hij moeilijk te zeggen: 'Dat is zo'n zweverig begrip. Wat je doet is je ambitie. Als je begint aan een boek, dan is het je ambitie om dat zo goed mogelijk te schrijven en daar kun je dan helemaal in wegraken. Ik heb wel precies de twee dingen gedaan die mijn vader ook deed. Hij was mijn voorbeeld, maar ook mijn schrikbeeld. Hij schreef toneel in een tijd dat er weinig Nederlands repertoire werd gespeeld. Hij produceerde het ene na het andere wereldvreemde stuk en hij kende wel veel mensen, maar niemand gaat je spelen of uitgeven alleen omdat hij je toevallig kent. Dus toneelschrijver ben ik maar niet geworden, want twee jaar met een stuk leuren, dat schiet niet op.'

Drempelvrees werd bekroond met de Reina Prinsen Geerligsprijs, een debutantenprijs, waarvoor je een manuscript instuurde. Had je die prijs gewonnen dan was je zeker van publicatie: 'De heren uitgevers zaten bij de prijsuitreiking. Er was iemand van de Wereldbibliotheek die de hele receptie achter me aan holde met een contract. Reinold Kuipers van Querido deed dat chiquer: hij feliciteerde mij en gaf me zijn kaartje. Het was trouwens wel een regentenprijs: het bestuur en de jury gingen uit eten, maar daar was ik niet voor uitgenodigd! De rij schrijvers waar ik in terechtkwam, met als eerste Reve en *De avonden*, was natuurlijk heel mooi. Nooit heb ik later nog grotere opwinding over een prijs gevoeld. Het is de eerste keer dat je serieus wordt genomen en herkend als schrijver. De Staatsprijs was prachtig, maar toen had ik al een oeuvre en was ik negenenzestig.'

De kersverse schrijver was inmiddels vijfentwintig en had een vrouw en een dochter. Voor zijn bundel kreeg hij honderd gulden voorschot en de prijs leverde tweehonderd op, maar zelfs in die tijd was dat niet echt een gezinsinkomen. Bij de radio kreeg hij de kans om zijn schrijfambities tegen een redelijk salaris vorm te geven. Hij werkte voor de schoolradio en het programma *Literama*. Het belangrijkste was echter het schrijven van een kleine honderd hoorspelen, waarvan *Laura* in 1969 de hoorspelprijs van de BRT/NRU in de wacht sleepte. Het ging veelal om series, zoals een bewerking van *De laars op de nek* van Maurits Dekker in dertig delen. Hier moet de basis gelegd zijn voor wat het latere schrijverschap zou kenmerken: een dramaturgisch heldere verhaalopbouw en springlevende personages, van wie de karakters zich aftekenen in onnavolgbare dialogen.

In 1973 vroeg het toenmalige hoofd drama bij de NCRV-televisie Wim Hazeu hem om daar als dramaturg in dienst te komen. Hij zou er twintig jaar blijven, beoordeelde en redigeerde stukken van anderen en ontwikkelde dramaprojecten. Zelf bewerkte hij romans van Johan Fabricius, Ina Boudier-Bakker en Herman de Man. 'Voor die series móésten ze mij vaak wel de opdracht geven. Tegenwoordig vind je scenaristen op elke hoek van de straat, maar toen was er een grote schaarste. Zo'n boekbewerking ging niet al te precies. *Armoede* van Boudier-Bakker vond ik een ontzettend gezemel, met beroerde dialogen, dus daar kon ik me niet echt aan de tekst houden. Ik werd eens geïnterviewd naar aanleiding van *Het wassende water* van Herman de Man. De interviewer merkte op dat mijn versie nogal afweek van het boek, waarop ik antwoordde dat ik daar niet over kon oordelen, omdat ik het helemaal niet gelezen had. Dat was een grapje, maar het drukt wel iets uit van hoe je als bewerker toen dacht.'

BLAUW GERUITE KIEL

Naast zijn werk voor radio en televisie had Van Gestel nog een aantal verhalenbundels en een roman gepubliceerd, toen Karel Eykman hem vroeg eens iets te schrijven voor 'De Blauw Geruite Kiel', de kinderrubriek van *Vrij Nederland*. Het was helemaal zijn wereld niet. Hij had nooit voorgelezen, nooit verhaaltjes verteld op de rand van het bed en zijn (inmiddels tweede) vrouw was ervan overtuigd dat hij helemaal niet voor kinderen zou kunnen schrijven. Het bleek mee te vallen, want de stukjes voor *Vrij Nederland* verschenen in 1979 gebundeld onder de titel *Schuilen onder je schooltas* bij uitgeverij De Fontein. Ze werden door de Griffeljury onmiddellijk gehonoreerd met een Vlag en Wimpel.

In elk geval had zich een kinderboekenschrijver aangediend met een eigen stem, met een scherp observatievermogen en met gevoel voor humor. Negenjarige Tom woont alleen met zijn moeder en ontmoet nogal vreemd uitgevallen volwassenen, onder wie een opgeblazen acteur, een treurige voetbalcoach, een truttige bibliotheekjuf en een doorgedraaide ex-onderwijzer. De jongen beziet hun gedragingen met vriendelijke verbazing en Van Gestel weet een aantal hilarische scènes te schrijven, onder andere wanneer Tom voor het eerst geconfronteerd wordt met betaald plassen: '"Hé, kerel," zegt de man, als Tom alweer bijna veilig op de gang is, "vergeet jij niet iets?" Hij wijst met een bijzonder grote vinger naar het schoteltje. Tom is bescheiden. Voorzichtig neemt hij een dubbeltje van het schoteltje, de kwartjes laat hij met rust. "Dank u vriendelijk," zegt hij beleefd.'

Uit de vrijheid van Toms denken en handelen wordt duidelijk dat in de jeugdliteratuur een paar jaar tevoren het tijdperk van Guus Kuijer is aangebroken. In de rake schets van de personages is Carmiggelt nooit ver weg en vaak is de volwassen auteur nog wel erg zichtbaar in het kind dat hij portretteert. Toch tekent zich al veel af van wat later typisch Van Gestel zal blijken te zijn. Net als Tom zullen de meeste hoofdpersonen intelligente eenpitters zijn, eenzame kinderen met de drang tot relativeren, die vanaf de zijlijn het menselijk bedrijf met verbazing gadeslaan. Wat daarbij opvalt is hun onverstoorbaarheid, hoe bevreemdend en onaangenaam de situaties ook zijn waarin ze verzeild raken.

Direct in het oog springend zijn de dialogen die Van Gestels handelsmerk zullen worden. Met name exemplarisch is een krankzinnig non-gesprek tussen Tom en zijn veel oudere neef, waar vraag en antwoord geen enkele relatie met elkaar hebben. Terwijl Tom zijn neef de beginselen van het schaakspel probeert te ontfutselen, is neef gefixeerd op de vraag of de jongen al aan meisjes doet.

Het systeem in *Schuilen onder je schooltas* bestaat erin dat een kind door de wereld wandelt en ontmoetingen heeft die zowel spanning en avontuur met zich meebrengen als iets duidelijk maken over het menselijk bedrijf dat leven heet. Mogelijk heeft hier Van Gestels lievelingsboek *Pinokkio* model gestaan. De marionet immers begint blanco aan zijn omzwervingen richting menswording, daarbij begeleid en vaker nog afgeleid door een kleurrijk gezelschap dat zorgt voor opwinding en vermaak. Zoiets zien we later ook terug bij *Mariken*, die een wel zeer onbeschreven blad is wanneer ze het bos van haar kindertijd verlaat om de grote wereld in te gaan. En ook poes Stientje uit *Slapen en schooieren* is zo'n onbevangen figuur die zich de geheimen van de huisdierlijke samenleving met schade en schande eigen maakt, bijgestaan door de onbeholpen straathond Japie en de oude kat Sheherazade, die het zo hoog in haar pluizige bol heeft dat ze weigert muizen te vangen.

> Sheherazade bekeek Stientje zeer koel. 'Begrijp jij iets van jezelf, meisje?'
> 'Nee,' zei Stientje. 'Begrijpt u iets van jezelf?'
> 'Van uzelf,' zei Sheherazade. 'Ja, ik begrijp het een en ander van mezelf. Alleen – dat ga ik jou niet aan je neus hangen, een prinses moet een geheim blijven.'
> 'Wat is een geheim voor iets?'
> 'Nu ben je al weken hier,' zei Sheherazade, 'en nog stel je domme wat-is-dat-voor-iets-vragen. Een geheim is iets dat anderen niet mogen weten.'
> 'Bent u iets dat anderen niet mogen weten?'
> 'Pardon?'
> 'Eh – ik zie u toch.'
> 'Wat je ziet ben ik niet. Dat is het misverstand. Wat ik echt ben, wat ik voel, hè, dat kan niemand zien.' Sheherazade strekte haar hals, wees met haar kin omhoog – groter dan ooit was ze.
> Stientje boog haar kop. 'Ik ben geloof ik precies wat ze zien,' fluisterde ze. 'Ik ben nog te klein om een geheim te zijn, hè?'
> Uit: *Slapen en schooieren*

PINOKKIO VERSUS *Oorlog en vrede*

Van Gestel schreef zijn eerste kinderverhalen met plezier en het boek werd redelijk verkocht, dus waarom zou hij er niet mee doorgaan? 'Ik vond het niet gemakkelijker of moeilijker dan schrijven voor volwassenen. Toch is een kinderboek op een bepaalde manier eenvoudiger. *Pinokkio* vind ik schitterend, maar je kunt het niet vergelijken met *Oorlog en vrede*. Tegelijkertijd zijn er heel wat auteurs voor volwassenen die hun tanden hebben stukgebeten op een kinderboek, waaruit blijkt dat het een vorm is die je je secuur moet eigen maken. Ik heb nooit het gevoel dat ik me moet richten op kinderen, maar een kinderboek is wel een vorm waar je voor kiest. Dat brengt beperkingen met zich mee en dat is nou juist de aardigheid. Valkuil van het kinderboek is vooral de zichtbare bedoeling. Vaak draaien auteurs een verhaal zó dat ze iets duidelijk kunnen maken. Daar ben ik niet dol op. Ik houd meer van vrijblijvendheid. Je moet als schrijver geen dingen willen bedoelen. We wonen toch al in zo'n prekerig land, waar bijna iedere minister en elke komiek een dominee is.'

Of een boek voor kinderen geschikt is, wordt volgens de auteur niet bepaald door de inhoud, de thema's en de motieven. Hij vindt dat je over bijna alles kunt schrijven. De moeilijkheid is ook niet zozeer wat er op het niveau van de taal staat, maar eerder wat wordt weggelaten, datgene waar kinderen zelf tussen de regels naar moeten zoeken. 'In een goede dialoog speel je als schrijver een spel waarbij je mensen iets anders laat zeggen dan ze bedoelen. Een dialoog moet een beetje verneukeratief zijn, anders is hij niet spannend, terwijl kinderen liever man en paard genoemd willen zien. Thea Beckman bijvoorbeeld schrijft behoorlijk ingewikkelde zinnen, maar in haar dialogen worden gewoon balletjes heen en weer geslagen. De suggererende dialoog is voor onervaren lezers moeilijker dan een eindeloze samengestelde zin, vol dikke sentimenten. *Paddeltje* van Johan Been is opgetrokken uit de meest ingewikkelde zinnen, maar ik heb het vroeger met het grootste gemak gelezen. Nu sla ik hele stukken over in een boek, toen niet. Natuurlijk las ik op de handeling en het avontuur, maar toch had die rare taal ook een bepaalde charme en van alle omslachtige, gedragen zinnen heb ik nooit last gehad.

Het is me pas opgevallen toen ik zo op mijn elfde Carmiggelt begon te lezen, elke dag in *Het Parool*. Dat was mijn eerste bewuste taalervaring. Ik vond hem sensationeel, vooral ook omdat hij slapstick in taal wist om te zetten, waardoor ik hetzelfde gevoel kreeg als bij bepaalde films. Direct daarna kwam Tsjechov. Wanneer je dat leest, vraag je je af waar al die kinderboeken voor nodig zijn. Leg maar eens een hoofdstuk van Been naast een verhaaltje van Tsjechov, dan kun je Tsjechov vanwege zijn grote soberheid gerust de kinderboekenschrijver noemen.'

Een man met een pet blies keihard op een fluitje.
'Je moet nog iets zeggen,' zei ik.
'Wat moet ik zeggen? Ik heb geen idee,' [zei mijn vader.]
'Je moet zeggen: zul je braaf zijn?'
'Meen je dat? Ik weet niet eens wat het is.'
'Nou ja – als ik niet braaf ben, krijgt tante Fie grijze haren.'
'Ze heeft al grijze haren. Is dat jouw schuld?'
'Ja, dat is mijn schuld,' zei ik trots.
De trein schokte, stoom ontsnapte met een langgerekt gepiep.
'Ik wou dat ik dood was,' zei mijn vader. De trein reed langzaam weg.
'Zul je braaf zijn?' riep ik.

'Nee,' zei mijn vader, 'dat vertik ik.'
Hij hing uit het treinraam en wuifde naar me. Dat wuiven leek nergens naar. 't Was of hij een lastige vlieg bij zijn hoofd wegjoeg.
Uit: *Winterijs*

Van Gestel is zich onder het schrijven wel bewust van de bagage van de lezer: 'In *Winterijs* bijvoorbeeld moest ik bepaalde dingen over de oorlog duidelijk maken die ik bij volwassen lezers als bekend had kunnen veronderstellen. Het moeilijkste wordt het omstreeks de leeftijd van vijftien jaar. Daar begint het kinderboek een beetje onzin te worden. Dat gebied vind ik wel heel spannend: één stapje verder en het is een boek voor volwassenen. Dat stapje betekent een andere vorm, zelfs anders dan bij zo'n boek voor vijftienjarigen. Misschien had ik *Lieve Claire* voor volwassenen kunnen schrijven en was het interessanter geworden, maar het kan ook heel goed dat er veel aardigs verloren was gegaan. Wanneer je je eenmaal hebt uitgeleverd aan een vorm, kun je niet meer terug. Was *Winterijs* als manuscript van een onbekende auteur binnengekomen, dan was het waarschijnlijk als roman gezien.'

De beperking die kinderboeken met zich meebrengen kent de schrijver van zijn televisiewerk, waar hij rekening moest houden met tijdsduur, budget, genre, speelbaarheid en de wensen van de omroep. Beperkingen bevallen hem uitstekend, omdat in het wilde weg schrijven niet zijn beeld is van het vak. Wel zou hij best weer eens iets anders dan een kinderboek willen maken, maar ook al heeft hij daar alle tijd voor, toch doet hij het steeds niet: 'Wat zich bij me aandient kan eigenlijk niet anders dan op mijn manier en dus voor kinderen geschreven worden. Elke jeugdboekenauteur moet een zekere frustratie hebben over zijn niet-schrijverschap voor volwassenen. Tenslotte wordt dat genre altijd nog serieuzer genomen, net zoals een olieverfschilderij een trapje hoger wordt geplaatst dan een ets. Aan de andere kant ken ik heel wat auteurs die voor volwassenen het ene boek na het andere publiceerden en het niet gehaald hebben. Het enige wat rest, is met elkaar geportretteerd te worden in een trieste serie, zoals die ooit in *Vrij Nederland* verscheen. Misschien is het dan toch prettiger om een redelijk succesvol kinderboekenschrijver te zijn.'

Lang schreef Van Gestel zijn boeken naast zijn baan bij de NCRV. 'Zoveel tijd kost dat niet, hoor. Reve vertelde dat hij maar zo'n drie kwartier per dag echt schreef en de rest van de tijd een beetje in de weg liep! Je moet een enorme concentratie opbrengen en het echte "scheppen" houd ik niet langer dan een halfuur vol. Herschrijven en verbeteren is tijdrovend, maar dat is weer veel ontspannener werk. Talent is een begrip dat me niet zoveel zegt. Schrijven is meer een kwestie van doen en van volhouden. Tempo kunnen maken is een voorwaarde. Zelfs auteurs die ik volstrekt mallotig vind moeten die eigenschap nog hebben, anders is het niet te doen. Het talent is "dat het gaat", en de rest moet je zelf doen.

Aan iets nieuws beginnen is een ramp. Mensen denken vaak dat je gewoon gaat zitten schrijven totdat je klaar bent, maar ik weet meestal helemaal nog niet wat er gaat gebeuren. Een nieuw boek is niet zozeer een idee als wel een eerste pagina en daarna is er in mijn hoofd nauwelijks ruimte voor iets anders. Waarom je op een bepaald moment een bepaald boek schrijft, is nogal raadselachtig. Het is onbegrijpelijk dat ik het idee voor *Winterijs* niet eerder had. We woonden op de Lijnbaansgracht en mijn broer had een joodse vriend die in 1942 werd weggehaald. Ik kende hem goed en het gevoel dat hij weg was ook. Hij stierf in een kamp en zijn foto hing altijd bij ons thuis aan de muur. Natuurlijk heb ik het naar mijn hand gezet, die jongen vijf jaar jonger gemaakt, omdat hij bij mij moest passen, en hem laten onderduiken.

Eigenlijk wilde ik schrijven over een bloedhete zomer en een eerste liefde in Apeldoorn, waar ik wel eens met vakantie was geweest. Dan begin je en wacht wat er komt. Voor de hoofdpersoon Thomas had ik een vertrekpunt in Amsterdam nodig en ik wilde ook die koude winter vóór het zo heet werd even laten voelen. En daar kwam Zwaan de klas binnengewandeld. Die groeide al snel uit tot tegenfiguur. Thomas' moeder heb ik toen dood laten gaan, omdat hij ten opzichte van dat joodse weeskind ook een gemis moest hebben, wat herkenning en saamhorigheid zou kunnen brengen. Zo verdween Apeldoorn en kwam het verhaal in mijn eigen Amsterdam terecht. Het is natuurlijk een verdichting, de werkelijkheid van die dagen was voor mij te ver weg, maar de ene herinnering roept de andere op.

In een schrijverschap kan het bij wijze van spreken tijd voor een zeker boek zijn. Je kunt aan honderd andere verhalen beginnen, maar toch begin je aan dit ene. Ik wilde in die tijd verhuizen en liet om de een of andere reden een mooi huis schieten. Daar heb ik nog steeds spijt van, maar ik weet zeker dat ik dan *Winterijs* niet zou hebben geschreven en dat troost me. Na de verhuizing had ik ongetwijfeld weer een boek geschreven en misschien was het zoiets geworden als *Winterijs* en helemaal niet zo beroerd, maar je weet het niet. Als je van plan was om naar Parijs te gaan dan ga je gewoon later, maar zo'n boek is iets heel anders. Je kunt niet iets opschuiven waarvan je het bestaan niet kent. Je kunt achteraf vaststellen dat dit boek geschreven had moeten worden, maar van tevoren bestaat dat soort boeken niet.'

> Ik wil mijn verhaal vertellen – het verhaal van Zwaan en mij en van Bet en mij en van de kou en het winterijs in Amsterdam en van de dooi die aan alles een einde maakte. Hoe begin je een verhaal? En aan wie kun je het kwijt?
> Uit: *Winterijs*

Na een aantal boeken met kinderen in de hoofdrol introduceerde Van Gestel in 1984 met Ko Kruier zijn eerste puber, via korte columnachtige verhalen die verschenen in 'Goochem', de toenmalige jongerenpagina van *Het Parool*. De wiskundeleraar weet Ko mooi te typeren: 'Je bent een eigenaardig exemplaar van de menselijke soort, Kruier. Je ziet er bedrieglijk gewoon uit. En altijd maar verbaasd kijken, terwijl het enige dat je echt zou moeten verbazen, niet te zien is voor je: jezelf, Ko Kruier.'

Ko is een struikelend, met Woody Allen verwant jongmens dat beschikt over een grenzeloos vermogen om verliefd te worden. Met berusting en de nodige zelfspot wordt hij zich bewust van zijn licht ontvlambare aard. Verder observeert de veertienjarige de rond hem voortmodderende volwassenen – machteloze opvoeders en aan stress lijdende leraren – met opgetrokken wenkbrauwen. Niet alle verhaaltjes zijn even sterk, maar de onderkoelde toon waarmee Van Gestel een potsierlijke situatie weet te treffen en de terloopsheid van zijn taalgebruik – 'een meisje, maar wel op het nippertje' – maken het lezen van deze puberperikelen tot een ontspannen bezigheid.

In 1990 duikt Ko's vrouwelijke evenknie op in *Boze Soe*. Waar Ko schuilgaat onder cynisme en zelfspot is Soe een van emotie en agressie overborrelende ketel, een sissende snelkookpan, waar elk moment de zekering uit kan springen. Ze wringt zich in bochten om haar onverdraaglijk aardige vader en moeder tot afkeuring of tegenstand te dwingen, maar Soes ouders zijn van de moderne, zelden grenzen stellende soort. De lezer krijgt drie dagen uit Soes leven voorgeschoteld, waarin hij haar onafgebroken in de weer ziet om naar alle kanten te schoppen en haar omgeving te choqueren. Ten slotte neemt ze de benen met Jop, de sloomste jongen uit de klas, om in een totaal verregende en onromantische omgeving de confrontatie met hem aan te gaan. Voorzichtig laten ze elkaar hun kwetsbare plekken zien, wat niet leidt tot gezoen, maar tot de overhandiging van Soes dagboek aan Jop. Ze vertrouwt hem haar geheime gedachten toe, en: 'Nooit had ik geweten dat je je zo leeg en verlaten kon voelen, wanneer iemand aan het lezen was wat jij allemaal wild had opgeschreven.'

In *Lieve Claire* (1994) draait het om de relatie tussen vijftienjarige Bo en zijn zeven jaar oudere (stief)tante Thea. Beiden zijn onconventioneel in denken en handelen. Beiden voelen zich alleen op de wereld en zoeken aandacht en genegenheid bij elkaar. Opnieuw tekent Van Gestel een ontroerend puberportret, vooral schitterend in de weerbarstige, droogkomische dialogen. Daar zijn twee nogal zonderlinge individuen in de weer – soms tegen elkaar, soms met elkaar – om vorm te geven aan hun niet zo eenvoudige bestaan. En de auteur gunt hun de steun van een ongewone relatie, die niet als in het doorsnee jeugdboek gestoffeerd is met obligate seks of rozengeur en maneschijn, maar wel van vitaal belang om zich in het leven staande te houden.

Het verhaal geeft zich niet gemakkelijk prijs, mede omdat het geschreven is als één lange, steeds verder uit de hand lopende brief aan een zekere Claire, iemand die de lezer nooit te zien krijgt. De schrijver zelf is erg gesteld op dit boek, omdat voor het eerst het onderwerp werkelijk dichtbij hem stond. Eigenlijk ziet hij alles daarvóór als iets bedachts, een constructie. Het was ook zijn allermoeilijkste boek, waar hij ontzettend veel aan heeft moeten herschrijven. Omdat hij met een soort VUTregeling bij de NCRV was vertrokken, was het het eerste boek dat in volledige vrijheid kon worden geschreven. Dat voelde als een nieuw begin en daarom wilde hij het ook 'maar meteen zo moeilijk mogelijk maken'.

Terugkerend thema in Van Gestels werk is verliefdheid. Die is ongeveer van eenzelfde orde als ademhalen en kent geen beperking qua leeftijd. In zijn romans voor jongeren ligt dat min of meer voor de hand. Mooier haast nog zijn de heftig beleefde kinderliefdes, zoals die van tienjarige Thomas die 'smoor' is op de drie jaar oudere Bet in *Winterijs*: 'Langzaam kwam ze op me af. Ik kreeg pijn in mijn maag van de zenuwen. Ze was geen centimeter langer dan ik, ook geen centimeter kleiner, ze draaide om me heen, bleef toen heel dicht bij me staan, onze neuzen raakten elkaar op een haartje na. Ze rook naar zeepsop dat koud is geworden, een lekker luchtje.'

En dan is er Nikki van elf, die in het gelijknamige boek een opwindende en volstrekt chaotische dag beleeft wanneer ze auditie doet voor een film. Haar gevoel voor roodharige Sem smoort ze in venijnig gebekvecht, maar af en toe heeft ze het even niet in de hand: 'En iedere keer dat ze hem zag was er niets aan zijn houding veranderd, zijn mond hing open en zijn rug was wat gebogen. Hij genoot zo zichtbaar van de muziek dat Nikki zich ging afvragen of zij helemaal op eigen kracht van de muziek genoot of dat het stomweg kwam door het genieten van Sem. Jee, dacht ze, ik ben nu eerder Sem dan dat ik mezelf ben, wat moet ik daar nu weer mee?'

Opvallend is dat er nergens sprake is van seks, ook niet in de boeken voor oudere kinderen, terwijl er tegenwoordig in een beetje jongerenroman minimaal uit de kleren gegaan dient te worden. Van Gestel is hierover zeer uitgesproken: 'Ik vind dat een particuliere aangelegenheid van de hoofdpersonen en ook als lezer ben ik geen liefhebber van die gymnastiekscènes. Als het noodzakelijk was voor mijn verhaal zou ik het niet vermijden, maar dat heeft zich nog nooit aangediend. Er gebeurt vaak zoveel minder dan je als lezer wel gewild zou hebben. Dat is de aantrekkingskracht van de Bouquetreeks, waar de dingen lopen zoals mensen graag willen dat ze gaan. Ik verdiep me niet in wat mijn lezers willen en vind juist de aardigheid dat het niet gebeurt. Als Soe was gaan zoenen in die stortregen was ze voor mij als verhaalfiguur verloren geweest. Dat ze die jongen haar schrift laat lezen is veel intiemer. Ik stam natuurlijk uit een tijd dat al dat lichamelijke gedoe veel later gebeurde en dan zou ik me moeten gaan bemoeien met iets waar mijn lezers meer van weten dan ik. Die zitten elke avond naar porno op de tv te kijken, dus ze weten heus wel hoe het gaat. Daar hebben ze mij niet voor nodig.'

> Nadat hij twee passen in de gang op de eerste verdieping heeft gezet, ziet hij dat de deur van een kamer openstaat – nadat hij nog twee passen heeft gezet, ziet hij een druipende voet die boven een porseleinen kom met schuimend zeepsop zweeft.
> Hij kan nauwelijks nog ademhalen.
> Hij gaat de kamer binnen.
> Mijn schrift, jee, dat was ik kwijt, verdorie, zegt het meisje.
> Ze haalt haar andere voet uit het water en gaat staan op een badhanddoek.
> Een rooie spijkerbroek draagt ze en een gifgroene trui – het rood van de broek is hetzelfde rood als het rood op haar teennagels. De pijpen van haar broek zijn tot haar knieën opgestroopt.
> De jongen denkt: een meisje dat wil pootjebaden in de zee.
> Ze pakt het schrift van hem aan, gaat weer op haar bed zitten.
> De jongen krijgt een rood hoofd van verlegenheid.
> Het meisje wast haar voeten, meer is er niet aan de hand, maar hij heeft aan weinig genoeg.
> Uit: *Lieve Claire*

In 1997 verschijnt *Mariken*, waarmee een nieuwe periode in Van Gestels schrijverschap wordt ingeluid, al was het alleen maar doordat het belangrijke prijzen kreeg, verfilmd werd en tot toneel bewerkt. De schrijver zelf ziet het als zijn meest geslaagde boek, omdat het een tijdloos, helemaal nieuw verzonnen verhaal is, waarvoor hij met één oog naar het middeleeuwse mirakelspel *Mariken van Nieumeghen* keek. Volgens hem wordt iedere auteur uiteindelijk de auteur van één boek, want zoals een van zijn verhaalfiguren weet: 'Schrijven in het zand of in een boek, het doet er niet toe. De wind of de tijd blaast de woorden weg.' Van Gestel hoopt dat het voor hem *Mariken* zal zijn dat de tijd trotseert.

In dit boek is het eindelijk gedaan met de in zichzelf gekeerde voortsjokkers en gedaan is het ook met vaste illustrator Peter van Straaten, wiens karikaturale, naar treurnis neigende lijnen tot dan toe wonderwel pasten bij Van Gestels thematiek en stijl. Hier zien we via de vriendelijke rondheid van Annemie Heymans' illustratiepennetje een goedgehumeurd klein meisje energiek en voortvarend rondstappen. Ze is archetypisch voor een kind: onbevangen, nieuwsgierig, nergens bang voor en nog niet volgestopt met voor haar wezensvreemde volwassen denkbeelden. Afgezien van een enkele kerkelijke en wereldlijke gezagsdrager zijn de haar omringende grote mensen ook minder eendimensionaal en bespottelijk dan in het voorafgaande werk. Ontwapend door Marikens grenzeloze levenshonger laten ze hun eigen kwetsbaarheid zien en zijn ze bereid om het meisje bij haar eerste stappen in de grote wereld een opkontje te geven.

Ook de setting van de hedendaagse grote stad is verdwenen en ingeruild voor een tijd die op de Middeleeuwen lijkt, gestoffeerd met overvolle herbergen en marktpleinen en bevolkt door bijgelovige mensen, vol angst voor de pest, de duivel en hekserij. Zijn theaterliefde geeft de auteur vorm via de wagenspelers die Mariken in hun midden opnemen. Spannend zijn de avonturen die ze dankzij hen beleeft, en tegelijkertijd geeft het ruwe acteurszootje haar een ongekend gevoel van geborgenheid. Daar wordt een van Van Gestels terugkerende thema's zichtbaar: het belang van de relatie tussen ouders en kinderen. Mariken is te vondeling gelegd en vraagt zich af wie haar moeder is, een ijzige gravin gaat gebukt onder haar kinderloosheid en zelfs het raadselachtige moederschap van Maria is aan de orde.

'Is dat kind God?' vroeg ze verbaasd. 'God is een oude man en heeft een witte baard.'
'Dat kind is de zoon van God.'
'Hebben Maria en God elkaar gekust?'
De man zuchtte. 'Maria is de moeder van God,' zei hij. 'Je begrijpt niets van het wonder dat wij moeten aanbidden.'
'Ik heb nooit geweten dat God een moeder heeft.' (...)
'Mijn moeder,' zei Mariken, 'heeft mij tussen de ganzeriken gelegd. Zorg voor Mariken – dat had ze met haar eigen bloed op mijn jakje geschreven.'
'Heet jij Mariken?'
Mariken knikte trots van ja.
'Je bent naar Maria genoemd, kind.'
'Maria moet dat kind niet tussen de ganzeriken leggen,' zei Mariken. 'Ze moet het bij zich houden.'
Uit: *Mariken*

Zo zien we het verweesde jonkie uit *Slapen en schooieren* met grote vasthoudendheid in de weer om de koninklijke Sheherazade voor zich te winnen. Wanneer het haar eindelijk gelukt is 's nachts tegen haar aan te kruipen – 'Wie had zo'n grote moederkat? En wie had zo'n grote moederkat alleen voor zichzelf?' – heeft Stientje een plekje veroverd in het hart van de oude poes, die zich op haar beurt koestert in de ongekende aanhankelijkheid.

Waar in *Slapen en schooieren* het verlangen naar aandacht en geborgenheid in lichte tinten wordt aangestipt, is *Winterijs* geheel doortrokken van een gemis, dat een boek lang vlak onder de oppervlakte voelbaar is. De drie hoofdpersonen verloren twee vaders en twee moeders, niet teruggekeerd uit het concentratiekamp of door ziekte gestorven. Het is een verdriet dat ze nauwelijks kunnen delen. Haast nog pijnlijker is de onbereikbaarheid van de levende ouders. De moeder van Bet is zo geschonden en psychisch labiel uit de oorlog gekomen dat de dochter probeert haar te ontzien en krampachtig haar eigen verdriet verbergt. En Thomas zoekt voor de leegte van zijn ouderlijk huis en de hartverscheurend onhandige communicatie met zijn geestelijk afwezige vader compensatie in een korte, maar heftige jongensvriendschap.

Het meest dramatisch is de 'Vatersuche' in *Die dag aan zee*. Zeventienjarige Cham verdrinkt. Zijn jongere zusje Sip blijft achter in ontreddering en met een hoop vragen, waarvan de belangrijkste is of die dood gewild was. Even hardnekkig als Mariken en poes Stientje bevraagt Sip haar omgeving en zichzelf. Scherp waarnemend ziet ze haar vader en zijn obsessieve kunstenaarschap: 'Je woont niet bij ons, hè, dacht ik, je woont niet eens in je atelier, nee, je woont in je piepkleine schilderijen.'

Ze confronteert hem met zijn vaderlijk onvermogen: 'Jij wilt nooit praten. Nooit. Je staat altijd met je rug naar ons toe.' Waar Cham in een vergeefse strijd zijn vader tot het uiterste provoceert, weet zijn kleine zus de man uiteindelijk achter zijn muren vandaan te krijgen. Wanneer de vader haar op het strand toevertrouwt hoe hij Cham daar dood heeft gevonden, voelt ze zich eindelijk door hem gezien. Van de auteur mag die intimiteit niet te lang duren: ' "Vraag je je wel eens af: waarom nu juist die man?" "Nee," zei ik. "Vraag je je nooit af: wie of wat zou ik zijn met een andere vader?" "Nooit." "Toch is het een interessante vraag," zei hij. Dat was echt pa, en ik moest lachen. "Nou," zei ik, "we gaan naar huis." '

MAGNUM OPUS

Van Gestel ziet *Mariken* als zijn belangrijkste werk, maar veel van zijn lezers zullen daar waarschijnlijk *Winterijs* voor aanwijzen. Binnen het oeuvre is dat het boek dat het wezen van de auteur het dichtst benadert. Zijn centrale thema is hier zowel naar vorm als inhoud onontkoombaar: wanneer het er werkelijk toe doet, zijn mensen niet in staat te zeggen wat ze denken. Het drietal uit *Winterijs* groeit op in de naoorlogse periode, de tijd van zwijgen over de verschrikkingen die nog maar zo kortgeleden hadden plaatsgevonden. Op eigen kracht en soms even samen proberen de kinderen hun weg te zoeken tussen de bedreigende raadsels en geheimen, waar de volwassenen hen mee opzadelen, vanwege hun onmacht er iets van te delen. Met een knoop in je maag lees je over toegedekt gemis en machteloos verlangen naar contact en geborgenheid. Meer dan ooit weet de schrijver door te dringen tot de drijfveren en gevoelens van zijn personages. En omdat ze zo zuiver en terughoudend zijn vormgegeven, zijn het precies die emoties, waardoor noch de schrijver, noch de lezer buiten schot kan blijven. Het menselijk onvermogen om elkaar te bereiken is een groot ding om te ontdekken als je nog maar tien bent, maar Thomas ziet scherp waar het om gaat: 'Ik hoorde bij Zwaan en Bet. Daarom hoorde ik ook bij de foto's. Dat kon ik ze niet vertellen. Dat was iets wat alleen voor mezelf was. Er is zoveel alleen voor mezelf, daar word ik soms tureluurs van.'

Al toen hij vierentwintig was hield dit de schrijver in zijn debuutbundel bezig, zij het nog heel wat omslachtiger geformuleerd: 'Alleen wanneer iemand er niet is kunnen we onze houding tegenover hem veranderen. Wanneer hij weer voor ons staat, merken we dat we een bepaald mens zijn en horen we onszelf praten op de wijze waarop we het gewoon zijn.' In *Prinses Roosje*, Van Gestels versie van Doornroosje, kan de vloek van de zwarte ooievaar alleen worden opgeheven door een prins, die op het juiste moment niet weet wat hij moet zeggen. En Sip uit *Die dag aan zee* worstelt een boek lang met de raadsels van haar broer en haar in zichzelf opgesloten ouders: 'Ik liep met ma tussen de zomergasten. We zeiden niks. Van samen niks zeggen kun je aardig beroerd worden.'

Wat mensen beweegt of wat hen tegenhoudt, daar zoeken Van Gestels protagonisten naar. In de vroege boeken wordt dat eerst nog in het lachwekkende getrokken, waar kinderen niet begrijpend reageren op het bizarre gedrag van volwassenen, wat leidt tot soms absurdistische scènes en conversaties. In later werk verschuilt de auteur zich steeds minder achter vondsten, zottigheid en een briljant pennetje. Gevraagd naar de reden waarom hij schrijft probeert hij nog weg te komen met 'omdat ik het vervelend vind als ik niet in de nieuwe aanbiedingsfolder van Querido sta', maar voorzichtig komt daarachteraan dat het mogelijk toch ook te maken zou kunnen hebben met 'het doorgronden van de ziel'. Het begrip 'ziel' duikt in elk geval regelmatig op in wat Van Gestel schrijft. Met name in *Mariken* wordt het prachtig uitgelegd: 'Dat is wat je bent – wat je voelt en denkt en waar niemand iets van weet.' En ook de oude kat Sheherazade weet hoe het zit: 'Wat ik echt ben, wat ik voel, hè, dat kan niemand zien.' Misschien heeft Willem Wilmink met de hem eigen kinderlijke eenvoud de schrijversziel van Peter van Gestel nog het dichtst benaderd, in een aan zijn vriend opgedragen gedicht:

'In de man zit nog de jongen
en die zal daar altijd blijven
en wie schrijver is geworden,
zal daarover schrijven.'

Joke van Leeuwen

© MICHIEL HENDRIKX

Het moet een beetje huppelen in mijn hoofd

De Nederlandse jeugdliteratuur kent een aanzienlijk aantal dubbeltalenten, mensen die zowel in tekst als beeld vorm weten te geven aan wat ze te zeggen hebben. Belangrijke namen zijn Wim Hofman, Margriet Heymans, Joke van Leeuwen, Harrie Geelen, Harriët van Reek, Jaap de Vries, Max Velthuijs en Ted van Lieshout. Veelal zijn zij de uitbundige illustrator van hun eigen verhalen, bij een aantal tekenaars is de taal in de loop van hun carrière een steeds belangrijker en zelfstandiger rol gaan spelen en sommigen zijn de schepper van een heel eigen universum, waarin woord en beeld eeneiig ronddartelen. Tot de laatste categorie behoort Joke van Leeuwen, die je eerder dan een dubbeltalent een artistieke duizendpoot zou moeten noemen. Voor kinderen schrijft ze zowel fictie als non-fictie, voor volwassenen publiceert ze dichtbundels en romans en ze staat ook nog op het toneel als performer van haar eigen teksten. En alles wat ze doet heeft een volstrekt eigen toon van lichtheid en een tikkeltje opruiende dwarsheid.

In veel van haar boeken moet je even nadenken wie nu de 'verteller' is, de taal of de tekeningen. Kinderen denken daar natuurlijk helemaal niet over na, maar 'lezen' met tevredenheid en gemak de plaatjes die hun vaak een opstapje bieden naar de tekst of hun een rustpunt gunnen tussen de woorden. 'Een tekening is een poortje naar een woord,' zei Van Leeuwen zelf eens, en in elk boek weer wendt ze al haar speelse verleidingskunsten aan om kinderen van woorden te laten houden. Wat verbeeldingskracht betekent, wordt in haar werk op talloze manieren zichtbaar. In de vroege boeken maakte ze vooral gebruik van materiaal dat bij de kinderlijke leefwereld hoort, zoals stripjes, zoekplaatjes, briefjes in wankel handschrift, tekstballonnen, geheimschrift en raadsels. Later is de vermenging van tekst en beeld geraffineerder geworden, zoals in haar onnavolgbare verhaaltjes voor kersverse lezers of in *Kweenie*. Daar valt de gelijknamige hoofdpersoon letterlijk

uit zijn nog nauwelijks begonnen verhaal, waarnaar hij een boek lang hardnekkig op zoek blijft. Wanneer er een beker chocolademelk omvalt, raakt een stukje van de tekst onleesbaar en waar Kweenie in tranen is, zijn de zinnen die hij zegt vaag, want doorgelopen. Zo wandelt veel van Van Leeuwens werk langs een dubbelspoor, een tweesporigheid die ook zichtbaar is in de toekenning van prijzen. *Een huis met zeven kamers* bijvoorbeeld kreeg een Gouden Penseel en een Zilveren Griffel. Voor *Deesje* lag dat precies omgekeerd.

Toen Van Leeuwen met kinderboeken begon, ging ze bewust op zoek naar mogelijkheden om tekst en beeld te combineren. De zoektocht resulteerde in 2008 met *Alles nieuw* zelfs in een roman met plaatjes, een binnen de literatuur voor volwassenen ongewoon verschijnsel. Vaak denkt ze in tekst en beeld tegelijk: 'Soms is een beeld een opstapje naar een woord, soms is het een zijsprongetje. Er verschijnt een droom of een gedachte en die wordt dan verder uitgewerkt in beeld. Je kunt in beeld dingen doen die in tekst onmogelijk zijn en omgekeerd. Het een is beslist niet makkelijker om te doen dan het ander. Het is altijd zoeken en prutsen. Of het beter is in tekst of beeld weet ik meestal pas wanneer ik bezig ben. Aan het begin zie ik een weggetje, een soort bodem waar het in wezen over moet gaan en ik zie personages van vlees en bloed, maar waar de weg heen gaat weet ik nooit.'

DE TALE KANAÄNS

Zolang Joke van Leeuwen zich kan herinneren was dit wat ze wilde in het leven: schrijven en tekenen. Waar die wens vandaan kwam is niet zo moeilijk te achterhalen. Van Leeuwen werd in 1952 geboren in een vrijzinnig domineesgezin, als vierde van zes kinderen. Er heerste een heel eigen gezinscultuur met stimulerende ouders, een huis vol boeken, muzieklessen, een huisorkest, toneel- en poppenkastopvoeringen en maandelijks een zelfgemaakte huiskrant. De aparte positie van domineeskinderen in een dorpspastorie kenden de kleine Van Leeuwens niet echt. In Den Haag deed vader kerkelijk jeugdwerk, in Amsterdam was hij studentenpredikant, in Zetten directeur van de Heldringstichting, waar probleemmeisjes van een jaar of zestien, zeventien werden opgevangen, en in Brussel werd hij hoogleraar theologie: 'Van het benauwde geloof à la Guus Kuijer of Jan Siebelink hadden wij thuis geen weet, maar de tale Kanaäns heb ik zeker naar binnen gekregen. We hadden elke dag een ritueel aan tafel: voorlezen uit de Bijbel – wat we om de beurt deden – en een gezang zingen met mijn moeder aan de piano. Het gaf een soort verbondenheid om dat zo met elkaar te doen en ik vond het niet erg om af en toe de woorden niet te begrijpen. Dat had wel iets spannends en als iemand zich eens raar versprak, konden we daar met zijn allen om gieren van de lach. Het ging om de verhalen en om het samen zingen en ik heb het nooit ervaren als een druk of iets waarvan ik me moest bevrijden.

Mijn vader had bij het studententoneel gespeeld en op een preekstoel staan heeft wel verwantschap met toneelspelen, want je moet iets

overbrengen met dictie en timing. Wanneer ik hem zondags op de kansel zag, was er om te beginnen de verbazing dat hij een jurk aanhad, en ik vroeg me ook af wat hij eigenlijk door de week deed. Van later herinner ik me dat hij mensen echt mee kon nemen in zijn verhaal en dat dat goed in elkaar zat. Hij was een introverte, rustige en zachtaardige man die veel aan het werk was, maar er waren ook duidelijke gezinsmomenten. Dan ging de open haard aan en las hij voor, uit *Gideons reizen* van Rutgers van der Loeff bijvoorbeeld. En hij kon ook goed verhaaltjes verzinnen. Wij moesten dan willekeurig drie woorden zeggen en daar maakte hij ter plekke iets van, meestal voor het slapengaan. Om het even wat we bedachten, er kwam altijd een verhaal met een kop en een staart. Ik voelde veel verwantschap met mijn vader en heb het idee dat ik innerlijk op hem lijk, in het geconcentreerde bezig zijn en zijn manier van met mensen omgaan. Hij had net als ik een verlegen kant die hij goed wist te pareren, zoals je dat in de loop van het leven leert.

Mijn moeder was belangstellend en sociaal. Zij studeerde ook theologie, maar is daarmee gestopt om domineesvrouw te worden. Toen wij op de middelbare school zaten is ze Engels gaan studeren en op haar vijfenzestigste verdiende ze haar eerste eigen geld als vertaalster. Typerend was wel dat haar bureau – een beetje een tienerbureautje om te zien – in de tussenkamer stond, wat een heel andere werkplek was dan mijn vader had. Ze heeft altijd de rol gehad van de vrouw van, en wanneer mijn vader weer ergens anders ging werken moest ze zich aanpassen en nieuwe contacten maken. In Zetten speelde ze toneel met de kinderen op de school van de Stichting en in Brussel nam ze

het initiatief voor een afdeling van Amnesty International en richtte ze een vrouwenkoor op. Zij dirigeerde, zocht de muziek uit en speelde piano. Onze muzikaliteit hebben we van haar. We hadden allemaal muziekles en een heel huisorkest, met twee violen, cello, dwarsfluit en mijn jongste zusje op de triangel. We traden bijvoorbeeld op bij de zilveren bruiloft van mijn ouders, onder leiding van mijn oudste broer die pianospeelde en stukjes componeerde.

Het was heel gezellig met die zes kinderen, maar ik wilde later absoluut niet zo'n groot gezin en dan niet meer toekomen aan schrijven en tekenen. Er bestond in die tijd een bepaald beeld van hoe je als meisje en vrouw hoorde te zijn en al vroeg dacht ik dat dat niet helemaal klopte met hoe ik mezelf zag. Zulke gedachten hielden mij echt bezig en ik heb in de tweede feministische golf veel herkend. Toen ik een jaar of veertien was dacht ik dat ik maar beter geen kunstenaar kon trouwen, want stel je voor dat ik beter zou zijn, daar zou hij vast niet tegen kunnen. Mijn moeder was minder eigenzinnig dan ik en ik had wel eens het gevoel dat ze niet goed begreep wat voor mens ik was. Aan de andere kant hebben mijn ouders me altijd gestimuleerd in de dingen waar ik mee bezig was.

'Warre,' zei Tine opeens.
'Mmm?' zei Warre.
'Ons Viegeltje heeft een spraakgebrek.'
'Och,' zei Warre, 'er zijn er zoveel met een spraakgebrek. Meestal met de r. Sommige spgeken de eg als een gee uit. En andejen zeggen ook almaaj een jaaje ej. Verder zijn die goed gezond, hoor.'
'Ja maar ze heeft ook geen handen. Zonder handen en met een spraakgebrek, daar kom je toch niet ver mee in het leven?'
'Met vogels hoef je al die dingen over later toch niet te bedenken?'
'Maar ze is niet echt een vogel! Vogels zeggen nóóit: ik miet un bieteriemetje mit piendekies! Dat zeggen ze niet! O Warre, hoe moet het met haar? Het is niet duidelijk wat ze is, ze zal nooit weten waar ze vandaan komt, ze heeft geen handen en ze heeft een spraakgebrek.'
'Maar ze heeft toch vleugeltjes?!' zei Warre.
Tine begon opeens te huilen in haar soep. Er kringelden rondjes in van vallende tranen. Allemaal letters o.
'Had je niet een gewoon kindje kunnen vinden? Eentje met armen zoals ik? Dat iedereen ze mocht zien en dat ze allemaal zouden zeggen: "Goh, wat lijkt zij op u?" Zo eentje? Wat kun je nou met vleugels?'
Uit: *Iep!*

HET LEEUWEBEKJE

Van haar negende tot haar dertiende maakte Van Leeuwen een huiskrant. Hij verscheen maandelijks en heette *Het Leeuwebekje*: 'Mijn vader had preekschriftjes. Als hij er een vol had, was dat gemiddeld op preekuitspreeklengte. In zulke schriftjes maakte ik de huiskrant, geheel met de hand geschreven en met een omslag dat ik met van alles versierde. In de hal stond een oude schoenendoos als kopijbus en

daarin kreeg ik bijdragen van de anderen: briefjes met kleine zinnetjes van mijn jongste zusje, goede raad van mijn moeder over het beter opmaken van onze bedden, gedichtjes van mijn zus of een maf vervolgverhaal van mijn broer. Zelf had ik een rubriek waarin ik grappige versprekingen in het gezin verzamelde, ik maakte puzzels, raadsels en cartoons en schreef verhalen. Mijn moeder kreeg de nieuwe krant als eerste en dan ging ik achter de deur staan luisteren of ze wel een keer in de lach schoot. Die krant benadrukte mijn verbondenheid met het gezin: ik had iets te geven en kon mijn moeder aan het lachen maken. Ik zat tussen de groten en de twee jongsten in en had eigenlijk geen positie. Ik was iets vaags en leerde om niet te veel aandacht te vragen en de dingen zelf op te knappen.

Ik was niet elke dag met die krant bezig, maar wel met dat soort dingen. Ik was altijd druk achter mijn bureautje, schreef verhalen en versjes in een schrift en zette daar dan een uitgever op en dat het de eerste druk was. Mijn toneelstukjes voerde ik op met mijn jongere zusjes en ik wilde een woordenboek maken met allemaal nieuwe woorden. Eigenlijk wilde ik een hele nieuwe taal bedenken, maar verder dan de a ben ik nooit gekomen. Knutselen was ook een belangrijk ding. Ik was niet echt handig, maar ik prutste veel en mocht bijvoorbeeld mijn oudste broer helpen die zijn eigen poppenkast en poppen maakte, waar hij voorstellingen mee gaf. Hij had oog voor de dingen waar ik mee bezig was en heeft gezorgd dat een vriend van hem die op de Academie zat mij thuis wat lessen gaf in kleur en perspectief. Een jaar of veertien was ik toen en er ging een wereld voor me open.'

Deesje was verreweg de jongste thuis. Ze had een vader en twee grote broers, Sam-Jan en Jan-Sam.

Die waren altijd bezig. Ze timmerden smalle latjes tegen het plafond. Na een tijdje haalden ze die er weer af. Dan timmerden ze brede latjes tegen het plafond. Ze haalden het behang met stippeltjes van de muren en plakten er behang met streepjes op. Na een poosje haalden ze het behang met streepjes van de muren en plakten er behang met stippeltjes op. Zo bleven ze bezig.

Maar Deesje deed niet mee. Deesje zat liever op haar kamertje te doen waar ze zelf zin in had. Aan tafel praatten ze altijd over behang en latjes en dat soort dingen. Deesje wilde liever over andere dingen praten, maar dat ging zo moeilijk.

Uit: *Deesje*

Van Leeuwen komt uit een boekenfamilie: 'Mijn ouders lazen veel en volle boekenkasten waren heel gewoon. We waren lid van de bibliotheek en er waren veel kinderboeken in huis, die van de een naar de ander werden doorgegeven. Mijn moeder las ons voor en ik herinner me dat ze bij *Winnie de Poeh* zelf zo moest lachen dat we het niet meer verstonden. Dat geeft al een besef dat er boeken bestaan die kinderen en volwassenen samen leuk kunnen vinden, wat voor mij nog altijd heel belangrijk is. Ik weet nog goed hoe ik op school voor het eerst een versje las. Tussen eindeloos gedoe met muur, vuur en guur stond

ineens "Twee kindertjes in mijn tuintje, een blondje en een bruintje." Het was een bijna fysieke ervaring, dat ik dat zélf kon lezen en dat de taal zoiets kon doen.'

BRUSSEL

Toen Van Leeuwen bijna veertien was en vanuit Zetten twee jaar naar de middelbare school in Wageningen was gefietst, verhuisde het gezin naar Brussel. Het bleek een enorme overgang en betekende een cesuur in haar leven: 'Veel gewone dingen kwamen op losse schroeven te staan. Kinderen die je vragen of protestant ook christelijk is en woorden die je niet begrijpt, waardoor je iets verkeerd doet. In de winkels werd Frans gesproken, wat soms moeilijk boodschappen doen was en de eerste dag op school moesten we op de letter van onze achternaam opstaan, waarop ik stond bij de L, maar dat moest de V zijn.

De school was wel Nederlandstalig en de kinderen waren eigenlijk allemaal tweetalig, maar de leerkrachten waren vaak in het Frans opgevoed. Soms zeiden ze iets en dan vroegen ze mij of het klopte. Dat vond ik ontzettend gênant, want ik had algauw door dat er allerlei clichés over Nederlanders bestonden. Een daarvan was dat we betweters zijn en dat wou ik natuurlijk helemaal niet zijn. Het is veertig jaar geleden en sindsdien is hier op allerlei gebied veel veranderd, maar toen was het er hiërarchisch en autoritair. In Wageningen ging de bel na de pauze en dan was er een veel te klein deurtje waar iedereen zich met gedoe en lawaai door naar binnen wurmde. In Brussel was een ommuurd schoolplein, waar hokken op geschilderd waren en als de bel ging, moest je twee aan twee in het hok van je klas staan wachten tot de leraar de groep ophaalde en voorging naar binnen. Toen we toneel wilden gaan doen moesten dat Griekse tragedies zijn en je kon niet zomaar een schoolkrant maken, want daar mocht eens iets in staan wat de goede naam van de school zou schaden. Dus kwam er een krantje vanboven af dat *Ontwaken* heette.

In mijn ervaring was er heel weinig ruimte voor het creatieve, terwijl het toch een onderdeel hoort te zijn van de middelbare school dat je ook die kant samen met anderen kunt ontwikkelen. Alleen bij de leraar Nederlands, de mystieke dichter Erik van Ruijsbeek, ging het over wat ik ook belangrijk vond. Hij vertelde dingen die niet in het programma stonden, leerde mij Brussel beter begrijpen en als we uit die hokken marcheerden, ging hij ons voor alsof hij fijn door het bos liep. Ik was als puber niet erg gelukkig, trok me thuis terug op mijn kamer en ben heel veel gaan schrijven en tekenen, iets waar op school nauwelijks belangstelling voor was. Meestal moest je bij Nederlands zaakopstellen maken, iets uitdiepen of een mening geven. Heel af en toe mocht je je verbeelding laten spreken en toen ik ooit voor de klas mocht voordragen wat ik had geschreven, was dat de eerste keer dat er gezien werd waar ik eigenlijk mee bezig was, dat er iets klopte tussen wat ik thuis en op school deed.'

> Ik ging daar naar een winkel om
> iets wat bestond te kopen.
> Ze konden mij daar niet verstaan,
> dus wees ik kleur aan, zweeg hoe hol,
> boog ik hoe rond, trilde hoe licht,
> bewoog in hoogte, lengte, breedte.
> Ze zeiden: wiewie wiewiewie
> en legden heel hun toonbank vol
> met veel wat ik niet wilde.
> Ik moest naar huis terug. Ik moest
> er woorden bij. Maar hoe te weten
> of wat ik in mijn woorden zei
> en zij in hun taal anders ook
> in hun taal net zo heette.
> Uit: *Vier manieren om op iemand te wachten*

Na de middelbare school werd het de kunstacademie, eerst in Antwerpen en later in Brussel: 'Ik begon met monumentale kunst, na een maand was het al schilderkunst en vanwege mijn aversie tegen de geur van olieverf stapte ik vervolgens over naar grafische kunsten. Ik raakte in een soort crisis omdat ik dacht dat ik niet goed genoeg was en het gevoel had mezelf een beetje kwijt te raken. Er was geen ruimte om uit te zoeken wat je vorm of je materiaal was, want je moest vooral voldoende productie maken voor het eind van het jaar. Qua theorie was het ook nogal mager, het leek soms meer op een veredelde fröbelopleiding.

Als compensatie voor de teleurstellingen was ik thuis voortdurend aan het schrijven. Dat kon ik tenminste doen op mijn eigen manier. Ik stuurde een verhaal in voor een wedstrijd onder mensen tot eenentwintig jaar, Vlamingen en Zuid-Nederlanders. Ik won een van de tien eerste prijzen en zat met onder anderen Luuk Gruwez, Eriek Verpale en Paul van Loon bij de uitreiking. Het maakte in elk geval duidelijk dat mijn teksten niet helemaal niks waren en langzaam groeide het idee om schrijven met tekenen te combineren. Maar eerst moest ik verder met de academie, want wat je begint moet je afmaken, dat had ik meegekregen.'

Toen ze het diploma in haar zak had probeerde Van Leeuwen geld te verdienen met wat ze had geleerd. Ze gaf demonstraties voor Talens op een beurs in Brussel, leidde handenarbeidclubjes en een kinderatelier in het Museum voor Schone Kunsten, maar het bleef modderen en ze kreeg nergens echt een poot aan de grond. Op zoek naar een ander perspectief besloot ze geschiedenis te gaan studeren: 'Thuis hadden we boeken van P.J. Bouman. Die schreef prachtig verhalend over het verleden, waardoor ik het idee had dat vertellen en geschiedenis iets met elkaar te maken hadden, maar dat bleek een vergissing. In die tijd moest zo'n studie juist ook exacte componenten hebben, dus ging het over manuren staking, waarbij je over tien uren staking niet weet of tien mannen een uur gestaakt hebben of één man tien uur... Tóch was het interessant en ik heb het afgerond met een werkstuk over de Belgische werkliedenpartij, die niet wilde dat de vrouwen stemrecht kregen.'

CAMARETTEN

Nog tijdens de studie waren er twee gebeurtenissen die met de beeldende kunsten en de geschiedwetenschap weinig te maken hadden, maar wel richting zouden geven aan Van Leeuwens verdere leven. In 1978 werd ze winnaar van het cabaretfestival Camaretten en in hetzelfde jaar verscheen haar eerste kinderboek *De Appelmoesstraat is anders.* In Brussel hoorde ze bij een clubje van studenten, waarmee ze onder het mom van cabaret vrolijke avonden had: 'Eén keer per jaar gaven we een voorstelling voor bekenden, kleinschalig en voor de gezelligheid. Begin 1978 deed ik mee aan een amateurcabaretdag in het Haagse theater Pepijn. In de zaal zat Diederik Hummelinck, die net begon met zijn theaterbureau en die vond dat ik door moest gaan. Maandenlang zei ik dat ik al schreef en tekende en het er niet bij kon hebben, tot ik het toch maar eens ben gaan proberen. Ik schreef de teksten en bracht ze met een vriendin achter de piano. In het begin was het doodeng, want ik had het niet op school en dus in een beschermde situatie uitgeprobeerd, maar heb mij het vak in de praktijk eigen gemaakt. Toen won ik Camaretten en zat ik opeens in het circuit.

Ik heb drie programma's gemaakt en vond het rechtstreekse contact met mensen erg leuk. Optreden heeft me veel geleerd, ik voel me nu

totaal vrij op een podium en omdat je als schrijver vaak gevraagd wordt voor performanceachtige situaties heb ik daar veel aan. Ik sta graag voor een publiek, maar zou dat nooit alléén maar willen doen, omdat ik steeds weer de rust zoek van mijn kamer, om iets nieuws te bedenken en nieuwe wegen op te gaan. Als mijn leven te "verstrooid" is, heb ik er behoefte aan om in de stilte van mijn hoofd te kruipen. Helemaal focussen op iets wat ik wil maken, me op één ding richten en dan de tijd vergeten, dat is voor mij een vorm van geluk. Mijn hele leven is dat een constante geweest.'

Deesje voelde een stomp in haar zij. 'Jij moet,' fluisterde Kootje opgewonden.

Langzaam stond ze op. Het leek wel of haar benen vol klotsend water zaten. Het leek wel of de microfoon een kilometer ver was. Ze zag het hoofd van mevrouw Mans nog roder worden dan het al was. Heftig wees ze naar Deesjes handen, omdat Deesje geen opstel meenam. Deesje had helemaal geen opstel. Ze stond met lege handen voor de grote camera's en de zaal vol mensen.
Maar opeens was het of er in haar hoofd luikjes opengingen. Daar kwamen verhaaltjes uit wandelen, die ze gehoord had, en dromen die ze gedroomd had, en stukjes film van zoveel dingen die ze gezien had. Dat alles werd in haar hoofd geschud, geklutst en omgeroerd. En toen ze haar mond opendeed kwam er zomaar een verhaal uit, dat ze zelf ook voor het eerst hoorde.
Uit: *Deesje*

DE APPELMOESSTRAAT

Tijdens de geschiedenisstudie was Van Leeuwens ambitie om te schrijven en te tekenen onveranderd: 'Eigenlijk heb ik teruggegrepen naar wat ik als kind altijd met zoveel plezier had gedaan, in de hoop daarmee in de kinderboekenwereld een voet aan de grond te krijgen. Met mappen tekeningen ging ik tevergeefs langs uitgevers tot ik uiteindelijk door de zoon van Anton Pieck, Max Pieck, werd aangenomen voor de kleine Nederlandse uitgeverij Omniboek. Ik mocht iets maken voor kinderen van zes jaar, zwart-wit, niet te dik en om de zetkosten uit te sparen moest ik de tekst met wrijfletters doen. En zo verscheen in 1978 mijn eerste boek *De Appelmoesstraat is anders*. Mijn tweede boek *Een huis met zeven kamers* (1979) werd bekroond en vanaf dat moment mocht ik echt meedoen.'

Van Leeuwens debuut is iets tussen een lees- en een doeboek in en lijkt schatplichtig aan de redactionele uitgangspunten van het voormalige *Leeuwebekje*. De lezer moet de verschillen in schijnbaar dezelfde tekeningen zoeken en de weg door een doolhof, op een kar de spullen vinden die bij de letters van het alfabet horen en huizen ontwerpen voor mensen met speciale wensen. Zo wordt hij vanaf bladzijde 1 actief betrokken bij het piepkleine verhaal, iets wat kenmerkend zal blijven voor bijna alles wat Van Leeuwen maakt. Zelfs als ze haar lezers niet rechtstreeks tot activiteit aanspoort zullen de speelsheid en rare ideeën in haar boeken gemakkelijk inspireren tot eigen creativiteit en weet ze haar publiek het gevoel te geven medeplichtig te zijn aan een vrolijk soort samenzwering tegen alles wat gewoon is.

In *Een huis met zeven kamers* (1979) is het nog steeds een dolle boel en lopen ongewone personen met mooie verhalen rond, maar het boek is aanzienlijk ambitieuzer dan Van Leeuwens eersteling. Haar plezier in de taal is onmiskenbaar en dat zijn vooral ook de vele mogelijkheden van haar tekenpen. De enorme hoeveelheid zwart-witprenten is van uiteenlopend formaat en zeer zorgvuldig gemaakt, met veel arce-

ring en grappige details tot in de kleinste hoekjes. Naar een aantrekkelijk mens zoek je tevergeefs. Je vindt vooral te grote neuzen in ontelbare soorten, varkensachtige oogjes en piekende pruikjes haar op vreemd uitstulpende, al dan niet kalende hoofden. Ook doet het typische Van Leeuwenvers zijn intrede: ritmisch, spreektalig, vol verbastering en min of meer fonetisch opgeschreven.

> Me sokke sakke so
> me sokke sakke so
> me sokke sakke somaar op me voete
> se o se sakke so
> se o se sakke so
> souen er soms stiekelties in moete?
> Uit: *Een huis met zeven kamers*

In *De metro van Magnus* (1981) beleeft een jongetje vreemde dingen op zijn reis langs de haltes van zijn zelf getekende metroplattegrond. Zoals in veel van haar boeken is het realiteitsgehalte niet een criterium om de verhaalwerkelijkheid aan te toetsen en slingert de verhaallijn zich langs paden vol onverwachte hobbels en bochten. Ook *Deesje*

(1985) bevat een vrolijke opeenstapeling van misverstand en avontuur, maar de hoofdpersoon bestaat hier niet alleen meer om de wonderlijkste dingen mee te maken, ze is zélf iemand, waardoor het verhaal niet alleen voorbijfladdert in luchtige speelsheid, maar ook kan aarden in de niet helemaal vlekkeloze werkelijkheid. Deesje is een piekharig meisje, dat even bedeesd is als haar naam. Het liefst zit ze op haar kamertje met haar Wieweetwatwaarboek en haar dingenschrift, en doordat ze eeuwig van plan is om straks wel te zeggen wat ze denkt, werkt ze zich regelmatig in de nesten. Toch schuilt er onder haar verlegenheid een verrassend soort onverstoorbaarheid en ondernemingszin die haar overeind houden en maken tot een typische Van Leeuwenprotagonist, altijd een beetje een buitenstaander, met een hoofd vol goede ideeën.

Zo'n personage is ook Bobbel, die met haar kunstzinnige, maar armlastige ouders in een bakfiets woont en besluit rijk te gaan worden. En iemand die in alle opzichten voldoet aan het Van Leeuwenprofiel is Kukel. Niet kunnen zingen in een gezin met zeven zusters die met hun gezang volle zalen trekken, levert een gevoel van totale overbodigheid op. Om zijn positie in het leven veilig te stellen probeert Kukel een plaats te veroveren in het paleis en het hart van de koningin, voor wie hij een soort gezelschapskind wordt. De majesteit blijkt dol op spelletjes doen en kan bij Kukel haar gewichtigheid even afleggen. Ze vormen een merkwaardig duo, praktisch gezien allebei alleen op de wereld, een gevoel dat vlak onder de hilarische situaties en de grappige zinnetjes schrijnt en ook zichtbaar is op de tekeningen.

Kukel, die eigenlijk Josofus heette, had zeven grote zussen die prachtig konden zingen. Het gaf niet waarover ze zongen, over de zakkende zon of hijgende herten, het klonk altijd prachtig.
Ze zongen zevenstemmig, elke dag, van 's morgens tot 's avonds en elke dag vroeg Kukel: 'Mag ik meezingen?'
Maar dan zeiden zijn zeven zussen: 'Nee, Minkukeltje, jij niet, want jij zingt vals.'
En dat was ook zo. Kukel klonk als een kalfje dat met zijn achterpoten klem zit. Hij had wel eens gevraagd of daar geen liedje over bestond, over een kalfje dat met zijn achterpoten klem zit, want dan kon hij mooi meezingen.
Nee, zeiden zijn zussen, hij kon niet meedoen. Zij zongen voor publiek omdat ze zo mooi konden zingen en Kukel was nu eenmaal niet iemand voor publiek.
Uit: *Kukel*

MEVROUWGEVOEL

Van Leeuwen laat haar verhaalfiguren meestal, zoals ze dat noemt 'van onderaf' naar de wereld van de volwassenen kijken: 'De open, oningevulde blik van beginnende mensen brengt een soort vrijheid en lichtheid mee, die mij past en mij vaak heel gelukkig maakt. Ik zie dat een beetje anders dan Annie Schmidt, die zei altijd acht gebleven te zijn, wat klinkt alsof je stil bent blijven staan. Ik zou nooit meer kind willen zijn, want zo gemakkelijk was het niet en zeker niet zorgeloos. Voor mij is elke fase van een leven even belangrijk. Het is niet omdat je maatschappelijk op een grotere stoel zit dat dat een belangrijker stuk van je leven is. Ik zie de kindertijd niet alleen als een tijd die bezig is om af te moeten raken. In je vijfjarigheid kun je ook helemaal hier en nu zijn. Voor het omslag van mijn dichtbundel *Laatste lezers* heb ik een gravure gemaakt met de fasen van baby tot bejaarde en die zijn allemaal even groot. Alleen de hoofden worden steeds kleiner. Al die fasen zijn in wezen even belangrijk en groeien houdt niet op. Ik wil vooral iets openhouden, in staat blijven om niet iedereen en alles serieus te nemen of gewichtig te vinden. Ze noemen me inmiddels mevrouw, maar mijn mevrouwgevoel is niet echt goed ontwikkeld. Sommige volwassenen krijgen iets minzaams tegenover de kinderwereld, alsof ze daaraan ontstegen zijn. Daar heb ik medelijden mee, want dan zijn ze ook het vermogen kwijt om niet ingepakt en vastgeroest te raken.

Dat ik bij het genus kinderboekenschrijver hoor, daar heb ik nooit problemen mee gehad, want het is een mooi genre. Je kunt er bijzonder veel mee, als je niet doet of er een doelgroep aan de andere kant zit die je moet opvoeden, maar als je op gelijke ooghoogte blijft. Waar ik wel kregel van word is dat kinderen zo makkelijk op één hoop gegooid worden, dat ze "eigenlijk dit" zouden willen of "eigenlijk dat", terwijl ze als lezers net zo verschillend als volwassenen zijn. Voor het schrijven van een kinderboek moet ik vooral niet te zwaarmoedig zijn, het moet een beetje huppelen in mijn hoofd. De manier van schrijven is niet anders dan voor volwassenen maar er is wel sprake van een ander register. Dat is niet iets wat ik bewust doe, dat gaat intuïtief. Als ik een prentenboek voor tweejarigen maak, dan heb ik tweejarigen in mijn hoofd, zonder dat ik echt doelgroepachtig zit te denken.'

LAST VAN OCH

Met dezelfde oningevulde blik waarmee Van Leeuwen haar jeugdige verhaalfiguren naar de werkelijkheid laat kijken, beziet zij als schrijfster de taal, die ze vernieuwt, vervormt en oppoetst. Van traditie en conventies lijkt ze weinig weet te hebben, wanneer ze beeldend en met een paar streken een persoon of een situatie neerzet. Iemands ogen en mond worden 'smal als brievenbusjes', een depressieve moeder heeft 'last van och', een man heeft een oud gezicht, want 'er zat veel meer vel aan dan hij nodig had', ouders hebben het 'erg druk met het bijhouden van de wereld', een weinig op kinderen ingestelde tante is 'nogal zuchterig', als de vader van Bobbel in de vrije natuur moet plassen gaat hij 'even met de kont op reis' en over Bobbels rijke oom en tante staat er: 'Het huis was zo groot dat oom Fok en tante Zus elkaar regelmatig kwijt waren. Vroeger gingen ze elkaar dan meteen zoeken, maar dat deden ze nu niet meer.'

> Tine vroeg zich af hoe het geluid heette dat hun schoenen maakten door het zand. Op grind lopen, dat klonk als knirpen. Dit klonk meer als suzelen. Er was zoveel waarvoor geen woorden waren gemaakt. En je kon wel een woord bedenken, maar als niet iedereen dat woord kende, had je er niets aan. Behalve sommige woorden, sommige woorden hoefden maar een paar mensen te kennen om ze toch te kunnen gebruiken. Warre wist bijvoorbeeld precies wat ze bedoelde als ze humsel me zei of je horpt zo. Hij wist dat.
> Uit: *Iep!*

Haar vrijmoedige en creatieve omgang met de taal maakt Van Leeuwen bij uitstek geschikt als schrijfster voor net beginnende lezers, voor wie ze een paar minimeesterwerkjes maakte. In *Sus en Jum* (1983) roepen de weinige woorden samen met de expressieve tekeningen malle situaties op. De lezer verwondert zich – een groot dier dat bie zegt in plaats van boe is dus een kie in plaats van een koe – en moet nodig weten hoe het afloopt. De tekst bestaat uitsluitend uit dialoogjes tussen de vrienden Sus en Jum. Sus is groot en spreekt in grote letters, Jum is klein en praat dus kleiner.

In het kartonboekje *De vis en het boek* (1986) staan maar honderdzestig eenlettergrepige woorden – waaronder veel vis, boek, mus, roos, wip en kar – maar toch ontrolt zich een wonderlijk avontuur, wanneer de ik-figuur al lezend het water in loopt en een vis zijn boek opslokt. Daar hebben wij plotseling de onbekende boekvis! En dan is er het oergeestige *niet wiet, wel nel* (1992), waarin je al na vier maanden leesonderwijs met humor, maar haarscherp krijgt uitgetekend hoe ruzie ontstaat en escaleert, zonder dat je het een van tweeën wilt. En hoe je het weer fijn goed kunt maken. In al zijn woordarmheid gaat het hier toch over zoiets ingewikkelds als relaties onderhouden, want Van Leeuwen neemt haar lezers serieus, hoe gering hun woordenschat en levenservaring ook zijn.

Een ander genre dat de schrijfster met haar onconventionele beelden en taalgebruik glanzend op weet te poetsen is het informatieve boek. In het aanstekelijke *We zijn allang begonnen, maar nu begint het echt* (1988) geeft ze kinderen een beknopt, maar volledig beeld van wat er allemaal moet gebeuren voor ze in het theater naar een voorstelling kunnen komen kijken. *Waarom een buitenboordmotor eenzaam is* (2004)

biedt basiskennis over onze taal, over klank en betekenis, spelling, spreekwoorden en rijmvormen. (Een buitenboordmotor is eenzaam omdat hij geen synoniem heeft en altijd alleen maar buitenboordmotor heet...) En *Een halve hond heel denken* (2008) is een boek over kijken, over de samenhang van tekst en beeld, over kleur, licht en perspectief, over de gulden snede, symbolen en pictogrammen. Wat de boeken met elkaar verbindt is de oorspronkelijke manier waarop de auteur naar haar onderwerpen kijkt en de speelse, maar glasheldere uitleg van tamelijk ingewikkelde zaken. En als in al haar werk spreekt het beeld waar de taal ophoudt en verklaart de taal waar het beeld geen zin heeft.

> Het pictogram laat niet zien hoe verschillend de mannetjes en vrouwtjes in de werkelijkheid allemaal zijn, het probeert juist alle mannen of alle vrouwen tegelijk in één plaatje voor te stellen. Het vrouwtje heeft een jurk aan, terwijl heel veel vrouwen een lange broek dragen. En er zijn gebieden op de wereld waar miljoenen mannen een doek om hun heupen slaan die op een lange rok lijkt. Al die verschillen zie je niet op zo'n tekentje.
> Uit: *Een halve hond heel denken*

ANTWERPEN

In 2003 verhuisde Van Leeuwen naar België en ging in Antwerpen wonen: 'Ik ben helemaal ingeburgerd. Ik heb veel contact met de kinderboekenwereld hier, maar mijn redacteur zit in Amsterdam. Ik hoor aan beide kanten, dus alweer ben ik een beetje buitenbenig. Ik houd van een mengelmoes van mensen door elkaar en vooral Brussel, maar ook Antwerpen is een smeltkroes, waar je ook thuis kunt zijn zonder je zo vreselijk ik-voel-me-zo-thuisachtig te gedragen. Er gebeuren goede dingen voor kinderen, bij Het Paleis, waar ze jeugdtheater maken en een visie hebben die ik helemaal deel en bij de Stichting Lezen, waar ze Gerda Dendooven tot kinderconsul hebben gemaakt, om het gesprek over de plaats van kinderen in het culturele veld gaande te houden.

Als ik hier een opening van de Jeugdboekenweek meemaak vind ik de sfeer anders dan in Nederland, minder lawaaierig. Misschien heeft het ermee te maken dat de CPNB als organisatie van uitgevers en boekhandelaren vooral boeken wil verkopen, terwijl in Vlaanderen de Stichting Lezen de organisator is. Die wordt door de overheid gesubsidieerd en wil het lezen bevorderen. Dat is toch een fundamenteel ander uitgangspunt. Hier werd een paar jaar geleden bijvoorbeeld een kinderuniversiteit georganiseerd, waar hoogleraren college gaven voor kinderen. In vergelijking daarmee heeft het Nederlandse Kinderboekenbal een soort oppervlakkigheid die mij niet zo bevalt. Toen in Vlaanderen nog weinig gebeurde, floreerde het kinderboek in Nederland. Hier kwam dat pas later met de generatie van Moeyaert en Provoost. Er is echt iets gaande, zoals met de Vlaamse illustratoren die op een heel nieuwe manier tekenen en die zich ook samen in het buitenland presenteren als de Vlaamse school, en in recensies zie je voor allerlei zaken een waardering die in Nederland allang lijkt te zijn opgedroogd. Natuurlijk heb je ook clichématige dingen als kabouter Plop, maar er bestaat nog iets authentieks tegenover een grotere vorm van gladheid en commercialiteit in Nederland. Ik heb de indruk dat er hier nu iets bloeit, terwijl het in Nederland slap is gaan hangen.'

Volgens Van Leeuwen leek ze lange tijd niet meer te bestaan in Nederland, maar nu meent ze een voorzichtige kentering te bespeuren: 'Eind jaren tachtig stonden Kuijer en ik ook op de nominaties van de Kinderjury, maar er werd meer en meer gedaan alsof er twee soorten boeken waren, alsof wat wij schrijven elitair zou zijn en niet geschikt voor kinderen. Dat vind ik vervreemdend, want ik ben heel veel rechtstreeks met kinderen bezig geweest en juist ook met die in achterstandswijken of in Suriname en op de Antillen. En dan merkte ik dat wat ik schrijf heus overkomt. Het heeft voor mij primair te maken met onderschatting van de lezers. Er is een vaste invulling van populariteit gekomen, die haaks staat op het je publiek niet helemaal naar de mond praten. Ik ben niet anders gaan schrijven, maar de perceptie is anders geworden. Misschien zou zelfs Annie Schmidt als ze nu was begonnen met schrijven wel als elitair bestempeld zijn, omdat haar eigenzinnigheid die kon opbloeien in de herwonnen naoorlogse vrijheid zich slecht zou verhouden tot het huidige marktdenken.'

SOCIALE BETROKKENHEID

Tot haar verrassing werd Van Leeuwen gevraagd om na Bart Moeyaert stadsdichter van Antwerpen te worden. Ze probeert zich daarvoor los te maken van het idee dat gedichten altijd in druk moeten verschijnen en experimenteert samen met vormgever Bob Takes, hoe de stad als drager van haar poëzie te gebruiken is. Verzoeken om een gedicht zijn veelal maatschappelijk geworteld. Ze hebben bijvoorbeeld te maken met de Werelddag tegen kindermishandeling, met migratie en illegaliteit. En er ligt een plan om alle pasgeborenen iets te geven dat ook mensen van elders direct met de Nederlandse taal in aanraking brengt.

De sociale betrokkenheid die spreekt uit Van Leeuwens projecten als stadsdichter hoort volgens de schrijfster bij de aard van het vrijzinnig protestantisme waar ze uit voortkomt. Daarbij leerde ze dat je er niet voor jezelf alleen was, maar ook voor de wereld om je heen. In een luchtig kritische verpakking is die houding ook in haar kinderboeken terug te vinden. Regelmatig wordt de opgeklopte televisiewereld op de hak genomen en Bobbels kapitaalkrachtige oom legt haar kernachtig uit waar het bij rijk worden om draait: 'Telkens nieuwe dingen uitvinden die kapot kunnen gaan en zelf zorgen dat de mensen ze graag willen hebben.' In *Dit boek heet anders* onttrekken twee vrouwen en drie kinderen zich aan de regels van het alledaagse leven. Sara woont stil en afgelegen in de bossen, waar niemand ooit komt omdat 'veel mensen meer van lawaai houden' en Lara trekt met haar kinderen bij haar in nadat ze 'bij haar man was weggelopen omdat hij losse handen had'. Naar school gaan de kinderen niet, want daar hebben de dames geen hoge pet van op en met de opsomming van al het idioots dat in een speelgoedwinkel te koop is, stelt de schrijfster de consumptiemaatschappij aan de kaak.

Over de maatschappij van vóór de wereldoorlogen gaat het in *Wijd weg* (1991). Veertje is nog maar twaalf als ze in een dienstje moet gaan werken. Op weg daarheen rolt ze van de ene duistere gebeurtenis in de andere en zoekt ze zich als Alice in Wonderland een weg in een onbegrijpelijke en kindonvriendelijke wereld. De mysterieuze en ook nogal benauwende geschiedenis wordt verteld door een stokoude vrouw. Het meisje dat ver van haar veilige thuis geconfronteerd wordt met brallende kerels, de eerste alcohol en 'natte, warme stempels' op haar buik ondergaat een soort initiatieriten. Het kleine boek is gebaseerd op de verhalen die een dierbare grootmoeder over haar eigen leven aan de schrijfster vertelde. Het valt zowel qua inhoud als beeld helemaal buiten de vrolijke orde van het overige werk en ligt zowel in de tijd van verschijnen als wat het niveau betreft dicht bij *De Tsjilpmachine* (1992), het eerste boek dat Van Leeuwen voor volwassen lezers publiceerde.

Veertje zou bij rijke mensen in huis komen, om er de afwas te doen en de lepeltjes te poetsen, lepeltjes met groefjes en gleufjes waartussen het schuurpoeder niet meer weg wou. Ze zou er de glimmende meubels zachtjes aaiend moeten afstoffen, tot ze ooit zelf geaaid zou worden door een jongen die haar daar weghaalde. Ze zou er de hele dag een schort moeten dragen, en ver weg zijn van haar vader en moeder en haar jongere broers en zusje. Alleen haar benen zouden dicht bij elkaar blijven, want dat had ze zo geleerd.
Uit: *Wijd weg*

Van Leeuwens meest expliciet geëngageerde en tevens meest indrukwekkende boek is *Bezoekjaren* (1998). Het handelt over het onzekere lot van politieke gevangenen tijdens het regime van de Marokkaanse koning Hassan II en het had een lange wordingsgeschiedenis. De schrijfster was vijfentwintig jaar actief voor Amnesty International en correspondeerde jarenlang met een student die vastzat als gewetensgevangene, waarbij de steeds dikker wordende brieven onder de omvangrijke borsten van zijn moeder de gevangenis in en uit gesmokkeld werden. Na de vrijlating werd ze uitgenodigd in Casablanca en ook later bezocht ze de familie nog een aantal keren. Toen een zusje vergeefse pogingen had gedaan om het verhaal van haar familie op te schrijven, besloot Van Leeuwen de geschiedenis zelf ter hand te nemen. Op de titelpagina verscheen de naam van het zusje Malika Blain als coauteur. Zo ontstond een voorloper van de huidige *Slash*-serie, waarin auteurs hun verhaal ook baseren op wat hun door jongeren uit de praktijk van een vaak ingewikkeld bestaan wordt aangereikt.

Van Leeuwen kreeg de vrijheid om haar verbeelding op het leven van de Marokkaanse familie los te laten en er een roman van te maken, terwijl ze tegelijkertijd gebonden bleef aan een bestaande realiteit. Het resulteerde in een onthullend en aangrijpend boek, waarin een liefdevol portret wordt geschilderd van een hecht gezin dat de onbegrijpelijke inbreuk op hun leven met opgewekte volharding te lijf gaat. Mooi is hoe achter de Berberfamilie, waar warmte en gezellige chaos heersen, waar wordt gemusiceerd en gepraat over boeken, poezie en politiek, de eigen kindertijd van de schrijfster schemert. Maar het echte wonder van het boek is dat het ondanks alle narigheid zo licht van toon blijft, wat vooral te danken is aan de perspectiefkeuze. Het verhaal wordt verteld door het jongste zusje Zima, dat vanaf haar zevende de gebeurtenissen op haar niveau van commentaar voorziet, waarbij ze in de loop der jaren steeds meer gaat begrijpen. Als gezinslid is Zima betrokken, want ze is dol op haar grote broers, maar lange tijd blijft ze ook buitenstaander omdat ze nog te klein is. De details van de politieke situatie en vooral ook die van het gevangenzitten kunnen hierdoor onbeschreven blijven. Van Leeuwens gebruikelijke van onderaf naar de werkelijkheid kijken heeft hier een uitzonderlijke functie en laat *Bezoekjaren* ondanks de zware thematiek organisch helemaal bij haar andere werk horen.

> Toen er dichters aan de beurt waren, stond Mehdi opeens op.
> Ik zag hem naar voren lopen, mijn broer, zijn rug een beetje gebogen, maar zijn hoofd rechtop. Hij liep over het podium en ik dacht: dames en heren, jongens en meisjes, dit is mijn broer Mehdi en ik ben zijn zus.
> Mehdi las twee gedichten van Amrar voor, die onder de borsten van mijn moeder waren meegekomen. Ze gingen over graan op stille grond en zo. En Mehdi vertelde van de vijf moeders, waaronder de onze, die opgepakt waren en twee dagen vastgehouden. De hele zaal stond op en applaudisseerde, en ik zoog het geluid op om het door te kunnen geven aan mijn moeder, die zo weinig had mogen leren en zoveel wist. Het gaf me het soort geluk dat je niet kunt kennen zonder ongeluk.
> Uit: *Bezoekjaren*

VOGELMEISJE

Tot het succesvolste dat Van Leeuwen schreef behoort *Iep!* (1996). Het werd bekroond met de Woutertje Pieterseprijs, de Gouden Uil en een Zilveren Griffel, vertaald in verschillende talen, waaronder het Georgisch en het Catalaans, bewerkt tot theater en verfilmd. Het verhaal ligt de schrijfster na aan het hart. Ze vertelt dat ze vaak nogal lang moet 'prutsen' aan een boek, maar dat *Iep!* zich in één beweging liet schrijven, alsof het klaarlag. Het prachtige begin zie je letterlijk uit het niets ontstaan, met drie kale strepen, die de tekenaar voor onze ogen manipuleert en tot een landschapje omtovert. Vier zinnetjes staan erbij: 'Neem drie lijnen/ Buig ze een beetje om/ Schuif ze tegen elkaar/ En hier is het landschap waarin dit verhaal begint.'

'Iep', is het eerste woord dat de kleine hoofdpersoon uitspreekt. Ze wordt gevonden onder een struik en aangezien voor een gevallen engeltje. Maar nee: 'Dit was een vogel in de vorm van een meisje. Of een meisje in de vorm van een vogel. Of iets daartussenin.' Ze heet Viegeltje en als ze honger heeft, zegt ze 'ik miet un bieteriemetje mit pindekies'. Een kinderloos echtpaar ontfermt zich over haar, wat niet eenvoudig is, want hoe houd je het afwijkend gedrag van de vlieggrage vondeling geheim voor de buurt, hoe leer je een gevleugeld mensenkind eten met mes en vork en vooral, hoe verhinder je haar weg te vliegen? Dat lukt natuurlijk niet. Het vogelmeisje ontsnapt door een wc-raam, zaait verwarring en onrust in een wereld die van Viegeltjes geen weet heeft en ook geen plaats voor ze heeft. Een boek lang wordt ze achtervolgd door een aangroeiend gezelschap, waarvan ieder een eigen belang heeft bij de vondst van het vogelmeisje, tot het duidelijk is: 'Viegeltjes kon je niet houden, behalve in je gedachten.'

Na het sterke eerste deel, waarin mét de aandoenlijke hoofdpersoon de thematiek van afscheid en verlangen naar vrijheid wordt geïntroduceerd, waait het verhaal vrolijk vele kanten op. Structureren is niet de sterkste kant van deze auteur en zoals ze zelf verklaart: 'Waar de weg heen gaat, weet ik nooit.' Recht overeind blijft dat het ondanks alle dolle situaties en ongewone mensentypes gaat over zoiets wezenlijks als het kunnen loslaten van wat je dierbaar is. Zo laat Van Leeuwen haar lezers altijd iets zien, niet overduidelijk, maar met kleine glimpjes: hoe leuk taal is, dat veel mensen er nogal raar uitzien en dat dat niets geeft, dat je een hoofd hebt om dingen te verzinnen en oplossingen te bedenken voor ingewikkeldheden, dat je een hart hebt om je te bekommeren om anderen, dat verlegen kinderen ook een heel eind kunnen komen, dat volwassenen de wijsheid niet in pacht hebben en dat de zijpaadjes meestal interessanter zijn dan de hoofdweg. Zonder dat het ooit gaat om precieze aanwijzingen of oordelen over wat goed of verkeerd is, biedt dit oeuvre een rijk geïllustreerd en bemoedigend 'handboek-leven voor kinderen'. Daarvan getuigt een brief die de schrijfster ooit kreeg en die ze koestert: 'Je hebt mij als kind anders leren denken.'

Toon Tellegen

Die schrijver, dat ben ik alleen

Weinig schrijvers hebben zo'n herkenbaar en onverwisselbaar handschrift als Toon Tellegen. 'Je kunt het niet bedenken of we vieren het' of 'Het doet geen pijn, het doet iets anders' of 'Waarom ben ik altijd iets waarvan ik niet weet wat het is?', er is maar één hand die iets zo neerschrijft. Met een opsomming van merkwaardige en ontregelende zinnetjes is moeiteloos een hele pagina te vullen, wat goed zou aansluiten bij 's schrijvers eigen plezier in uitbreiding, stapeling en varianten. Genoemde citaten zijn afkomstig uit de dierenverhalen, waarmee Tellegen in ruime kring bekendheid verwierf, maar het bevragen en kantelen van de werkelijkheid en het kortsluiting veroorzaken binnen de taal zijn typerend voor bijna alles wat hij schrijft.

Tellegens omvangrijke oeuvre bestaat uit verhalen, gedichten en toneelstukken. Hij schrijft voor kinderen en voor volwassenen, waarbij de grens tussen beide lezersgroepen vaag en vaak niet-bestaand is. Regelmatig gaan dezelfde preoccupaties, voorliefdes en gedachtekronkels gekleed in verschillende literaire jassen. Zo keert de bijzonderste vader van de hele wereld uit het kinderboek *Mijn vader* twaalf jaar later aanzienlijk minder perfect en onfeilbaar in zesennegentigvoud terug in de dichtbundel *Raafvogels*, spelen de personages uit de korte poëziecyclus *Een zomerhuis in Rusland* ook hun rol in de verhalenbundel *De trein naar Pavlovsk en Oostvoorne* en was de voor het oog van twee keuvelende dames verdrinkende man uit het toneelstuk *Omstanders* al eens eerder in een gedicht ten onder gegaan. Vóór alles is deze schrijver dichter, ook als hij geen poëzie schrijft: kort van stof, precies van formulering, verrassend van woordkeus, verhuld qua betekenis.

Dat hij schrijver van beroep zou worden kon Tellegen zich lange tijd niet voorstellen. Schrijven was altijd iets wat hij zichzelf naast iets anders zag doen. Tot 1997 was hij huisarts in Amsterdam en tot 2009 werkte hij naast zijn schrijverspraktijk nog parttime in twee psychiatrische klinieken. Als zijn officiële debuut geldt de dichtbundel *De zin van een liguster* (1980). Vier jaar later maakte hij met de dierenverhalen uit *Er ging geen dag voorbij* zijn niet onopgemerkt gebleven entree in de kinderboekenwereld. Daar groeide hij uit tot een belangrijk en gelauwerd auteur, zij het niet onomstreden omdat hij volgens sommige beschouwers voor een jeugdig lezerspubliek te hoog in de literaire boom zit.

Voor een eerste ontmoeting met Tellegen biedt *Mijn avonturen door V. Swchwrm* belangrijke flarden biografie en schrijverschap. De eerste druk verscheen in 1998 als Kinderboekenweekgeschenk en bevat in nog geen honderd bladzijden de geloofsbrieven van een jongen die schrijver gaat worden. Hij gebruikt een schuilnaam omdat 'ik niet wil dat iemand weet wie ik echt ben' en hij hoopt dat zijn boek 'een diepe indruk zal achterlaten', want anders heeft hij het voor niets geschreven. Hij worstelt met zijn schaamtegevoel, wil graag gelukkig zijn, wordt tevergeefs verliefd en op een dag verdwijnt hij zonder dat iemand het merkt en wordt geheel vergeten. Er moet veel worden nagedacht en getwijfeld en de fascinatie voor de taal is groot. Wat een raar woord is bijvoorbeeld 'bekijks' en aan de rand van de stad ligt een 'eigenschappentuin', waar in aparte kamers mensen wonen die deerniswekkend, gemelijk, koddig, deemoedig of hardvochtig zijn.

De schrijver in spe mag zich onzeker voelen over hoe aardig of stom hij wordt gevonden, vaker nog koestert hij zich in aandoenlijke almachtsfantasieën. Zo zorgt hij ervoor dat er nooit meer oorlog komt, dat niemand meer doodgaat en tijdens de verkiezingen is hij de enige die stemmen mag, omdat alleen hij weet wat het beste is voor het land. Hij heeft een opa die de dood wegstuurt omdat hij nog met zijn kleinzoon naar de kermis moet en hij is de vertrouweling van de in een blauwe robe rondvliegende koningin, voor wie hij haar mooiste toespraak ooit maakt: 'Landgenoten, Ik ben gelukkig...'

Schrijver worden valt niet mee. Het papier verschrompelt, de pen is ongehoorzaam en de overheid vaardigt een schrijfverbod uit voor V. Swchwrm. Reden: 'Hij kan het niet.' Succes wordt bespot met het schoolbezoek van een beroemd auteur. Vier sterke jongens dragen hem op hun schouders de gymzaal binnen, waar hij een wereldberoemd gedicht voorleest na eerst voor het oog van zijn gehoor een stuk taart te hebben verorberd: 'Het is heel leerzaam om te zien hoe een groot schrijver taart eet, zei de meester.' En V. Swchwrm ervaart hoe moeilijk het is om voor de koningin iets te bedenken waar ze om moet huilen. Bij al zijn tranen trekkende verhalen over meisjes in dunne jurkjes in de kou, vogels met gebroken vleugels en hulpeloze bejaarden die uitglijden op straat blijft ze onbewogen, en pas na een paar kleine regels over de liefde krijgt hij een briefje met doorgelopen letters van haar terug. Maar waarom de koningin zo moest snikken, daar mogen de lezers van V. Swchwrm naar raden: 'Dat gaat niemand wat aan.'

Het is allemaal van een grenzeloze en grillige verbeeldingskracht, het is absurdistisch, grappig, authentiek en wens vervullend. Een kind leeft in zijn eigen wereld, waar hij de werkelijkheid naar zijn hand zet. Niets ligt nog vast en alles is nog mogelijk voor wie er volle kracht vooruit op af gaat. Groots en meeslepend zal het leven zijn en iedereen, de koningin incluis, zal van hem houden. Van de donkerte en de melancholie, de onmacht en de vergeefsheid waarmee de auteur veel van zijn werk voor volwassenen kleurt is het boekje mijlenver verwijderd; tóch draait de motor van Tellegens schrijverschap waarschijnlijk nog altijd op de energie uit dit van creativiteit bruisende jongensuniversum.

> Als ik in de eigenschappentuin zou leven, wat zou ik dan willen zijn? Vrolijk? Tevreden? Gelukkig? Nee, dacht ik. Onzichtbaar. Ik zou onzichtbaar willen zijn. Ik zou in een lege kamer willen wonen met een bordje op mijn deur: ONZICHTBARE JONGEN.

Om elf uur 's ochtends zou ik hoogstens heel even mijn keel schrapen en 'Ahum' zeggen. Maar meer niet.
Uit: *Mijn avonturen door V. Swchwrm*

DEN BRIEL

Toon Tellegen werd in 1941 geboren in Den Briel, waar zijn vader huisarts was. De plek is hem dierbaar: 'Het is een prachtige kleine vestingstad met overal eromheen water, waar we in zwommen of op schaatsten. In die naoorlogse jaren zonder Europoort en nog haast zonder verkeer was het er een beetje de wereld van Dik Trom. Waar nu Rozenburg ligt had je alleen maar natuur. Je kon er met de veerpont heen en binnen de stadsmuren stond nog een boerderij met koeien in de wei. Een lezer was ik niet. Voetballen met mijn broers of mijn vriendjes was ongeveer het belangrijkste in het leven.

Vlak bij de Noordpoort die de Watergeuzen ooit rammeiden woonden we in een groot huis met eindeloze zolders en vlieringen, en van de voordeur naar de achterdeur reden we vaak op de fiets door de lange marmeren gang. Iedereen kende elkaar en zei elkaar goeiendag en de deuren van alle huizen stonden altijd open. Je stapte gewoon naar binnen en riep "Volk!" Op mijn vierde liep ik al alleen naar de kleuterschool. Het leven buitenshuis was totaal veilig en dat betekende voor een kind grote vrijheid.

Ik heb er gewoond tot ik twaalf en driekwart jaar was en we naar Voorburg verhuisden toen mijn vader bedrijfsarts werd bij de spoorwegen. Dat vertrek viel samen met het begin van mijn puberteit. Ik herinner me dat ik op de Markt in Den Briel stond met een vriendje toen er een meisje voorbijfietste. "Kijk eens wat een mooie benen," zei die jongen, waarop ik dacht, wat is er nou mooi aan benen?! Een halfjaar later in Voorburg wist ik wat hij bedoelde.

Mijn broers waren achttien en zestien toen we weggingen. Ze hadden al verhalen over meisjes, roken en biljarten, terwijl mijn zusje pas zes was en eigenlijk buiten die Brielse tijd staat. Ik heb er van ons vieren misschien wel de scherpste herinneringen aan, waarschijnlijk omdat ik altijd aan het luisteren was, aan het opletten. Alles wat er aan tafel werd besproken knoopte ik in mijn oren. Ik kende van iedereen de namen, wist van toestanden en conflicten. Tot je twaalfde ben je voor een groot deel toeschouwer van de volwassen wereld, niet echt deelnemer.

Aan school had ik geen hekel. Veel dingen leken me wel erg moeilijk. Ik herinner me dat mijn broer deelsommen aan het maken was met van die schuine strepen en dat ik dacht: het is onmogelijk dat ik dat ooit zal kunnen. Wij hoorden bij de Nederlandse Protestantenbond en zaten op de openbare school. We hadden ook nog een christelijke en een katholieke school en op woensdagmiddag was het soms "vechten tegen de christelijken" geblazen. Daar heb ik nooit aan meegedaan, want van vechten hield ik niet. Voor mijn boek *Juffrouw Kachel* heb ik de juffrouw van klas één en twee sterk uitvergroot, maar ze klopt wel. Nadat het was verschenen kwamen er uit Den Briel nog de vreselijkste verhalen los over slaan en opsluiten in het kolenhok.'

'Ze zal het berouwen.'
Dat vind ik zulke bijzondere woorden. Die denk ik heel vaak in de klas. En als ik van school naar huis loop zeg ik ze hardop.
'Ze zal het berouwen.'
Eigenlijk moet je je vinger erbij zwaaien: 'Dat zal je berouwen, mannetje!'

Ik ga met mijn linker wijsvinger zwaaien en met mijn rechterhand heel langzaam hier opschrijven: 'U zult het berouwen, vrouwtje!'
Uit: *Juffrouw Kachel*

'Mijn ouders speelden denk ik niet zo'n grote rol in mijn leven toen ik klein was. Den Briel, mijn vriendjes en mijn zes jaar oudere broer waren belangrijker. Hij was een aparte figuur en zat mijn tweede broer altijd op zijn kop, terwijl ik buiten schot bleef. Hij voetbalde en schaatste met mij en we zaten samen op een tafeltennisclub. Hij deed uitvindingen in zijn laboratorium en maakte rookbommen. Eentje legde hij er eens tussen het harmonieorkest dat op de Markt een serenade gaf en dat toen moest stoppen met spelen. De burgemeester kwam bij mijn vader verhaal halen, maar die vond het eigenlijk geweldig en werd bovendien nooit boos. Hij moest altijd lachen en kon absoluut niet streng zijn. Met mijn zoon was ik later net zo, wanneer die vanwege zijn graffiti op het politiebureau moest komen. Dan sprak de politie mij ernstig toe en zei ik: ja, heel vervelend, maar als we buiten stonden barstten we samen in lachen uit.

Mijn vader heeft zijn leven lang het NRC gelezen en was een echte liberaal, in de zin van mensen vrijlaten om te doen wat ze willen, mits ze anderen geen schade berokkenen. Dat ik daarin opgevoed ben, daar ben ik blij om. Hij hield van gezelligheid en was erg gesteld op zijn vrienden. Ik zag hem weinig. Hij was zo'n ouderwetse plattelandsdokter die altijd klaar moest staan, zeker vijftig bevallingen per jaar deed en leefde voor zijn werk. Ik weet nog dat ik hem op de fiets door de stad zag rijden en dat ik me afvroeg of hij me wel zou herkennen.'

Mijn vader is de grootste man die er bestaat.
Als zijn vrienden op bezoek komen, zitten ze op zijn schouders en zijn knieën.
Dan praat hij tegen ze in vreemde talen: 'Nisjni nosjni nasjni nusjukwakskwokskwok.' Zo ongeveer.
Ze moeten allemaal om mijn vader lachen. Overal zitten vrienden. Uit al zijn zakken puilen ze, en op zijn hoofd staan ze te dansen van plezier.
Als ze naar huis gaan krijg ik een hand van ze en zeggen ze: 'Ach ach, wat een vader heb jij toch, Jozef, wat een vader... wees maar heel voorzichtig met hem...'
Uit: *Mijn vader*

RUSLAND

'Mijn moeder was negen jaar toen ze met haar ouders en broers uit Sint-Petersburg moest vluchten. Over haar geboorteland praatte ze nooit toen wij klein waren. Voor haar was Rusland vooral de misère van de Revolutie, de honger, de angst en de reis naar Nederland, waar haar voorouders vandaan kwamen. En eenmaal veilig daar bleven de zorgen toen haar vaders banketbakkerij in Leiden niet rendabel bleek. Ons heeft ze helaas nooit Russisch geleerd terwijl het haar moedertaal was. Wel las ze de schitterende sprookjes van de heks Baba Jaga voor. Mijn moeder was somber en pessimistisch van aard en voelde zich niet echt thuis in zichzelf. Ze was een intellectuele vrouw die graag had willen studeren, ze was geïnteresseerd in de wereld en wilde discussieren over échte onderwerpen. In Den Briel – waar het toch benauwd was met al die mensen die elkaar kenden, de verhalen en de roddels – had ze vaak iets ongedurigs. Later werd ze milder en ben ik meer naar haar toe getrokken.

De broer direct boven mijn moeder was mijn lievelingsoom. Hij kon geweldig pianospelen, maar toen hij uit Rusland kwam wilde hij niets meer, niet leren en niet pianospelen, en raakte hij aan de drank. Hij was een romanticus en zo gekwetst dat hij als jongen van dertien weg moest van zijn goede en welvarende leven. Ik was gefascineerd door zijn Russische accent, de alcohol en het radicale wat hij had. Als ik bij hem kwam was hij meestal dronken en dan zuchtte hij: "Toontje, Toontje, later neem je me een keer mee naar Rusland!" Toen ik studeerde wilde ik echt met hem op reis gaan en krabbelde hij terug. Mijn moeder vond toen dat ik niet aan moest dringen, omdat de emoties waarschijnlijk te veel voor hem zouden zijn geweest.'

Op een plein voor een kerk verdrongen zich honderden mensen. In het midden stonden een man en een beer. Een oude vrouw ging met de pet rond.
De man speelde viool – het was een armzalig wijsje – en de beer danste. Hij had een muilkorf om zijn bek en hij keek met grote droefgeestige ogen om zich heen.
Pikkuhenki dook naar beneden, vloog tussen de mensen door, laag langs de grond, en schoot recht omhoog de neus van de beer in.
De beer hield op met dansen. 'Dansen!' siste de man, terwijl hij vlugger probeerde te spelen.
Maar Pikkuhenki vloog al tussen de oude en droefgeestige gedachten van de beer door en porde ze al op.
De beer rukte zijn muilkorf af, gromde en greep de viool van de man. 'Dansen!' brulde hij. Hij begon te spelen.
En de man begon te dansen. Het werd zwart voor zijn ogen, maar hij danste.
Uit: *Pikkuhenki*

'De achtergrond van mijn moeder vind ik fascinerend en haar aangrijpende levensverhaal heeft altijd tot mijn verbeelding gesproken. Alles uit *De Trein naar Pavlovsk en Oostvoorne* dateert van een paar jaar geleden. De grootvader was echt, met zijn pijp en de kruimels in zijn baard, maar zijn verhalen niet en op de weidse Russische steppe is hij nooit geweest. Dat verhaal over het kerkhof waar alleen mensen liggen die aan bijzondere ziektes gestorven zijn, werd aanvankelijk in *Hollands Maandblad* gepubliceerd. Toen mijn broer dat las zei hij verbaasd dat onze grootvader dat hém nooit verteld had! Daar was ik wel trots op. Wanneer ik bij mijn grootouders logeerde, ging ik naar de kamer van mijn oom. Daar hing een reproductie van een beroemd schilderij van Repin, waarop wel twintig kleurrijke Kozakken daverend staan te lachen, terwijl er eentje een brief zit te schrijven aan de Turken, dat ze zich natuurlijk nooit zullen overgeven! Daar heb ik vaak naar gekeken.

Mijn verbondenheid met Rusland is vooral ook door de literatuur gekomen. Veel van wat er vertaald is heb ik gelezen – Tolstoj, Dostojevski en Poesjkin, die de Russen zelf als de vader van hun literatuur zien – maar voor mij is Tsjechov de grootste. Al zijn verhalen heb ik achter elkaar gelezen tijdens dezelfde zomervakantie waarin ik *Toen niemand iets te doen had* aan het schrijven was. 's Avonds vertelde ik mijn kinderen dan vaak wat voor geweldigs ik weer gelezen had. Tsjechov kan zo fabelachtig goed schrijven! Elk verhaal is van een zo moeiteloze eenvoud en openheid dat kinderen ze ook zouden kunnen lezen. Bij Tsjechov kun je zo binnenlopen.'

Mijn grootvader, mijn moeder en ik,
wij rijden in een trein.
De wereld schudt,
de conducteur verschijnt, in het zwart,
met goud en rood.
'Waar gaat u heen?' vraagt hij.
'Naar Pavlovsk,' zegt mijn grootvader.
'Naar Oostvoorne,' zeg ik.
Mijn moeder zwijgt.
'Zij hoort bij mij,' zeggen wij
en tonen onze kaartjes.
Uit: *De trein naar Pavlovsk en Oostvoorne*

'Of het verschrikkelijk was om uit Den Briel weg te gaan weet ik niet zo goed. Ik vond vroeger niet zoveel, de dingen gebeurden gewoon. Maar als ik terugdenk betekende het wel een breuk. Ik was mijn vriendjes kwijt. Ik had de eerste klas van de hbs gedaan en kon net naar twee gymnasium, maar ik was met bepaalde dingen achter en ik praatte plat. In de allereerste les zei ik zoiets als Raume in plaats van Rome, waarop de hele klas in lachen uitbarstte. Toen ben ik me in mezelf gaan terugtrekken en die hele middelbareschooltijd was ik thuis zwijgzaam en bokkig. Ik werd verlegen, durfde nooit mijn vinger op te steken en

wilde achteraan zitten. Ik was veel alleen, had wel een paar vrienden, maar nooit een vriendinnetje en ging niet naar feestjes. De conrector zei eens tegen mijn moeder: "Toon is een echte binnenvetter." Vreselijk vond ik dat en zo'n onsmakelijk woord, maar ik was het natuurlijk wel.

Ik ben heel veel gaan lezen. Thuis kwam literatuur niet ter sprake. Ik was daar alleen in en dat vond ik wel prettig. Het was mijn domein. Met een jongen uit de klas las ik de hele *Ilias* en de *Odyssee* en we praatten over gedichten. Hij was helemaal ondersteboven van *The Lord of the Rings*. Op mij maakte het ook enorme indruk en toen ik later mijn vrouw leerde kennen, zei ik dat ze alleen mijn vriendinnetje kon zijn als ze eerst Tolkien las! Ik ging naar de openbare bibliotheek, luisterde naar jazz, fietste in mijn eentje naar het Gemeentemuseum in Den Haag en op mijn vijftiende schreef ik mijn eerste gedicht. Elke dag na school schreef ik er een en ik was verbaasd toen bleek dat niet iedereen dat deed. Ik vond het heel gewoon, maar liet ze nooit aan iemand lezen. Het idee dat ik dichter zou worden was ondenkbaar. Ik ging naar optredens van dichters en fietste met een vriend naar de andere kant van Den Haag, waar onze conrector lezingen gaf over Roland Holst. Ik ontdekte dus veel dingen die me interesseerden, maar tegelijkertijd was mijn vaste voornemen, al vanaf mijn vijftiende, om dokter te worden en daarna naar Peru te gaan, waar ik zou kunnen verdwijnen. Ik wilde niet dood, maar ik wilde weg, onzichtbaar zijn, zodat niemand wist waar ik was.'

> Ik zuchtte onhoorbaar. Ik wist het nu zeker. Ik zou haar nooit vragen om met mij naar het strand te gaan. Altijd zou ik een jongen blijven, een jongen van een jaar of zestien, die iets wilde vragen, die zijn hart voelde bonzen, die zijn hoofd voelde gloeien, die niets vroeg.
> Uit: *Dora; een liefdesgeschiedenis*

AMERIKA

Na zijn eindexamen vertrok Tellegen met een beurs naar een universiteit in Virginia, waar hij een geweldige tijd had: 'Ik heb een jaar lang geen Nederlander gezien, reisde in de vakanties met medestudenten naar verschillende delen van Amerika en maakte enorm veel mee. In mijn pakket zaten onder andere psychologie, Amerikaanse kunst en literatuur en de Grieken en Romeinen in vertaling. Ik las als een waanzinnige, elke dag wel een roman, en besloot er zelf ook maar eens een te schrijven. In de muziekbibliotheek kon je in een cabine gaan zitten met een koptelefoon en daar legde ik een schrift voor me en schreef *De dood van Achilles*. Terug in Nederland stuurde ik de drie schriftjes naar De Bezige Bij. Daarop volgde een afspraak met Bert Schierbeek, die voornamelijk zelf aan het woord was en met plechtige stem verklaarde: "Schrijven is het moeilijkste, maar ook het mooiste wat er bestaat." En verder vonden ze mijn schriftjes heel interessant, maar "nog niet rijp om uit te geven".'

UTRECHT

Toen Tellegen medicijnen studeerde in Utrecht werd in 1964 een eenakter van zijn hand opgevoerd. Het was de eerste keer dat er van zijn literaire ambities iets naar buiten kwam. Een jaar later schreef hij samen met een medestudent de theatertekst *Jimmy Walker* voor het lustrum van het Utrechts Studentencorps. Het spektakelstuk met film, dans, een bokswedstrijd, een paar oude auto's en veel figuranten werd onder leiding van Johan de Meester opgevoerd in de Jaarbeurs. Tellegen vond het geweldig om in zo'n heel andere wereld opgenomen te zijn: 'Van toneel had ik geen idee, maar ik wilde gewoon schrijven. Tijdens mijn studententijd maakte ik wel vier romans en een verhalenbundel, zonder dat daar iets van gepubliceerd werd. Van dat schrijven werd ik soms zo blij dat ik op mijn tafel klom en uitzinnig in mijn eentje stond te juichen en te dansen. Dat waren momenten van geluk en extase, een soort verliefdheid. Verliefdheid op het schrijven. Het ging niet om publiek of schrijver worden, maar dat ik ermee bezig was. Vergelijk het met wanneer je bepaalde muziek hoort en denkt: nu zit ik er middenin, hier moet ik zijn. Tegenwoordig is dat extreme gevoel er nog maar een enkele keer, en dan niet meer op het moment dat ik iets aan het maken ben, maar wanneer het af is.'

> Boven de tafel van de eekhoorn hing een lamp.
> Soms kwam de olifant op bezoek en vroeg of hij even aan die lamp mocht heen en weer slingeren.
> De eekhoorn vond dat altijd goed.
> Dan slingerde de olifant, flapperend met zijn oren, heen en weer – zó hoog dat hij zelfs tegen het plafond botste en de lamp vervaarlijk kraakte.
> Telkens als hij laag over de tafel heen kwam, riep hij: 'Eekhoorn!' en zwaaide hij naar de eekhoorn.
> De eekhoorn zwaaide terug en hoopte dat zijn lamp het zou houden.
> Uit: *Bijna iedereen kon omvallen*

Na zijn studie en een jaar chirurgie en verloskunde vertrok Tellegen met vrouw en zoontje voor Memisa naar Kenia. Naar zijn droomland Peru bleken nauwelijks artsen uitgezonden te worden en hij kwam terecht in het land van de Maasai, een dunbevolkt, enorm gebied met groene heuvels, kuddes koeien en overal groot wild. Het water kwam uit een bron, er was geen telefoon en maar af en toe elektriciteit, de post werd eens per week opgehaald door een pater en bij gebrek aan wegen croste de landrover dwars door de natuur, ook om patiënten op te halen. De kersverse dokter kwam aan het hoofd te staan van een ziekenhuis met honderdvijftig bedden. Dat was vooral in het begin een beangstigende ervaring: 'Ik had geen aanleg om chirurg te worden, maar moest daar wel opereren, gelukkig samen met zeer ervaren nonnen. Het was echt een bedrijf, met dagelijks wel twintig nieuwe opnames, van heinde en ver. Elke avond zat ik met mijn neus in de medische boeken en na zo'n anderhalf jaar kreeg ik het gevoel dat ik het ging redden. Het was hard werken, heel vaak 's nachts, en aan schrijven kwam ik nauwelijks toe, maar over verdwijnen en voorgoed wegblijven dacht ik ook niet meer. Ik was alleen maar bezig om het daar te doen en te kunnen.

We hadden veel contact met de Maasai, gingen naar feesten ter gelegenheid van een besnijdenis of een overgangsritueel. Wat we meemaakten zag er vaak rommelig uit, maar was wel degelijk heel precies en betekenisvol. Ik sprak Swahili, niet goed maar genoeg om te communiceren. De verpleegsters spraken moeiteloos de talen van verschillende stammen. Samen met hen maakte ik woordenlijsten met in acht of negen talen de namen van ziektes en lichaamsdelen, zodat ik erachter kon komen waar de pijn zat. Die lijsten hingen overal in het ziekenhuis. Er kwamen gewonden binnen die waren aangevallen door een buffel of een neushoorn en de Maasaikrijgers gingen soms een leeuw doden en kregen dan wel eens een klauw in hun rug: vijf grote gaten, of al het vlees was van een been geschraapt. Misschien komt mijn olifantenfascinatie om te beginnen daarvandaan. Soms konden de kinderen niet naar school in het dorp omdat de olifanten te dichtbij rondliepen en met jongen zijn ze gevaarlijk. "Elephants on the road", was dan de kreet. Op een dag werd er in de buurt een geschoten en haalde mijn vrouw daar een nier van vijfentwintig kilo voor de hond!'

Op een zondag gingen Jannes en zijn moeder fietsen. Jannes zat in een stoeltje, aan het stuur van de fiets van zijn moeder.
Het was een zonnige dag.
Ze fietsten de stad uit, over een kronkelige weg, langs een groot meer. Er fietsten veel olifanten daar.
Op het meer voeren zeilboten met glinsterende witte zeilen.
Zij fietsten langs boerderijen met boze, blaffende olifanten en bruine en witte, kakelende olifanten.
Zij reden een smal weggetje op, tot aan een hek.
Zijn moeder stapte af en tilde Jannes uit het stoeltje. Zij had een mand met eten bij zich: jonge heesters, eikentakken en berkensap. Zij zaten in het gras en aten.
Uit: *Jannes*

AMSTERDAM

In 1973 nam Tellegen een huisartsenpraktijk over in Amsterdam en begon hij weer dagelijks te schrijven. In 1977 werden enkele gedichten in *De Gids* geplaatst en in 1980 verscheen de debuutbundel *De zin van de liguster*: 'Ik had er al zoveel geschreven – bizarre en complete cyclussen over O en X en een stad S, allemaal varianten – en toen was er opeens één gedicht waarvan ik dacht: ja, nu heb ik voor het eerst iets te pakken. En nog altijd denk ik dat dat een goed gedicht is. Het is als met mijn oude schoolagenda's, waarin ik kan zien dat ik in de derde klas echt mijn eigen handschrift kreeg. Geen idee waarom, misschien is het zoiets als een groeispurt van een kind.

Het bijzondere van schrijven is dat ik weet: zoals ik schrijf, schrijven andere mensen niet. Dat is mijn stijl en die schrijver, dat ben ik alleen. Toen ik dokter was, was er geen wezenlijk verschil met andere artsen. Ik heb het graag gedaan, maar ik mis mijn praktijk niet. Van schrijven kan ik me niet voorstellen dat ik dat ooit niet zou doen. Het is iets vanzelfsprekends en er is zelden een schrijfloze dag. Elke ochtend slof ik naar boven en ga ik verder waar ik gebleven was. Het structureert mijn leven en dat is heel prettig.'

Veel van wat Tellegen schrijft lijkt gebaseerd op een idee, dat hij van alle kanten tot op de millimeter nauwkeurig verkent. Het resultaat van het onderzoek wordt vervolgens vastgelegd in korte beschrijvingen, waarvan het aantal waarschijnlijk bepaald wordt door de gangbare omvang van een boek. Het is alsof de schrijver zichzelf een opdracht geeft om zich daarna strikt te houden aan de bijbehorende beperkingen. Zo verkent hij in *Twee oude vrouwtjes* alle kleuren van de liefde door de verkreukelde mensjes elkaar op leven en dood te laten bevechten en wie van de twee de laatste adem uitblaast, is in het volgende verhaaltje weer springlevend in de weer om de ander hartstochtelijk dan wel venijnig te beminnen of te haten. In *Brieven aan Doornroosje* schrijft de prins een jaar lang elke dag naar het paleis van zijn slapende prinses: hij komt eraan, maar tussen droom en daad staan praktische bezwaren, dus het wakker kussen moet nog even wachten. In *Dora* wordt de ik-figuur uitgenodigd om met de titelheldin en haar picknickmand naar het strand te gaan, maar ook dat gaat er niet echt van komen, hoe hartstochtelijk het achtergrondkoor ook zingt over de liefde. In tweeenvijftig hoofdstukjes krijgt dezelfde kleine plot over het niet-gaan steeds een andere toonzetting: bang, besluiteloos, lichtvoetig, onhandig, vastberaden. Ook maakte Tellegen gedichten bij elke letter van het alfabet en rondom spreekwoorden, waarvan de stelligheid systematisch in twijfel wordt getrokken. In *Jannes* draait het om de vraag hoe de wereld eruit zou zien als elk levend wezen een olifant zou zijn en in *Teunis* is het juist weer de vraag hoe je je als enige olifant tussen uitsluitend mensen zou voelen.

Tellegen erkent dat hij iets dwangmatigs heeft: 'Als ik een dag niet schrijf, voel ik me schuldig, dan heb ik het idee dat het de verkeerde kant op gaat met me. Maar het gaat vooral ook om een soort nieuwsgierigheid, om te kijken hoever ik kom. Bij sommige opdrachten moet ik mezelf dwingen om weer te stoppen, want anders raak ik overspoeld en dreig ik mijn zelfkritiek te verliezen. Voor mijn bundel *Raafvogels* schreef ik bijna honderd gedichten die allemaal beginnen met “Mijn vader...”, tot ik verwilderd dacht: straks schrijf ik er duizend! Het is te vergelijken met een avond in het café, waar je zo goed met iemand zit te praten dat je er over twee weken rustig nog zou kunnen zitten.

Wat ik schrijf bestaat uit allemaal momenten, ik lever geen ontwikkeling. Een roman schrijven moet een heel ander soort werk zijn, zo’n boek waar je maanden of jaren aan bezig bent. Het is de taal zélf waar ik van houd, vooral van bijzondere Nederlandse woorden. Ik denk ook veel aan de taal, gewoon voor m’n plezier. Als ik mensen hoor praten zit ik zinnen te ontleden en luister ik naar de plaats van de woorden. Op de fiets neem ik vaak een werkwoord, bijvoorbeeld zien, en bedenk wat je daarmee kunt doen: afzien, aanzien, doorzien, opzien, voorzien. Het is fascinerend hoeveel betekenisverschil één zo’n voorvoegsel maakt. Daar krijg ik nooit genoeg van, van al die combinaties en nuances en het feit dat iedereen die ook kent, dat de meneer die verderop fietst ook weet wat afzien betekent. Dat we dat allemaal zomaar weten, en dat zo’n woord een emotie oproept.

Het publiceren van mijn eerste bundel betekende niet echt een mijlpaal. Dingen uit mijn persoonlijk leven houden me altijd meer bezig. Het schrijven zelf is erg belangrijk, maar publicaties horen niet bij de grote gebeurtenissen in het bestaan. Dat klinkt misschien arrogant, maar zo is het. Als ik mijn leven overdenk, denk ik aan meisjes waar ik verliefd op ben geweest of aan mijn kinderen of vakanties en wat ik meemaakte. In een zwembad ging ik vroeger “mijn leven zwemmen”. Dan dacht ik bij elk baantje aan wat er in opeenvolgende jaren gebeurde, maar mijn boeken kwamen daar niet in voor.’

Sinds zijn debuut publiceert Tellegen met ijzeren regelmaat jaarlijks dan wel tweejaarlijks een nieuwe dichtbundel. Dit onderdeel van zijn schrijverschap wordt zonder discussie binnen het literaire domein voor volwassenen geplaatst. De gedichten mogen dan vaak compact, verhalend en woordspelig van aard zijn, de schijnbare eenvoud is meestal bedrieglijk. Om ze te begrijpen is behoorlijk wat lees- en levenservaring nodig en de hulpeloze, zelden optimistische kijk op het bestaan brengt niet direct een jeugdig lezerspubliek in gedachten. In 1999 maakte de auteur speciaal voor jongeren een keuze uit zijn poezie. De beruchte vraag van zowel scholieren voor hun werkstuk als journalisten voor hun interview naar het waarom van het schrijverschap, blijkt hier in enkele zinnen te beantwoorden:

WAAROM SCHRIJF IK

Ik schrijf omdat ik wil schrijven
dat ik gelukkig ben.

Op een dag zal het zover zijn
en zal ik schrijven –
met mijn tong tussen het puntje van mijn tanden,
en met rode oren en rode wangen:
ik ben gelukkig.

Als ik daarna ooit nog twijfel
en meen dat ik verdrietig ben of de wanhoop nabij
of zelfs reddeloos verloren,
kan ik altijd opzoeken wat ik werkelijk ben:
gelukkig.
Uit: *Gewone gedichten*

HET DIERENBOS

Met de publicatie van *Er ging geen dag voorbij* zette Tellegen een onvermoed belangrijke stap in zijn schrijversloopbaan. Querido gaf eerder al de gedichten uit en nam dit boekje zonder veel aarzeling op in haar kinderboekenfonds. Een bos vol dieren wordt algauw aan kinderen toebedacht, maar toen het kleine boek in 1984 verscheen kraakte de kinderboekenwereld zachtjes in haar voegen. Er leek sprake van dierenverhalen, maar niet op de binnen de jeugdliteratuur vertrouwde manier van het dier dat keurig aangekleed op mensenwijze rondscharrelt, noch het sprekende dier dat de lezer, als in de fabel, wijze lessen voorleeft. De critici waren overrompeld en wisten er niet goed raad mee, maar duidelijk was dat de Nederlandse (jeugd)literatuur een verteltalent rijker was, en wel in het hier zelden beoefende absurdistische genre.

In een soort bos, dat in een handomdraai kan worden uitgebreid met een rivier, een woestijn, een oceaan en vooral veel horizon en verte, woont een ongewoon en in de loop der jaren steeds verder uitdijend dierengezelschap bijeen. Bij oppervlakkige waarneming houdt het volkje zich aan de biologische afspraken – de nachtegaal zingt, de bever knaagt en de pad zwelt – maar wie iets verder kijkt, ziet een theezettende spreeuw en de vlinder en de giraffe die het bed delen. Toch profileren de dieren zich niet echt met menselijke eigenschappen; ze hebben alleen de taal van de mens geleend. Ze bestaan om te denken.

Er is altijd wel iemand van plan om te gaan denken of om iets te bedenken wat hij nog nooit bedacht heeft. Wat is later en wat vroeger? Als alles voorbij gaat, gaan wij dan ook voorbij? Nu zijn we gelukkig, maar zouden we niet nog gelukkiger kunnen zijn? Waar gaat pijn heen nadat hij over is? Vaak gaat het om existentiële vragen, waarbij de hersenen van zowel de verhaalfiguren als de lezer flink moeten kraken. Het denken strekt zich ook uit tot de merkwaardigheid van de taal, die vooral op haar letterlijkheid onderzocht wordt. De lijster kan zijn liedje niet beginnen omdat hij de juiste toon kwijt is. Boven een brief staat 'Beste egel', en elke keer als de geadresseerde dit leest, groeit zijn gevoel van eigenwaarde. Hij is immers een, of misschien wel dé beste egel! Wat is eigenlijk een verloren dag, en wat betekent 'tot hier en niet verder' in de praktijk? Kortom: een dier denkt wat af.

Waar de verhaaltjes over gaan is moeilijk vast te stellen. Er gebeurt voornamelijk niets. Men komt elkaar tegen, zit wat in de zon, denkt een gedachte en voert een min of meer samenhangend gesprek. Het leven vloeit traag als stroop, er hoeft nooit iets, er heerst grote tevredenheid en slechts af en toe roeren zich vage verlangens, wil iemand tijdelijk iets anders zijn of even weg, naar hij weet niet precies waar. De wensen zijn bescheiden: de waterslak wil zachtjes kabbelen, de egel wil een keer gevaar lopen en de mier zou graag lucht zijn. De meest algemene en zorgvuldig beschreven bezigheid is het vieren van feestjes, meestal ter gelegenheid van iemands echte, dan wel mogelijke verjaardag. Het zijn langdurige, luisterrijke festijnen, met alles erop en eraan: wonderlijke geschenken, een overvloed aan al dan niet zwevende taarten, zang, dans, toespraken en vermoeid gesnurk. De prioriteiten worden al in een van de eerste verhaaltjes duidelijk gesteld: 'Ze wisten niet wat zij vierden, maar wel wat zij aten', en daarbij 'zat iedereen naast wie hij het liefste zat, zodat alles het beste smaakte.'

De trouwe lezer zal nog wel meer constanten opmerken. Veel communicatie geschiedt per brief en de post wordt bezorgd door de wind, die altijd tot op de millimeter precies weet waar de ontvangende partij woont. Er is geen boom of de olifant klimt erin en dondert er vervolgens weer uit, de mier is een knapperd, de beer een alleen aan zichzelf denkende taartverslinder, de tor een sombermans, en tussen de eekhoorn en de mier heeft zich in de loop van honderden verhaaltjes iets ontwikkeld dat nogal op vriendschap lijkt. Aanvankelijk had de schrijver zichzelf opgedragen om af te zien van vastomlijnde karakters en zich ontwikkelende verhoudingen. Van elke diersoort zou er maar één zijn, de dieren zouden allemaal even groot zijn, geen eigenschappen hebben en dus onderling verwisselbaar zijn, en er zou geen verleden of toekomst bestaan. Vooral de verwisselbaarheid bleek niet vol te houden, omdat verschillende dieren zich gaandeweg niet naar deze eis van hun schepper bleken te willen voegen. Het is de olifant die uit de bomen valt, de pad lijdt aan woede-uitbarstingen en als er in iets les moet worden gegeven, doet de mus dat. Opvallend is ook dat in het bos het kwaad niet bestaat, wat volgens Tellegen komt door het ontbreken van

hiërarchie. Geen dier is meer of beter dan een ander en omdat er geen paarvorming mogelijk is (van elke soort is maar één) zijn ook relatieproblemen als bron van ellende uitgesloten.

Het waren Tellegens kinderen die hem op het spoor naar het dierenbos zetten. Hij vertelde verhaaltjes voor het slapengaan en in de auto. Die hadden naar zijn eigen idee nooit opgeschreven kunnen worden, sprongen van de hak op de tak en waren van een totale absurditeit. Pas toen zijn dochter een jaar of twaalf was en hij ophield met vertellen, begon Tellegen pas aan de geschreven versies. Inmiddels is het Tellengensiaanse dierenverhaal een begrip en een succes geworden. Ruim zeshonderd zijn er gebundeld in twee voorname uitgaven met leeslint en dierenregister – samen ook wel aangeduid als de 'Tellegenbijbel' – waarbij ze de ongebruikelijke overstap maakten van het kinderboekenfonds naar dat voor volwassen lezers. Ze zijn in twintig talen vertaald, waaronder Chinees, Russisch, Fins, Servisch en Catalaans, vormen de basis van talloze theatervoorstellingen, verwoorden emoties bij huwelijken en begrafenissen en ze inspireerden illustratoren als Mance Post, Geerten Ten Bosch, Annemarie van Haeringen, Jan Jutte, Ingrid Godon en Kitty Crowther tot prachtig werk.

Het geheim van al dit succes is niet gemakkelijk te vangen. Tellegen is een verhalenverteller en sinds mensenheugenis luistert iedereen graag naar een goede verteller. Van de plot moeten deze verhalen het niet hebben, maar wel gebeurt er regelmatig iets zo merkwaardigs dat de lezer direct rechtop zit: iemand rolt de zon weg, de lucht is groen en de bomen zijn wit, de rups viert zijn jas of de slurf van de olifant waait weg. Tegelijkertijd is er sprake van een grote onveranderlijkheid. Het zweven van de nevelslierten en het zingen van de lijster, de al dan niet vliegende taarten, de rondwaaiende brieven en vallende olifanten, de honing en de beukennotenmoes: op een gegeven moment weet je het wel, maar het betekent ook vertrouwdheid, veiligheid en de vreugde van de herkenning. De eigenaardigheden van het dierenbos kennen levert een gevoel op dat in zekere zin vergelijkbaar is met de opwinding bij de Harry Potterfans over de terugkeer naar Zweinstein.

Maar de grootste kracht ligt in het levensgevoel dat uit de verhalen spreekt. Met al hun absurdistische exercities en wonderlijke gedachtekronkels raken de dieren aan wat het menselijk bestaan zo ingewikkeld maakt: gemis, eenzaamheid, existentiële onzekerheid, onvermogen tot wezenlijk contact, angst voor de dood, gebrek aan zingeving. Dat zou

tot loodzware onverteerbaarheid kunnen leiden, maar daarvoor is het allemaal te licht en te klein en vooral ook te vluchtig. Als schitterende zeepbellen blaast de verteller zijn verhalen de lucht in en hun kleurschakeringen zijn die van de melancholie. Voordat ze uit elkaar spatten wordt er even iets belangrijks aangeraakt, maar anderhalve bladzijde later zit iedereen weer aan de thee, de taart of een goed gesprek. En in het volgende verhaal gaat het weer moedig voorwaarts. Het is het leven in een notendop, maar dan zonder dat je het in al zijn ingewikkeldheid direct hoeft te herkennen of te benoemen.

Sinds het allereerste verhaaltje op 3 juni 1983 moet Tellegen er zo'n negenhonderd gemaakt hebben. De wereld van de eekhoorn en de mier hoort bij de vakantie in Frankrijk, waar hij er jaarlijks zestig schrijft, genoeg om de weekkalender te vullen die hij met Nieuwjaar in zijn omgeving rondstuurt. Daaruit kunnen dan later nieuwe bundels worden samengesteld. Die hebben vaak een thema als boosheid, verjaardagen, brieven, nacht of het bestaan van de boktor. En in *De genezing van de krekel* vertonen de zorgen van en rondom de depressieve krekel zoveel samenhang dat alle verhaaltjes samen wel iets van een kleine psychologische roman hebben gekregen. In de loop van de jaren zijn de lichtheid en het zorgeloze een beetje zoekgeraakt en waart er vaker somberheid door het bos rond. Aan het slot van *De almacht van de boktor* (2007) lijkt iedereen er het moede hoofd zelfs bij neer te leggen. De olifant is uitgeklommen en zeker ook 'uitgevallen', de beer begrijpt niet wat hij ooit in taart gezien heeft, de wind is gaan liggen, 'want er werd geen brief meer geschreven en er viel verder ook niets meer te waaien', en in de laatste zin gaat de zon onder 'en of hij ooit weer op zou gaan was niemands zorg'.

Toch liet Tellegen zijn zon weer opgaan, maar de dieren en vooral de mier bleken in zo'n staat van treurnis te verkeren dat een kinderpubliek wel erg onwaarschijnlijk werd. In *Het vertrek van de mier* (2009) verlaat de mier het bos en wordt hij door zijn mededieren op allerlei manieren gemist. In een existentiële crisis sleept hij zich dagenlang de woestijn door en van zijn wanhoopsgevoelens maakt hij aantekeningen die naar vorm en inhoud zeer verwant zijn aan Tellegens poëzie. Zo vallen dichter en verhalenverteller na vijfentwintig jaar uiteindelijk samen.

Hoewel gepubliceerd in het kinderboekenfonds hebben de dierenverhalen van het begin af aan ook veel volwassen lezers gehad. Tegelijkertijd wordt er in kinderboekenland hier en daar gemord dat ze voor jeugdige lezers onbegrijpelijk zouden zijn, wat leidt tot vruchteloze en niet te beslechten discussies, die bovendien de werkelijke waarde van het geschrevene niet raken. Tellegens lezerspubliek laat zich niet afperken naar leeftijd, maar naar taalgevoeligheid, soepelheid van geest en geloof in de mogelijkheid van bijna alles.

Opmerkelijk is dat op het moment dat de mier het kinderboek definitief de rug heeft toegekeerd er elders in het bos een nieuwe loot is opgeschoten. *Morgen was het feest* (2008) bewijst dat de schepper zijn dierenvolk nog niet echt moe is. De verhaaltjes zijn bewust voor jonge kinderen geschreven, als resultaat van een opdracht van uitgeverij Zwijsen voor een schoolboekje. Dat moest over de winter gaan en zeven hoofdstukjes hebben. Op eenzelfde manier is er in deze nieuwe uitgave ruimte voor alle seizoenen. Die zorgen voor een binnen Tellegens werk ongebruikelijke, maar onvermijdelijke orde en structuur, terwijl ook de titel op een kleine verschuiving wijst. Het lijkt een echt vervreemdende Tellegentitel, maar het is vooral ook een verwijzing naar de realiteit van het kinderspel: 'Toen was ik de moeder en jij het kind.' Zo zijn er deze keer meer flarden alledaagsheid in het bos doorgedrongen. Er bestaat zowaar nog voorjaarsschoonmaak en de vakantie is om naar zee te gaan, waar de olifant in een bootje zeilt (om vervolgens in de mast te klimmen). Uit de kinderwereld is het netalsofspel geleend, er is aandacht voor herhaling, de waterjuffer schrijft letters op het water en de uil een boek: 'Er was eens iemand die ik heette...' Gebleven is de taalfascinatie van een schrijver die zich mét zijn lezers verbaast over begrippen als 'ongelukkig toeval' of 'schrale winter' of geniet van het spetterende woord 'roetsjen'. Het dierenbos is altijd een plek geweest waar het alledaagse geen toegang had, maar dat de schrijver nu een klein beetje rekening houdt met de werkelijkheid van zijn lezerspubliek heeft het bos in een ongekend aardse glans gezet en maakt *Morgen was het feest* tot een ware Tellegen voor beginners.

> Het werd nog steeds warmer en de eekhoorn liep de vlakte uit de woestijn in.
> Hij had het nog nooit zo warm gehad en vroeg zich af waarom de zon zo hard scheen. Dat is toch niet nodig? dacht hij.
> Midden in de woestijn zag hij de pinguïn, die languit op zijn rug op het zand lag, met zijn vleugels uitgespreid.
> 'Pinguïn!' riep de eekhoorn. 'Wat doe jij hier?'
> 'Zonnebaden,' zei de pinguïn. 'Ik heb vakantie.'
> 'O,' zei de eekhoorn.
> 'Ik heb geruild met de kameel. Die wilde in zijn vakantie verkleumen.'
> De eekhoorn zei niets. De vleugels van de pinguïn waren door de zon vuurrood geworden en dikke zweetdruppels stroomden van zijn gezicht in het zand en vormden kleine riviertjes, die een eindje verderop in de grond verdwenen.
> 'Weet jij hoe lang vakanties duren?' vroeg de pinguïn.
> 'Nee,' zei de eekhoorn.
> Het was een tijd stil. 'Na de zomer komt toch de herfst?' vroeg de pinguïn toen.
> 'Ja,' zei de eekhoorn.
> 'En na de herfst de winter?'
> 'Ja.'
> De pinguïn draaide zich op zijn buik. 'Dit is dus zonnebaden,' mompelde hij. 'Het is meer dan ontdooien. Dat is duidelijk.'
> Uit: *Morgen was het feest*

DE KINDERBOEKENWERELD

In 1988 kreeg Tellegen de Gouden Griffel voor *Toen niemand iets te doen had.* Hij was stomverbaasd: 'Daarmee werd ik geïncorporeerd in de kinderboekenwereld, waar ik weinig van wist. Met de scheidslijn tussen kinderboekenschrijvers en schrijvers voor volwassenen heb ik me nooit beziggehouden en ik heb er nooit last van gehad, ook al zijn er wel critici die vinden dat mijn dierenverhalen niet op de kinderboekenplank horen. Maar ik heb ze gewoon geschreven en nooit speciaal voor kinderen. Van wat kinderen leuk vinden, heb ik geen verstand.'

Toch verscheen er naast *Morgen was het feest* nog een aantal titels dat wel degelijk is geschreven met jeugdige lezers in het schrijversachterhoofd. Daartoe ooit aangezet door Harrie Geelen vertelt Tellegen in *Juffrouw Kachel* (1991) over de losse handen van zijn vroegere schooljuf. Zij slaat met de knokkels, waar ook nog een gemene ring aan zit, of met de vlakke hand. En dertig kinderen zijn aan haar overgeleverd. Eén van hen houdt een dagboek bij, waaruit het beeld van juffrouw Kachel in volle, weerzinwekkende omvang oprijst. Deze leerling heeft begrepen dat schrijven de enige manier is om aan zijn machteloze woede vorm te geven. Al zijn energie en creativiteit stopt hij in dappere wraakplannen. Juf zal hopelijk in een wak schaatsen, haar been op twaalf plaatsen breken, spontaan in vlammen opgaan of ernstig ziek worden en de klas stuurt een fruitmand met 'van harte nooit meer beterschap'. Het lezen van de kleine, precies registrerende zinnen en de kinderlijke toon van onbegrip en ongeloof doen pijn in het hart. Wie daar al een beetje van ineengekrompen is, wordt vervolgens platgewalst door de overdonderende tekeningen van Harrie Geelen, die de bladzijden in een even ijzeren greep houden als juffrouw Kachel haar leerlingen.

'Lief' is niet een voor de hand liggende kwalificatie bij Tellegens werk, maar bij *Jannes* (1993) komt het woord vanzelf boven. De schrijver spreekt met zijn lezers af dat er geen andere wezens dan olifanten bestaan. Een olifant spint een web en vangt daarin een heftig zoemend olifantje en in de olifantentuin slingeren olifanten zich van tak naar tak en krabben zich op de buik. Er is kortom sprake van een totale verslurfing. Hoofdpersoon is de kleuterolifant Jannes. Hij woont bij zijn moeder, vader olifant is op zee en Jannes leidt een doorsneekleuterbestaan. Het aardige is dat het boekje ondanks alle slurven en slagtanden Tellegens meest menselijke verhaal is. Jannes leeft in een veilige omgeving, met een moeder die haar kind de liefste olifant van de wereld vindt en een roerende brief van de olifantekapitein die op zee heimwee naar zijn zoon heeft. Daarbij tovert Peter Vos ons met grote precisie en zichtbaar plezier meesterlijke slurfwezens voor, zoals daar zijn de olifantekoe, de olifantekikker en de olifantepoes.

Tot het mooiste wat Tellegen schreef hoort *Mijn vader* (1994). In veertig episodes vertelt een kleine jongen over de allerbijzonderste vader van de hele wereld. In de schitterende absurdistische tekeningetjes van Rotraut Susanne Berner worden de verhoudingen direct onontkoombaar neergezet. De reusachtige vader is een uit zijn krachten gegroeide kwajongen op enorme gymschoenen, met een ziekenfondsbrilletje en een wonderlijk pruikje haar. Zoon Jozef is een minimannetje met een te groot hoofd, dat in alle opzichten tegen zijn vader opkijkt. Hij schetst ons het portret van dit ontzagwekkend wezen, dat alles weet en alles kan: boeven vangen, onzichtbaar worden, bulldozers en de oorlog tegenhouden. Vader zegt voor op school, weet het beter dan de dokter en smijt de vreselijke badmeester in diens eigen vreselijke zwembad. Het kinderlijke perspectief van waaruit de tijd van onvoorwaardelijk geloof en vertrouwen in de vaderlijke almacht wordt neergezet, maakt dat dit sterke verhaal door veel lezers herkend zal worden als een waar verhaal.

Dat kinderlijk perspectief, de niet door volwassen noties gekleurde blik op de wereld – of in elk geval het verlangen ernaar – zou wel eens de bindende factor kunnen zijn in veel van wat Tellegen schrijft: 'Misschien kan ik mij niet zo goed in een groot mens verplaatsen. Zelfs de twee oude vrouwtjes zijn een soort kinderen en de prins van Doorn-

roosje is een jongen, een jongen met fantasie. Zodra ik een echt volwassen perspectief neem, kan ik het geloof ik niet absurd genoeg maken. Voor kinderen voel ik me vrijer. Als ik serieus over een volwassene zou moeten schrijven, kan ik me niet zomaar laten gaan. Als lezer voel ik me ook slecht op mijn gemak bij een boek waarin de personages zo door en door volwassen zijn. Volwassen volwassenen kom ik elke dag wel tegen. Veel romans vind ik ook te moralistisch: er spreekt zo'n oordeel uit over hoe mensen leven en hoe ze zouden moeten leven.'

Toon Tellegen bepaalt graag zelf hoe zijn wereld eruitziet. Het is een wereld waar de afspraken, restricties, conventies en ambities van de volwassenen nauwelijks geldigheid hebben. Waar mannen op tafels dansen om het geluk van het schrijven, waar je duizend gedichten maakt met dezelfde beginwoorden en waar ze van de grenzen tussen de literatuur voor kinderen en volwassenen nog nooit hebben gehoord. Het is een wereld waar je na de dood gewoon weer verdergaat waar je was gebleven en waar het lang en gelukkig leven van het sprookje geen einde aan een boek betekent. Het is een even veilige wereld als die van Den Briel in de jaren vijftig of van het dierenbos, waar iedereen vreedzaam naast elkaar leeft en het kwaad niet bestaat. Het is een wereld waarin de schrijver alsnog op elegante en geaccepteerde wijze kan verdwijnen en onzichtbaar zijn.

Paul Biegel (1925 – 2006)

De gouden gitaar (Uitgeverij Holland, 1962)
Het grote boek (Uitgeverij Holland, 1962)
Het lapjesbeest (Uitgeverij Holland, 1962)
Het sleutelkruid (Uitgeverij Holland, 1964)
Kinderverhalen (Uitgeverij Holland, 1966)
Ik wou dat ik anders was (Uitgeverij Holland, 1967)
De tuinen van Dorr (Uitgeverij Holland, 1969)
De kleine kapitein (Uitgeverij Holland, 1970)
De zeven fabels uit Ubim (Uitgeverij Holland, 1970)
Sebastiaan Slorp (Uitgeverij Holland, 1970)
De twaalf rovers (Uitgeverij Holland, 1971)
Een toren naar de maan (Algemene Bank Nederland, 1971)
Reinaart de vos (Uitgeverij Holland, 1972)
De kleine kapitein in het land van Waan en Wijs (Uitgeverij Holland, 1973)
Het olifantenfeest (Uitgeverij Holland, 1973)
De vloek van Woestewolf (Uitgeverij Holland, 1974)
Het stenen beeld (Uitgeverij Holland, 1974)
Twaalf sloeg de klok (Uitgeverij Holland, 1974)
De kleine kapitein en de schat van Schrik en Vreze (Uitgeverij Holland, 1975)
De zeven veren van de papegaai (Uitgeverij Holland, 1975)
De dwergjes van Tuil (Uitgeverij Holland, 1976)
Het spiegelkasteel (Uitgeverij Holland, 1976)
De brieven van de generaal (Uitgeverij Holland, 1977)
De rover Hoepsika (Uitgeverij Holland, 1977)
Wie je droomt ben je zelf (Uitgeverij Holland, 1977)
Virgilius van Tuil (Uitgeverij Holland, 1978)
De toverhoed (Uitgeverij Holland, 1979)
Virgilius van Tuil op zoek naar een taart (Uitgeverij Holland, 1979)
Virgilius van Tuil en de oom uit Zweden (Uitgeverij Holland, 1980)
Haas (Uitgeverij Holland, 1981)
Jiri (Uitgeverij Holland, 1981)

Virgilius van Tuil overwintert bij de mensen (Uitgeverij Holland, 1982)
De zwarte weduwe (Uitgeverij Holland, 1984)
Een tijdje later (Van Holkema & Warendorf, 1984)
Japie en de dingen (Oberon, 1984)
Tante Mathilde en de sterren van de grote beer (Uitgeverij Holland, 1984)
Japie en het grote geld (Oberon,1985)
Van de oude dame en de muis (Uitgeverij Holland, 1985)
Het wolkenschip (Uitgeverij Holland, 1986)
Japie rekent af (Oberon, 1986)
De Rode Prinses (Uitgeverij Holland, 1987)
Beer in het verkeer (Uitgeverij Holland, 1989)
Het eiland daarginds (CPNB, 1989)
Anderland (Uitgeverij Holland, 1990)
Juttertje Tim (Uitgeverij Holland, 1991)
Nachtverhaal (Uitgeverij Holland, 1992)
Een huis vol beren (Van Goor, 1993)
De soldatenmaker (Uitgeverij Holland, 1994)
De karabijn (Uitgeverij Holland, 1995)
Het ijzeren tapijt (Uitgeverij Holland, 1996)
De Ivoren deur (Poetry International, 1996)
Laatste verhalen van de eeuw (Uitgeverij Holland, 1999)
Eén been, stokkebeen (Uitgeverij Holland, 2002)
Man en muis (Uitgeverij Holland, 2003)
Swing (CPNB, 2004)

Guus Kuijer (1942)

Rose, met vrome wimpers (Meulenhoff, 1971)
Het dochtertje van de wasvrouw (Meulenhoff, 1973)
De man met de hamer (De Arbeiderspers, 1975)
Een gat in de grens (Querido, 1975)
Met de poppen gooien (Querido, 1975)
Drie verschrikkelijke dagen (Querido, 1976)
Grote mensen, daar kan je beter soep van koken (Querido, 1976)
Op je kop in de prullenbak (Querido, 1977)
Pappa is een hond (Querido, 1977)
Hoe Mieke Mom haar maffe moeder vindt (Querido, 1978)

Krassen in het tafelblad (Querido, 1978)
Een hoofd vol maccaroni (Querido, 1979)
De tranen knallen uit mijn kop (Querido, 1980)
Het geminachte kind (De Arbeiderspers, 1980)
Crisis en kaalhoofdigheid (De Arbeiderspers, 1983)
Eend voor eend (Querido, 1983)
Het grote boek van Madelief (Querido, 1983)
De zwarte stenen (Querido, 1984)
Het land van de neushoornvogel (Querido, 1985)
De jonge prinsen (Querido, 1986)
Tin Toeval en de kunst van het verdwalen (Querido, 1987)
Tin Toeval en het geheim van Tweebeens-eiland (Querido, 1987)
Izebel van Tyrus (De Arbeiderspers, 1988)
De redder van Afrika (De Arbeiderspers, 1989)
Tin Toeval en de kunst van Madelief (Querido, 1989)
Olle (Querido, 1990)
Het vogeltje van Amsterdam (De Arbeiderspers, 1992)
Tin Toeval in de onderwereld (Querido, 1993)
De verhalen van Jonathan (Querido, 1996)
Voor altijd samen, amen (Querido, 1999)
Het geluk komt als de donder (Querido, 2000)
Het is fijn om er te zijn (Querido, 2000)
Reukorgel (Zwijsen, 2000)
Ik ben Polleke hoor! (CPNB, 2001)
Met de wind mee naar de zee (Querido, 2001)
Zomer in je kop (Querido, 2003)
Het boek van alle dingen (Querido, 2004)
Florian Knol (Querido, 2006)
Hoe een klein rotgodje God vermoorde (Athenaeum – Polak & Van Gennep, 2006)
Het doden van een mens (Athenaeum – Polak & Van Gennep, 2007)
Waarom kinderen wel cowboytje, maar nooit jezusje of mohammedje spelen (Querido, 2008)

Wim Hofman (1941)

Welwel, de zeer grote tovenaar, en zes andere doldwaze verhalen over ridders, tovenaars, matrozen, krentebollen, cowboys en Indianen en over

een planeet (Uitgeverij W. van Hoeve, 1969)
Het eiland Lapje Loem (Van Holkema & Warendorf, 1972)
Koning Wikkepokluk de merkwaardige zoekt een rijk (Van Holkema & Warendorf, 1973)
De mist in (Van Holkema & Warendorf, 1975)
Wim (Van Holkema & Warendorf, 1976)
Mijnheer Gregoor (De Oude Degel, 1977)
Tweede boek over Wim (Van Holkema & Warendorf, 1978)
Ansje Vis en Matje Klop (Van Holkema & Warendorf, 1979)
De Stoorworm (Van Holkema & Warendorf, 1980)
Aap en Beer, een ABC boek (Van Holkema & Warendorf, 1983)
Aap en beer gaan op reis (Zwijsen, 1984)
Straf en andere verhalen (Van Holkema & Warendorf, 1985)
Miep en ik (Zwijsen, 1986)
Zip en andere verhalen (Van Holkema & Warendorf, 1986)
Uk en Bur (Van Holkema & Warendorf, 1987)
Het vlot (Van Holkema & Warendorf, 1988)
Grote Pien en kleine Pien (Van Holkema & Warendorf, 1989)
De dochters van de kolenboer en andere verhalen (Van Holkema & Warendorf, 1991)
De kerstreis (Van Goor, 1991)
Het geheim van de inktvis (Zwijsen, 1991)
In de stad (Van Holkema & Warendorf, 1991)
Klein Duimpje (Moon Press, 1991)
Naar luilekkerland (Moon Press, 1992)
De jongen die op reis ging om te leren griezelen (Moon Press, 1993)
Het kerstverhaal (Van Goor, 1993)
Een ABC en Suusje Pietz (Querido, 1996)
Mijn buik is van koek (Zwijsen, 1997)
Zwart als inkt is het verhaal van Sneeuwwitje en de zeven dwergen (Querido, 1997)
Gered! (Zwijsen, 2000)
Het bos in (Zwijsen, 2001)
Ik vlieg, ik vlieg! (Zwijsen, 2002)
De hut in het bos (Zwijsen, 2003)
Kleine Pien op reis (Zwijsen, 2003)
Wat we hadden en wat niet (Querido, 2003)
Na de storm (Querido, 2005)
Lezing met lichtbeelden (Slibreeks, 2006)

Van Aap tot Zip (Querido, 2006)
Het Rijk van Heen en Weer (Querido, 2008)

Els Pelgrom (1934)

Het geheimzinnige bos (H. ten Brink's uitg.mij. 1962)
De kinderen van het Achtste Woud (Kosmos, 1977)
De zwervers van de Zakopane (Kosmos, 1978)
Drie Japies (Kosmos, 1980)
Lady Africa en nog een paar (Kosmos, 1981)
Altijd anders (Meulenhoff Informatief, 1982)
Het verloren paspoort (Kosmos, 1982)
Voor niks gaat de zon op (Zwijsen, 1982)
Een brief van Markus Voet (Thieme, 1984)
Kleine Sofie en Lange Wapper (Querido, 1984)
De Olifantsberg (Querido, 1985)
De straat waar niets gebeurt (Querido, 1986)
Het onbegonnen feest (Querido, 1987)
De eikelvreters (Querido, 1989)
De koe die van het leven hield (verhalen, Querido, 1992)
Ongeboren Roulf (Querido, 1992)
Bombaaj! (CPNB, 1995)
De zee en het land (Zwijsen, 1998)
De kater en het vogeltje (Averbode, 1999)
Het loterijbriefje (Ploegsma, 2000)

Voor beginnende lezers:
Een droom lijkt net echt (Zwijsen,1982)
Een zak vol geld (Zwijsen, 1982)
De man van hout (Zwijsen, 1988)
Pim en de poes (Zwijsen, 1988)
Daar zijn draken! (Zwijsen,1992)
Viespeuk (Zwijsen, 1993)
Hij heet Broek! (Zwijsen, 1994)
Snoepje (Zwijsen, 1994)
De beer is los (Zwijsen, 1996)
De zee en het land (Zwijsen, 1998)

Navertellingen:
Niels Holgersson deel 1 en deel 2 (van Selma Lagerlöf, Wolters-Noordhoff, Wenteltrap 1974)
Rasmus loopt weg (van Astrid Lindgren, Wolters-Noordhoff, Wenteltrap, 1974)
De geheime tuin (van Frances Hodgon Burnett, Wolters-Noordhoff, Wenteltrap, 1984)
Ontvoerd (van Robert L. Stevenson, Thieme, 1986)
Op zoek naar fortuin (van E. Nesbit, Averbode, 1996)
De klokkenluider van de Notre Dame (van Victor Hugo, Averbode, 1997)
Victor Frankenstein (van Mary Shelley, Averbode/ Ploegsma, 2002)
Griekse mythen: deel 1 *Helden* (Lannoo,2007)
deel 2 *Donder en Bliksem* (Lannoo, 2007)

Voor toneel:
Zusje Harmonika (Firma Rieks Swarte/Het Paleis, Antwerpen, 2000)
Van de wind en de berg (Cordoba-project, Firma Rieks Swarte/ Toneelschuur Producties, Haarlem

Imme Dros (1936)

Het paard Rudolf (Van Holkema & Warendorf, 1971)
Kunt u mij de weg naar Hamelen vertellen, meneer? (De Gooise Uitgeverij, 1975)
Spicht en de burgemeester (Van Holkema & Warendorf, 1976)
Altijdgrijs (Van Holkema & Warendorf, 1977)
Pinkeltje (Van Holkema & Warendorf, 1978)
De zomer van dat jaar (Van Holkema & Warendorf, 1980)
Duif, de dappere duif (Van Holkema & Warendorf, 1982)
Lange maanden (Van Holkema & Warendorf, 1982)
En een tijd van vrede (Van Holkema & Warendorf, 1983)
De Witte Boot (Van Holkema & Warendorf, 1985)
Annetje Lie in het holst van de nacht (Van Holkema & Warendorf, 1987)
De trimbaan (Van Goor, 1987)
De reizen van de slimme man (Van Goor, 1988)
Roosje kreeg een ballon (Van Holkema & Warendorf, 1989)
De o van opa (Van Holkema & Warendorf, 1990)

Kan er iets goeds komen uit Nazareth? Veertien monologen (Amber, 1990)
Roosje kan veters (Van Holkema & Warendorf, 1990)
De Maan en de Muizenkoning (Moon Press, 1991)
De Wolf die tegen water praatte (Moon Press, 1991)
Ik wil die! (Van Holkema & Warendorf, 1991)
Een heel lief konijn (Querido, 1992)
Roosje moet mee (Van Holkema & Warendorf, 1992)
Roosje wil dokter worden (Van Holkema & Warendorf, 1992)
Van een vrouw die een huisje bouwde in haar buik (Querido, 1992)
De blauwe stoel, de ruziestoel (Querido, 1993)
De jongen met de kip (Querido, 1993)
Roekel (Querido, 1993)
Odysseus: een man van verhalen (Querido, 1994)
Morgen ga ik naar China (Querido, 1995)
Ongelukkig verliefd (Querido, 1995)
Dag soldaat, dag mooie soldaat (Querido, 1996)
De huiveringwekkende mythe van Perseus (CPNB, 1996)
Koning Midas heeft ezelsoren (Querido, 1996)
Lievepop en Lappenpop (Querido, 1996)
Repelsteel en andere stukken (Querido, 1996)
De macht van de liefde: de mythen van Pygmalion, Narkissos, Tereus, Orfeus en Helena (Querido, 1997)
Dit is het huis bij de kromme boom (Querido, 1997)
Het grote avonturenboek van Roosje (Van Holkema & Warendorf, 1998)
Kleine, kleine zeemeermin (Querido, 1998)
Ilios: het verhaal van de Trojaanse oorlog (Querido, 1999)
Reis naar de liefde: de mythe van het gulden vlies (Querido, 1999)
Zuurstok is de mooiste kleur (Querido, 1999)
Held van de twaalf taken: de mythe van Herakles (Querido, 2000)
Liefde en wat ervoor doorgaat: de mythen van Medeia en Iason, Alkestis en Admetos, Psyche en Eros (Querido, 2000)
Zomaar was je geboren: een wiegelied (Querido, 2001)
Held van het labyrinth: de mythen van Theseus en Ariadne, Daidalos en Ikaros, en Faidra (Querido, 2002)
Het mooiste boek van de wereld (Querido, 2003)
Roosje leert zwemmen (Van Holkema & Warendorf, 2003)
Roosje wordt beroemd (Van Holkema & Warendorf, 2003)
Griekse mythen (Querido, 2004)
Ik wil dát! (Zwijsen, 2004)

Roosje moet op reis (Van Holkema & Warendorf, 2004)
Bijna jarig (Querido, 2005)
Pareltjespap is pap voor prinsessen (Querido, 2006)
Pissebed Fred (Querido, 2007)
De groeten van de goede Sint (Querido, 2008)
Mee met Aeneas (Querido, 2008)
Naar het ziekenhuis (Querido, 2009)

Peter van Gestel (1937)

Drempelvrees (Querido, 1962)
Buiten de grens (Querido, 1963)
Een scherp wit landschap (Van Ditmar, 1964)
Een kanjer van een kater (Brand, 1969)
Rosie (Elsevier Manteau, 1979)
Schuilen onder je schooltas (Elsevier, 1979)
Joost, of de domme avonturen van een slim jongetje (Van Goor, 1981)
Het meisje zonder muts (De Fontein, 1982)
Uit het leven van Ko Kruier (De Fontein, 1984)
Ko Kruier en zijn stadsgenoten (De Fontein, 1985)
Saartje en Het Blauwe Huis (De Fontein, 1987)
Oef van de mensen (De Fontein, 1988)
Boze Soe (De Fontein, 1990)
De kater met één oor en andere wonderlijke verhalen (De Fontein, 1991)
Masja: de verhalen van Katja (De Fontein, 1992)
Lieve Claire (De Fontein, 1994)
Prinses Roosje (Moon Press, 1994)
Nachtogen (De Fontein, 1996)
Mariken (De Fontein, 1997)
Slapen en schooieren (De Fontein, 1999; herziene druk onder de titel *Rommelkatje*, Querido, 2006)
Winterijs (De Fontein, 2001)
Die dag aan zee (Querido, 2003)
Nikki (Querido, 2005)
Kleine Felix (Querido, 2008)

Joke van Leeuwen (1952)

De Appelmoesstraat is anders (Omniboek, 1978)
Een huis met zeven kamers (Omniboek, 1979)
De metro van Magnus (Omniboek, 1981)
Sus en Jum (Omniboek, 1983)
Deesje (Querido, 1985)
Fien wil een flus (Zwijsen, 1985)
De vis en het boek (Zwijsen, 1986)
Mus en de bus (Zwijsen, 1986)
Papa en de nies (Zwijsen, 1986)
Het verhaal van Bobbel die in een bakfiets woonde en rijk wilde worden (Querido, 1987)
Duizend dingen achter deuren (CPNB, 1988)
We zijn allang begonnen, maar nu begint het echt (Querido, 1988)
De tjilpmachine (Querido, 1990)
Wijd weg (Querido, 1991)
Dit boek heet anders (Querido, 1992)
niet wiet, wel nel (Zwijsen, 1992)
Het weer en de tijd (CPNB, 1993)
Laatste lezers (Querido, 1994)
De wereld is krom maar mijn tanden staan recht (Querido, 1995)
Ik ben ik (Zwijsen, 1995)
Een poosje groot (Zwijsen, 1996)
Iep! (Querido, 1996)
Twee beleefde dieven (Querido, 1996)
Bezoekjaren (Querido, 1998)
Kukel (Querido, 1998)
Een sok met streepjes (Zwijsen, 1999)
Naar toe toe (Zwijsen, 2000)
Ozo heppie en andere versjes (Querido, 2000)
Sontjeland (Zwijsen, 2000)
Vier manieren om op iemand te wachten (Querido, 2001)
Wat wil je dan? (Zwijsen, 2001)
Vrije Vormen (Querido, 2002)
Kweenie (Querido, 2003)
Slopie (Querido, 2004)
Waarom een buitenboordmotor eenzaam is (Stichting Ons Erfdeel, 2004)
Ga je mee naar Toejeweetwel? (Querido, 2005)

Heb je mijn zusje gezien? (Querido, 2006)
Wuif de mussen uit (Querido, 2006)
Fladderen voor de vloed. Verzameld werk (Muntinga, 2007)
Een halve hond heel denken (Querido, 2008)
Alles nieuw (Querido, 2008)

Toon Tellegen (1941)

De zin van een liguster (Querido, 1980)
Beroemde scherven (Querido, 1982)
De andere ridders (Querido, 1984)
Er ging geen dag voorbij (Querido, 1984)
Toen niemand iets te doen had (Querido, 1987)
Langzaam, zo snel als zij konden (Querido, 1989)
Het feest op de maan (Querido, 1990)
Juffrouw Kachel (Querido, 1991)
Misschien waren zij nergens (Querido, 1991)
Bijna iedereen kon omvallen (Querido, 1993)
Jannes (Querido, 1993)
Mijn vader (Querido, 1994)
Twee oude vrouwtjes (Querido, 1994)
De verjaardag van de eekhoorn (Querido, 1995)
Misschien wisten zij alles (Querido, 1995)
Brieven aan niemand anders (Querido, 1996)
De ontdekking van de honing (Querido, 1996)
Teunis (Querido, 1996)
Dokter Deter (Querido, 1997)
De verjaardag van alle anderen (Querido, 1998)
Dora (Querido, 1998)
Mijn avonturen door V. Swchwrm (CPNB, 1998)
De genezing van de krekel (Querido, 1999)
Er ligt een appel op een schaal (Querido, 1999)
De trein naar Pavlovsk en Oostvoorne (Querido, 2000)
Ze sliepen nog (Querido, 2000)
Taartenboek (Querido, 2001)
Brieven aan Doornroosje (Querido, 2002)
Is er dan niemand boos? (Querido, 2002)
Plotseling ging de olifant aan (Querido, 2004)

Midden in de nacht (Querido, 2005)
...mnopq... (Querido, 2005)
Pikkuhenki (Querido, 2005)
De eenzaamheid van de egel (Querido, 2006)
Raafvogels (Querido, 2006)
De almacht van de boktor (Querido, 2007)
Post voor iedereen (Querido, 2007)
Ik zal je nooit vergeten (Querido, 2007)
Toen niemand iets te doen had (Querido, 2008)
Morgen was het feest (Querido, 2008)
Hemels en vergeefs (Querido, 2008)
Het vertrek van de mier (Querido, 2009)
Iedereen was er (Querido, 2009)

Paul Biegel

p. 30 Carl Hollander, omslag van een eenmalige uitgave van *De tuinen van Dorr*
p. 31 Fiel van der Veen, uit: *Laatste verhalen van de eeuw*
p. 33 Babs van Wely, uit: *Ik wou dat ik anders was*
p. 37 Babs van Wely, uit: *De toverhoed*
p. 38 Babs van Wely, uit: *Het sleutelkruid*
p. 39 Tonke Dragt, uit: *De tuinen van Dorr*
p. 40 Fiel van der Veen, uit: *De rode prinses*
p. 41 Carl Hollander, uit: *De rover Hoepsika*
p. 42 Peter Vos, uit: *De twaalf rovers*

Guus Kuijer

p. 50 Mance Post, uit: *Het grote boek van Madelief*
p. 51 Peter-Paul Rauwerda, uit: *Het boek van alle dingen*
p. 59 Mance Post, uit: *Het grote boek van Madelief*
p. 62 Thé Tjong-Khing, omslag *Eend voor eend*
p. 64 Thé Tjong-Khing, omslag *Olle*
p. 65 Jan Jutte / Mance Post, uit: *Tin Toeval en de kunst van Madelief*
p. 67 Alice Hoogstad, uit: *Ik ben Polleke hoor!*
p. 68 Alice Hoogstad, uit: *Het geluk komt als de donder*
p. 69 Alice Hoogstad, uit: *Het geluk komt als de donder*
p. 71 Jan Jutte, uit: *De grote Tin Toeval*

Wim Hofman

Alle illustraties in dit hoofdstuk zijn gemaakt door Wim Hofman
p. 75 Uit: *De kleine Hofman*
p. 77 Uit: *Er was eens een Waseens*
p. 78 Uit: *Zwart als inkt*
p. 80 Uit: *Zwart als inkt*

p. 82 Uit: *Het vlot*
p. 84 Uit: *Welwel, de zeer grote tovenaar*
p. 85 Uit: *Welwel, de zeer grote tovenaar*
p. 87 Uit: *Koning Wikkepokluk zoekt een rijk*
p. 89 Uit: *Wim*
p. 90 Uit: *Zwart als inkt*
p. 91 Uit: *Zwart als inkt*
p. 93 Uit: *We schilderen een vogel*

Els Pelgrom

p. 99 Thé Tjong-Khing, uit: *Kleine Sofie en lange wapper*
p. 101 Margriet Heymans, uit: *Voor niets gaat de zon op*
p. 103 Thé Tjong-Khing, uit: *Lady Africa en nog een paar*
p. 104 Thé Tjong-Khing, uit: *Lady Africa en nog een paar*
p. 106 Thé Tjong-Khing, omslag *De kinderen van het achtste woud*
p. 108 Thé Tjong-Khing, uit: *De olifantsberg*
p. 114 Thé Tjong-Khing, uit: *De olifantsberg*
p. 116 Thé Tjong-Khing, uit: *Kleine Sofie en lange wapper*
p. 117 Peter van Poppel, omslag *De eikelvreters*
p. 119 Thé Tjong-Khing, uit: *Het onbegonnen feest*
p. 120 Thé Tjong-Khing, uit: *Kleine Sofie en lange wapper*

Imme Dros

p. 125 Harrie Geelen, uit: *Het paard Rudolf*
p. 129 Margriet Heymans, uit: *Annetje Lie in het holst van de nacht*
p. 130 Margriet Heymans, uit: *Annetje Lie in het holst van de nacht*
p. 131 Margriet Heymans, uit: *Annetje Lie in het holst van de nacht*
p. 134 Jaap Lamberton, uit: *Heel lief konijn*
p. 135 Harrie Geelen, uit: *Roosje kan veters*
p. 136 Harrie Geelen, uit: *Roosje kreeg een ballon*
p. 138 Harrie Geelen, uit: *Odysseus*
p. 141 Harrie Geelen, uit: *Ilios*

Peter van Gestel

p. 149 Annemie Heymans, uit: *Mariken*
p. 151 Wiliam Steig, omslag *Kleine Felix*
p. 152 Peter van Straaten, uit: *Uit het leven van Ko Kruier*
p. 157 Sylvia Weve, uit: *Slapen en schooieren*
p. 161 Annemie Heymans, omslag *Winterijs*
p. 166 Martijn van der Linden, uit: *Rommelkatje*
p. 167 Martijn van der Linden, uit: *Rommelkatje*
p. 169 Peter van Hugten, uit: *Prinses Roosje*

Joke van Leeuwen

Alle illustraties in dit hoofdstuk zijn gemaakt door Joke van Leeuwen
p. 172/175 Uit: *De wereld is krom maar mijn tanden staan recht*
p. 177 Uit: *Kweenie*
p. 178 Uit: *Deesje*
p. 182 Uit: *Kweenie*
p. 184 Uit: *Ga je mee naar Toejeweetwel*
p. 186/187 Uit: *Kukel*
p. 188 Uit: *Sus en Jum*
p. 189 Uit: *We zijn allang begonnen, maar nu begint het echt*

Toon Tellegen

p. 198 Mance Post, uit: *Toen niemand iets te doen had*
p. 201 Harrie Geelen, uit: *Juffrouw Kachel*
p. 203 Rotraut Susanne Berner, uit: *Mijn vader*
p. 204 Marit Tornqvist, uit: *Pikkuhenki*
p. 206 Geerten Ten Bosch, uit: *De verjaardag van de eekhoorn*
p. 210 Peter Vos, uit: *Jannes*.
p. 215 Mance Post, uit: *Post voor iedereen*
p. 217 Mance Post, uit: *Post voor iedereen*
p. 220 Ingrid Godon, uit: *Morgen was het feest*
p. 222 Mance Post, uit: *Post voor iedereen*

VERANTWOORDING

Elk portret is gebaseerd op herlezing van het oeuvre en uitgebreide gesprekken met de auteur. De portretten van Paul Biegel, Imme Dros en Wim Hofman werden eerder gepubliceerd als een speciale uitgave bij tentoonstellingen over hun werk in het Letterkundig Museum, respectievelijk in 1996, 2001 en 2006. In de tekst zijn minimale wijzigingen aangebracht.

BB

Uitgeverij Querido stelt alles in het werk om op milieuvriendelijke en duurzame wijze met natuurlijke bronnen om te gaan. Bij de productie van dit boek is gebruikgemaakt van papier dat het keurmerk van de Forest Stewardship Council (FSC) mag dragen. Bij dit papier is het zeker dat de productie niet tot bosvernietiging heeft geleid.